অর্ধেক আকাশ

TITLE :   Ardheka ākāśa /

AUTHOR STAT :   Sucitrā Bhaṭṭācārya.

EDITION STAT :   Caturtha mudraṇa.

IMPRINT :   Kalakātā : Ānanda Pābaliśārsa, 2016

NATURE SCOPE : Novel.

LANGUAGE :   In Bengali.

OCoLC#813349347

D.K Agencies (P) Ltd.   **DKBEN-6730**

www.dkagencies.com

অর্ধেক আকাশ

সুচিত্রা ভট্টাচার্য

আ ন ন্দ

প্রথম সংস্করণ জানুয়ারি ২০১২
চতুর্থ মুদ্রণ মার্চ ২০১৬

সর্বস্বত্ব সংরক্ষিত

প্রকাশক এবং স্বত্বাধিকারীর লিখিত অনুমতি ছাড়া এই বইয়ের কোনও অংশেরই কোনওরূপ পুনরুৎপাদন বা প্রতিলিপি করা যাবে না, কোনও যান্ত্রিক উপায়ের (গ্রাফিক, ইলেকট্রনিক বা অন্য কোনও মাধ্যম, যেমন ফোটোকপি, টেপ বা পুনরুদ্ধারের সুযোগ সংবলিত তথ্য-সঞ্চয় করে রাখার কোনও পদ্ধতি) মাধ্যমে প্রতিলিপি করা যাবে না বা কোনও ডিস্ক, টেপ, পারফোরেটেড মিডিয়া বা কোনও তথ্য সংরক্ষণের যান্ত্রিক পদ্ধতিতে পুনরুৎপাদন করা যাবে না। এই শর্ত লঙ্ঘিত হলে উপযুক্ত আইনি ব্যবস্থা গ্রহণ করা যাবে।

ISBN 978-93-5040-070-8

আনন্দ পাবলিশার্স প্রাইভেট লিমিটেডের পক্ষে ৪৫ বেনিয়াটোলা লেন
কলকাতা ৭০০ ০০৯ থেকে সুবীরকুমার মিত্র কর্তৃক প্রকাশিত এবং
নবমুদ্রণ প্রাইভেট লিমিটেড
সিপি৪ সেক্টর ৫, সল্টলেক সিটি, কলকাতা ৭০০ ০৯১
থেকে মুদ্রিত।

ARDHEK AKASH
[Novel]
by
Suchitra Bhattacharya

Published by Ananda Publishers Private Limited
45, Beniatola Lane, Calcutta-700009

আদরের পুপসি ও আশুতোষ-কে

বড়সড় ড্রয়িং হলখানা সাজাচ্ছিল পারমিতা। শ্বশুরমশাইয়ের সঙ্গে। নাতির জন্মদিন বলে কথা, শুভেন্দু আজ উৎসাহে ভরপুর। নিজেই সকালে কিনে এনেছে রঙিন কাগজের শিকলি, প্যাকেট প্যাকেট বেলুন, গাদাখানেক লজেন্স-চকোলেট...। বিকেলের চা-টুকু খেয়েই শুরু হয়েছে কর্মযজ্ঞ। দ্যাখ না দ্যাখ সিঁড়ির তলা থেকে ঘড়াঞ্চি হাজির, তাতে চড়ে ঘরের এ মাথা থেকে ও মাথা স্ট্রিমার টাঙাচ্ছে শুভেন্দু। পেঁচিয়ে পেঁচিয়ে। পারমিতা হ্যাপি বার্থ ডে লেখা ঝিলমিলে বোর্ডখানা লাগিয়ে এল দরজায়। এবার বেলুন ফোলানোর পালা। বেজায় ঝকমারির কাজ। ফুসফুস উজাড় করে ফুঁ দাও, হাওয়া বোঝাই বেলুন ঝটপট বাঁধো সুতোর ফাঁসে, এভাবে ফুলিয়েই চলো একের পর এক। এরপর থোকায় থোকায় ঝোলাতে হবে জায়গামতো।

পাখা বন্ধ। বাইরে জ্যৈষ্ঠের প্রখর অপরাহ্ণ। অন্দরেও তাপ নেহাত কম নয়। শুভেন্দু দরদর ঘামছিল। ঘড়াঞ্চি থেকে নেমে দাঁড়াল ক্ষণিক। পাতলা হাফ পাঞ্জাবিতে কপাল-মুখ মুছতে মুছতে বলল,— ওফ্, বহুৎ থকে গেছি।

পারমিতারও চুল-মাথা ঘামে বিজবিজ। তবু হেসে বলল,— এবার আপনি রেস্ট নিন বাবা। বাকিটুকু আমি সেরে ফেলছি।

খেপেছ? আমি না থাকলে তাতার দস্যু তোমায় শান্তিতে কাজ করতে দেবে?

সত্যি, দস্যুই বটে। আসন্ন অনুষ্ঠানের উত্তেজনায় এখন বাড়িময় দাপিয়ে বেড়াচ্ছে তাতার। দুপুরে চেপে ধরে ঘুম পাড়ানো হয়েছিল, জেগে উঠে সে যেন অপার শক্তির আধার। এই সাঁ করে একবার দাদু-ঠাকুমার ঘরে ঢোকে, তো পরক্ষণে বেরিয়ে কাকার বন্ধ দরজায় দুম লাথি, তার পরেই ড্রয়িংহলে চোঁ চোঁ চক্কর মারছে...। আর সুযোগ পেলেই পুটুস ফাটিয়ে দিচ্ছে বেলুন। পারমিতা কটমট তাকালেও পরোয়া নেই, উলটে চোখ বড় বড় করে ভেংচাচ্ছে মাকে।

ছেলেকে টেরিয়ে দেখে নিয়ে পারমিতা বলল,— আজ বড্ড হাইপার হয়ে আছে।

বুঝতে শিখছে যে। আগের দুটো জন্মদিনে ব্যাটা তো একদম ভেবলে ছিল।

হুঁ। প্রথমবার তো সারা সন্ধেটা কেঁদে ভাসাল।

স্বাভাবিক। অত ভিড়ভাট্টা...এ একবার গাল টেপে, ও কোলে নিয়ে চটকায়...

কথার মাঝেই রান্নাঘর থেকে মানসীর ডাক,— মিতা, একবার দেখে যাও তো...

কী মা?

বুঝছ না? নির্ঘাত এ বেলার পায়েসটা টেস্ট করাবে। হালকা চোখ টিপে শুভেন্দু গলা ওঠাল,— আমাকে দিয়ে হবে?

মোটেই না। যতই ছোঁকছোঁক করো, মিষ্টি তুমি পাচ্ছ না।

গিন্নির কড়া ঘোষণায় পলকে মিইয়ে গেছে শুভেন্দু। শ্বশুরের মুখখানা দেখে অতি কষ্টে হাসি চাপল পারমিতা। মিষ্টির জন্য শুভেন্দু যেন মরে যায়। রাতে খাওয়ার পর আগে তো একটা রসের মিষ্টি বাঁধা ছিল রোজ। বছরখানেক হল সুগার ধরা পড়েছে, তারপর থেকে বেচারার শৃঙ্খলিত দশা। ওষুধ তো চলছেই, ইদানীং মর্নিং ওয়াকেও বেরোয় নিয়মিত, দুয়ে মিলে রক্তে শর্করার মাত্রা এখন মোটামুটি নিয়ন্ত্রণে। গত মাসেই তো টেস্ট হল। ফাস্টিং-এ একশো পঞ্চান্ন। তবে রিপোর্ট দেখে রাশ আলগা করবে, মানসী সে ধাঁচের মহিলাই নয়।

ফোলানো বেলুনগুলো কোণে স্তূপ করে পারমিতা রান্নাঘরে এল। বড় ডেকচিতে ধীর লয়ে হাতা ঘোরাচ্ছিল মানসী, অল্প একটু পায়েস কাচের প্লেটে তুলে খুঁতখুঁতে গলায় বলল,— দ্যাখো তো, চিনি মনে হচ্ছে বেশি হয়ে গেল!

চামচেতে নিয়ে জিভে ছোঁয়াল পারমিতা। ঠোঁট চাটতে চাটতে বলল,— ঠিকই তো লাগছে। বরং একটু যেন কম কম...

তাই? তিলেক ভাবল মানসী। ঘাড় দুলিয়ে বলল,— তা হলে চিন্তা নেই। ঠান্ডা হলে মিষ্টি ভাব তো বাড়বে।

মিছিমিছি টেনশান করছেন মা। পায়েস আপনার হাতে চমৎকার হয়।

প্রশংসায় খুশি হয়েছে মানসী। ঈষৎ গর্বিত কণ্ঠে বলল,— তাও...এতটা পায়েস একসঙ্গে করা... অনেক দিন প্র্যাক্টিস নেই...। পরিমাণ কেমন দেখছ? কুলিয়ে যাবে তো?

হ্যাঁ, হ্যাঁ। পারমিতার চোখ ডেকচিতে,— হয়ে বেশি থাকবে।

শেষ পর্যন্ত মোট ক'জন হল?

ধরুন... বাড়ির লোক নিয়ে জনা পঁচিশ।

তোমার মাসতুতো বোনকে বলেছ তো? সোনালি?

ওরা তো আসবেই।

আর তোমার জেঠার ছেলে?

টুটান তো ট্যুরে। ফিরতে পারলে বউ নিয়ে ঠিক হানা দেবে।

ছেলেটা কিন্তু খুব লাইভলি। আসর জমিয়ে দেয়। ডেকচিতে আর একটু এলাচের গুঁড়ো ছড়াল মানসী। গ্যাস নিভিয়ে বলল,— খাবার এলে তোমার মা-বাবারটা কিন্তু সরিয়ে রেখো।

এমন একটা বিশেষ দিনে মা-বাবাকে তো কিছু পাঠাতে ইচ্ছে করেই পারমিতার। সকালেও তো মা ফোনে তাতারকে কত আদর জানাল। খুঁটিয়ে খুঁটিয়ে পারমিতাকে জিজ্ঞেস করছিল বিকেলের অনুষ্ঠানের কথা। মুখ ফুটে বলেনি, কিন্তু গলা শুনে বোঝা যায় নাতিকে আজ দেখার জন্য মা রীতিমতো ব্যাকুল। বেচারা গৃহবন্দি মা। পারমিতা তো আজ কলেজ ছুটি নিয়ে বসে, সকালে একবার তাতারকে ঘুরিয়ে আনতেই পারত। গড়িয়া থেকে যাদবপুর কী বা এমন দূর। তবু কেন যে গেল না?

খচখচানিটা গোপন কুঠুরিতে রেখে পারমিতা বলল,— খাবার রেখে কী হবে মা? কে যাবে পৌঁছোতে?

রাজাই দিয়ে আসবে।

সে কখন অফিস থেকে ফেরে তার ঠিক আছে? আজ তো তার আবার চেয়ারম্যান এসেছে...

তা হলে রানাকে বলো। ওর তো নাইট ডিউটি, অফিস যাওয়ার পথে নামিয়ে দিয়ে যাক।

ছোট ছেলেকে দিয়ে কাজটা করানো কী কঠিন, মানসী ভাল মতোই জানে। তবু যে কেন বলে? নিয়মরক্ষা? ভালমানুষি? রাস্তা দিয়ে টিফিন

কেরিয়ার বয়ে নিয়ে যাওয়া রানার ধাতেই নেই। এই ধরনের পেটি কাজে প্রভাতীর সাব-এডিটারের মান খোওয়া যাবে না? খবরের কাগজের অফিসে ঢোকার পর থেকেই তো সে মাটির ছ'ইঞ্চি ওপর দিয়ে হাঁটে। প্রস্তাবটা পাড়ামাত্র এমন মুখ ভেটকাবে...ভাবলেই গা কিশকিশ করে পারমিতার। তার চেয়ে বরং কাল বিকেলে তো কলেজফেরতা ও বাড়ি যাবেই, তখন না হয় তাতারের নাম করে ভালমন্দ কিছু...।

জোর করে ঠোঁটে একটা হাসি টেনে পারমিতা বলল,— ওকে ব্যস্ত করার প্রয়োজন নেই মা। আমি দেখছি কী করা যায়।

দ্যাখো।... তোমাদের ডেকরেশান কদ্দুর?

প্রায় শেষ। আর তো শুধু বেলুনগুলো সেট করা...। ও হ্যাঁ, সোফাগুলোও তো দেওয়ালের দিকে সরাতে হবে। মাঝখানে তো অনেকটা ফাঁকা জায়গা দরকার।

খইব্যাগ ঝোলাবে বুঝি?

না মা। বাবা ওটাই আনতে ভুলে গেছেন।

যাহ্, খইব্যাগ ছাড়া বাচ্চাদের জন্মদিনের পার্টি জমে নাকি? বলতে বলতে আলগা হাতে রান্নাঘর গোছাচ্ছে মানসী। চিনির ডাব্বা র‍্যাকে তুলে বলল,— রাজা ছোটবেলায় খইব্যাগ বলতে যা পাগল ছিল! শুধু নিজের জন্মদিনে নয়, বন্ধুবান্ধব যার অনুষ্ঠানে যাবে, ওই খইব্যাগের দিকে সারাক্ষণ শ্যেন নজর। কখন ব্যাগ ফুটো হবে, খেলনা ঝরবে, লজেন্স পড়বে...! কুড়োনোতেও ওস্তাদ ছিল বটে। সব্বাইকে ঠেলে সরিয়ে ঠিক তুলে নিত আসল জিনিসগুলো। রানাটা ছিল বোকা, হাঁ হাঁ করত, কিন্তু কিচ্ছুটি পেত না। ওই রাজাই ভাইয়ের কান্না থামাতে নিজেরগুলো দিয়ে দিত। একবার হল কী...

পারমিতা প্রমাদ গুনল। মানসীর এই এক স্বভাব, পুত্রদের গুণকীর্তন শুরু করলে আর থামতে চায় না। বিশেষত বড় ছেলের। রাজার বাল্যলীলা বর্ণনার সময়ে মহিলার মুখচোখ যেন উদ্ভাসিত হয়ে ওঠে। সম্ভবত স্মরণে থাকে না, রাজা পারমিতারই বর, টানা আড়াই বছর তার সঙ্গে চুটিয়ে প্রেম করেছে পারমিতা, বিয়েও নয় নয় করে সাড়ে চার বছর গড়াল, এবং এই সাত বছরে শ্রীমান রাজার আগাপাশতলা পারমিতার নখদর্পণে। কিংবা হয়তো মনে থাকে বলেই শোনায়। রাজার শৈশবে পারমিতার

কোনও ভূমিকা নেই, এবং ছেলেকে বড় করার পূর্ণ কৃতিত্ব মানসী দেবীরই প্রাপ্য, সেটাই বুঝিয়ে দেয় গল্পের ছলে।

আজ অবশ্য অল্পেই রেহাই মিলল। রান্নাঘরের তাতে হোক, কি পায়েস রান্নার ধকলে, মানসীর কাহিনি সংক্ষিপ্ত হয়েছে। বেরিয়ে এল্ শেপের খাওয়ার জায়গাটায় পাখা চালিয়ে চেয়ার টেনে বসল। আঁচলে ঘাম মুছছে।

পারমিতাও ফিরেছে ড্রয়িং হলে। দাদু-নাতি নেই, সম্ভবত দুজনে এখন শুভেন্দুদের ঘরে। তাদের বদলে রানা সোফায় আসীন। পরনে হাঁটুঝুল শর্টস আর হাতাবিহীন খাটো টিশার্ট। ভুরু কুঁচকে দেখছে ঘরখানা।

পারমিতা হালকা সুরে বলল,— বাবুর নিদ্রাভঙ্গ হল?

ঘুমোনোর জো আছে? যা এক পিস বাড়িতে ছেড়ে রেখেছ! রানার দৃষ্টি ফের একবার পাক খেল,— কে করল এত সব? তুমি?

উঁহু। আপনাআপনি হল। আর একটু ওয়েট করো, দেখবে বেলুনগুলোও নিজে নিজে উঠে ঝুলতে শুরু করবে।

চিমটি গায়ে লেগেছে। রানা পলকের জন্য গোমড়া। পরক্ষণে বাঁকা হেসে বলল,— মুখ ফুটে বললেই হয়।...লাগিয়ে দিচ্ছি।

তোমার কিন্তু আর একটা কাজও আছে।

কী?

সোফাগুলো ঠেলতে হবে। একেবারে দেওয়াল পর্যন্ত।

কেন?

বা রে, লোকজন ঘোরাফেরা করবে...বাচ্চারা এদিক ওদিক ছুটবে...জায়গা লাগবে না?

কেন যে তোমরা কিপটেমি করো? আজকাল তো গাদাগুচ্ছের পার্টিহল...। দুটো পয়সা খরচা করলে আর ট্রাবলটা নিতে হয় না। এই সাজানো-গোছানোও তো তারাই করে দেয়।

বাড়ির কোনও খবরই রাখে না রানা। কোন জগতে যে বাস করে! অমন একটা প্রস্তাব পারমিতা তো পেড়েছিল। রাজা ভাল করে শুনলই না, চালান করল বাবা-মা'র ঘাড়ে। তাদের দু'জনেরই ঘোরতর আপত্তি। বিশ-পঁচিশটা লোকের জন্য হলভাড়া নাকি অর্থহীন! আসবে তো দু'-চারটে তাতারের প্লে-হোমের গেঁড়িগুগলি আর গোনাগুনতি ক'জন ঘনিষ্ঠ

আত্মীয়...বাড়িতেই তো দিব্যি আয়োজন সম্ভব। এ হেন মতামতের পর পারমিতা আর কীভাবে এগোয়!

পারমিতা বলল,— যা হয়নি, তা ভেবে তো লাভ নেই। তুমি কি হাত লাগাবে?

সোফা সরানো? এই গরমে? রানা গা মোচড়াচ্ছে,— তোমার প্রমীলা সোলজার তো এক্ষুনি আসবে, তাকে দিয়ে করাও না।

আহা, এ কি মেয়েদের কাজ?

কাজের আবার ছেলেমেয়ে কীসের? মেয়েরা মোটেই দুবলা নয় ভাবিজান। স্পেশালি তোমাদের সরস্বতী। ঘর মুছে মুছে কীরকম মাস্‌ল বানিয়েছে দেখেছ?

বুঝেছি। পারমিতা মুখে গ্রাম্ভারি ভাব ফোটাল,— তোমার ডিউটিটুকু করেছ নিশ্চয়ই?

কোনটা?

যে একমাত্র দায়িত্বটা তুমি নিয়েছিলে। কেক?

ও শিয়োর। কাঁটায় কাঁটায় ছ'টায় ডেলিভারি। তাতারবাবুর পছন্দের মিকিমাউস।

থ্যাঙ্ক ইউ।

এবার তা হলে এক কাপ চা পেতে পারি?

দিচ্ছি।

রান্নাঘরে এল পারমিতা। শুধু চা নয়, তাতারের দুধও গরম করে ফেলল। চকোলেট আর চিনি গুলে রাখল খাবার টেবিলে। বিস্তর হাঁকাহাঁকির পর এসেছে তাতার। দুধ দেখেই পালাচ্ছিল, কোনওমতে চেপে তাকে চেয়ারে বসাল পারমিতা। লম্বাটে কাপখানা ধরিয়ে দিল হাতে। রানা শিস বাজিয়ে বেলুন টাঙাচ্ছিল, তাকে চা দিয়ে এসেছে নিজেদের ঘরে। এবার তৈরি হওয়া উচিত। কী পরবে আজ? একে গরমকাল, তায় আমন্ত্রিতরা সবই তো প্রায় ঘরোয়া লোকজন, মোটামুটি মানানসই গোছের একটা শাড়ি হলেই যথেষ্ট। সঙ্গে একটা-দুটো গয়না...

মোবাইল বাজছে। বিশেষ রিংটোন। রাজা।

বিছানা থেকে সেলফোন তুলে কানে চাপল পারমিতা,— হ্যাঁ, বলো।

পার্টির প্রস্তুতি চলছে তো জোর কদমে?

জেনে কী করবে? পারমিতার স্বরে মৃদু অভিমান,— তুমি নিশ্চয়ই কেক কাটার আগে পৌঁছোচ্ছ না?

এখনও চটে আছ? আরে বাবা, তাতারের জন্মদিনে অফিস করতে আমারও ভাল লাগে নাকি? মিস্টার কুলকার্নি না এলে কখন কেটে পড়তাম।

ছেঁদো সান্ত্বনা। আজ নয় চেয়ারম্যানের দোহাই পাড়ছে, আগের দুটো বছরে কি ছুটি নিয়েছিল? তাতারের অন্নপ্রাশনটা ভাগ্যিস পড়েছিল রবিবারে, না হলে হয়তো সেদিনও...। কবে কোন কাজে ঠিক সময়ে ফেরে রাজা? সোনালির বিয়েতে পৌঁছোল রাত দশটায়। কী এক জটিল সমস্যার নাকি গিঁট ছাড়াচ্ছিল! নিজের মামাতো ভাইয়ের বউভাতের দিনও তো বাবু নিপাত্তা। একমাত্র ম্যারেজ অ্যানিভার্সারির দিনগুলো এখনও ঝোলায় না, এটুকুই যা বাঁচোয়া। অন্তত সন্ধে সন্ধে ফেরে।

পারমিতা অবশ্য প্রসঙ্গটা নিয়ে খোঁচাখুঁচিতে গেল না। ফালতু কথা বাড়িয়ে কী লাভ? ছেলের জন্মদিনে অফিসে ব্যস্ত থাকাটা বাবাকে মানায়। এবং যত কাজই থাক, মাকেই নিতে হয় ছুটিটা।

সহজ সুরেই পারমিতা বলল,— তা এখন করছটা কী?

প্রতীক্ষা। মিস্টার কুলকার্নি ফিনান্স স্টাফদের সঙ্গে মিটিং-এ বসেছেন। শেষ হলে আবার আমাদের নিয়ে পড়বেন।

আবার মিটিং?

ইয়েস। আজ তো মিটিং-এ মিটিং-এ নাকাল। কয়েক সেকেন্ডের বিরতি, ফের রাজার গলা,— তবে একটা স্কুপ দিতে পারি। দিনটা বৃথা যায়নি। সুখবর আছে।

কীরকম?

পরে শুনো। এখনও ব্যাপারটা ফাইনাল হয়নি।

লিফট পাচ্ছ বুঝি?

কুল বেবি, কুল। নো কৌতূহল। বাড়ি গিয়ে বলব।...খাবার-দাবার সব বলে দিয়েছ তো ঠিকঠাক?

আজ্ঞে হ্যাঁ স্যার।

দেবে কখন?

সাড়ে সাতটা। বাচ্চাদের ব্যাপার তো...আটটার মধ্যে ডিনার স্টার্ট করে ফেলব।

দ্যাটস গুড।...তাতার কোথায়?

নেচে বেড়াচ্ছে। ডাকব? কথা বলবে?

থাক। আমি ফেরার চেষ্টা করছি। যত তাড়াতাড়ি পারি।

ফাঁপা আশ্বাস। জানে পারমিতা। ফোন ছেড়ে শ্বাস ফেলল ছোট একটা। ঢুকেছে লাগোয়া বাথরুমে। ভাল করে ধুল গা-হাত-মুখ। বেরিয়ে সোজা ড্রেসিং টেবিলের সামনে। নিরীক্ষণ করছে নিজেকে। তার একত্রিশ বছরের ত্বক সতেজ, সপ্রাণ। কিন্তু চোখের নীচে যেন কালির আভাস? পরিশ্রমের ছাপ পড়ছে নাকি? হতে পারে। নিত্যদিন গড়িয়া থেকে ব্যারাকপুর ট্রেন বদলে যাতায়াতের ধকল কি কম? গরমের ছুটিতেও তো তেমন বিশ্রাম মিলল না, একটার পর একটা পরীক্ষার পাহারাদারি চলছে। সম্প্রতি আর একটা দায়ও চেপেছে কাঁধে। প্রিন্সিপালের কী যে হল, পারমিতাকে কিনা ঢুকিয়ে দিল অ্যাডমিশান কমিটিতে! ঠেলা বোঝো এখন! গত সপ্তাহে হায়ার সেকেন্ডারির রেজাল্ট বেরিয়েছে, কলেজে এখন ভরতির মরসুম, সুতরাং রোজ মিটিং, রোজ মিটিং। আজও ছিল, এ দিকে পারমিতা গা ঢাকা দিয়ে বসে। কলেজে এখন তার কী শ্রাদ্ধ হচ্ছে কে জানে! আরও একটা দুশ্চিন্তা তো রয়েছেই সঙ্গে। অসুস্থ বাবাকে নিয়ে। উফ্, এক এক সময়ে পারমিতার যেন দিশেহারা লাগে। তাও কপাল ভাল, ছেলের ঝক্কিটা পোহাতে হয় না, শ্বশুর-শাশুড়ি সামলে দেয় মোটামুটি। না হলে পারমিতা যে কী গভীর গাড্ডায় পড়ত।

বাইরে এখনও বিকেল। রোদ মরে গেছে, তবে তার সোনালি আভা পুরোপুরি মিলোয়নি। এ বাড়ির অন্দরে অবশ্য তা টের পাওয়ার উপায় নেই, ঘরে ঘরে দ্রুত দখল নিচ্ছে অন্ধকার। শহরের এই উপকণ্ঠ এখন কংক্রিটের জঙ্গল, সর্বত্র বাড়ি বাড়ি আর বাড়ি। পারমিতার বিয়ের সময়ে তাও পুব দিকটা খোলা ছিল, বছরখানেক হল সেখানে জি প্লাস থ্রির সদম্ভ উপস্থিতি। খাড়া পাঁচিল যেন বুক চিতিয়ে আলো-বাতাসকে শাসায়।

পারমিতা টিউবলাইট জ্বেলে নিল। চটপট সাজগোজ সেরে পাকড়াও করল তাতারকে। আজ বোধহয় ছেলেকে রেডি করার ভারটা শাশুড়ির ওপর চালানো ঠিক নয়। কিন্তু তাতারকে দু' দণ্ড সুস্থির রাখা যে কী

দুঃসাধ্য! ক্ষণে ক্ষণে ছিটকে যায়, অবিরাম লাফায় তিড়িংবিড়িং। তারই মাঝে কেক এল, ওমনি তাতার দে ছুট। ফের তাকে টানতে টানতে এনে গায়ে পাউডার মাখাও, প্যান্ট-জামা ছাড়িয়ে নতুন পোশাক পরাও, চেপে ধরে চুল আঁচড়াও...। অবশেষে তাতার যখন ধোপদুরস্ত, পারমিতার প্রায় গলদঘর্ম দশা।

তারপর দু'-আড়াই ঘন্টা যে কীভাবে কাটল! একের পর এক অভিভাবক-সহ বাচ্চাদের আগমন, উপহার পেয়ে তাতারের উল্লাস, কেক কাটা, গান, হুটোপুটি, পুটপাট বেলুন ফাটছে, রাংতার কুচি উড়ছে, প্যাঁ পোঁ ভেঁপু, ক্যামেরায় ফ্ল্যাশ—শুভেন্দুর একতলা বাড়িখানা যেন পুলকে মাতোয়ারা। পেল্লাই পেল্লাই ডেকচিতে সময় মতো বিরিয়ানি-চাঁপও হাজির। আইসক্রিম-মিষ্টিও। মানসী ভাঁড়ারের জিম্মায়, সরস্বতীকে সহকারী করে আহার বিতরণে পারমিতা, তাসের আড্ডা মুলতুবি রেখে শুভেন্দুও আজ গৃহকর্তার ভূমিকায়। ফাঁক বুঝে টুপুস হাওয়া মারল রানা। শুরু হল নৈশভোজ, বড়দের হাহা হিহি। রাজাও এসে পড়ল, তবে আসর তখন ভাঙার মুখে। শেষ লগ্নে বার্থ-ডে বয়ের বাবা হয়ে সেও খানিক মাতল হল্লাগুল্লায়।

বাড়ি ফাঁকা হয়েছে। এবার আসল কাজ। চতুর্দিকে এঁটো মাখা থার্মোকোলের প্লেট-বাটি-গ্লাস, যত্রতত্র খাবারের টুকরো, সোফায় কেকের ক্রিম, মেঝে জুড়ে রাংতা, থার্মোকোলের খুদে খুদে বল, ভাঙা চকোলেট, মরা বেলুন...। সরস্বতী ন'টা নাগাদ কেটে পড়েছে, পারমিতা আর মানসীর পক্ষে গোটা বাড়ি সাফসুতরো এখন সম্ভবও নয়, তবু দু'জনে মিলে করল যথাসাধ্য। রান্নাঘরে জড়ো হল জঞ্জাল, বেঁচে যাওয়া খাবার দাবার ঢুকল ফ্রিজে, মোটামুটি ভদ্রস্থ হল ঘরদোর। এখন শুধু আলুথালু ঝুলছে স্ট্রিমারগুলো, পাখার হাওয়ায় আন্দোলিত হচ্ছে। সেদিকে তাকিয়ে মানসী আর পারমিতা চোখ চাওয়া-চাওয়ি করল একটুক্ষণ, তারপর হাত উলটে দিয়ে দু'জনেই যে যার ঘরে।

শ্রান্ত তাতার অকাতরে ঘুমোচ্ছে। পাশে বিছানায় রাজা। কানে মোবাইল, কোলে ল্যাপটপ। এবং এসি মেশিন চালু। গত গ্রীষ্মে কেনা হয়েছে যন্ত্রটা। পারমিতার লাগে না বড় একটা। কিন্তু দিনভর ঠান্ডাঘরে কাজ করা রাজা আজকাল একটুও গরম সইতে পারে না।

এখন অবশ্য হিম হিম ভাবটা পারমিতার বেশ লাগছিল। শরীর জুড়িয়ে যাচ্ছে। আয়নার সামনে বসল মোড়া টেনে। হাই তুলতে তুলতে খুলছে গলার হার, কানের দুল...। ড্রয়ারে রেখে বাথরুমে গেল। নিজেকে নাইটিতে বদলে ফিরেছে শাড়ি-ব্লাউজ হাতে। ভাঁজ করছে শাড়িখানা। হঠাৎই বলে উঠল,— এবার ড্রয়িং হলেও একটা এসি দরকার। আজ যা কষ্ট হচ্ছিল গরমে...বেলুন ফোলাতে গিয়ে নাকের জলে-চোখের জলে অবস্থা। যতক্ষণ না কেক কাটা হল, লোকজনেরও...

রাজার ফোনালাপে ব্যাঘাত ঘটছে। চুপ করতে বলল ইশারায়। থেমে গেল পারমিতা। নির্ঘাত কনফারেন্স কল। বিদেশের সঙ্গে। প্রায়ই চলে এরকম। আমেরিকাতে রাজাদের অনেক কাজকারবার, কথা চালাচালি চলে তাই রাতের দিকেই। কেন যে ওখানকার লোকরা বোঝে না, এ দেশে এখন শোওয়ার সময়? সারাদিন খাটাখাটুনির পর নিশ্চিন্ত নিদ্রা না জুটলে পরদিন কলকাতা-বেঙ্গালুরু-হায়দরাবাদের রাজারা টনকো হয়ে কাজে যাবে কী করে?

ওয়ার্ড্রোবের হ্যাঙারে শাড়ি ঝুলিয়ে নিজের মোবাইলখানা টানল পারমিতা। মনিটারে দুটো মিসড করল। দুটোই শর্বরীদির। কোনও জরুরি প্রয়োজন? নাকি স্রেফ কলেজের ঘোঁট? হোক গে যা খুশি, কাল দেখা যাবে। বরং মাকে একটা ফোন করবে কি? বাবার রাতের আয়াটি পরশু ডুব মেরেছিল, আজ এসেছে তো? দুৎ, সাড়ে এগারোটা বাজে, এখন আর জেনে কী লাভ? সন্ধেবেলাই খবর নেওয়া উচিত ছিল। এমন আমোদ-আহ্লাদে মত্ত রইল, একবার মনেও পড়ল না...!

রাজার কান থেকে নেমেছে ব্ল্যাকবেরি। ল্যাপটপে আঙুল বোলাতে বোলাতে জিজ্ঞেস করল,— এসির কথা কী বলছিলে?

ড্রয়িং হলটা সামারে ফারনেস হয়ে যাচ্ছে। বাবা আজ যা ঘামছিলেন...

এসি লাগালে প্রবলেম মিটবে? ফুঃ। বাবা থোড়াই চালাতে দেবে।

আহা, কেন? বাবার কি গরমের বোধ নেই?

এটা গরম-ঠান্ডার প্রশ্ন নয়, মেন্টালিটির ব্যাপার। বাবা-মা'র ঘরে তো এসি বসানো হল, আদৌ কাজে লাগছে কি? মা কাঁইমাই করলে বড়জোর আধ ঘণ্টার জন্য চলল, ব্যস ঘর একটু ঠান্ডা হলেই অফ্। এজি বেঙ্গলের

অডিটে চাকরি করেছে তো, প্রতিটি স্টেপে হিসেব করার হ্যাবিটটা হাড়েমজ্জায় ঢুকে গেছে। কিছুতেই বাবাকে বোঝাতে পারবে না, জীবনটা শুধু কষ্ট করার জন্য নয়! এখন আমরা অ্যাফোর্ড করতে পারছি, সুতরাং চুটিয়ে আরাম করে নাও!

তুমি বলো না বুঝিয়ে। বাবা তো তোমার কথাকে সবচেয়ে বেশি মূল্য দেন।

খামোখা মুখ নষ্ট করায় আমি নেই। ল্যাপটপ বন্ধ করে ছোট্ট একটা আড়মোড়া ভাঙল রাজা। খাটের বাজুতে হেলান দিয়ে বলল,— আমার থিয়োরি কী জানো? যে যার ফিলজফি নিয়ে বাঁচুক।

সেটা কীরকম?

আমরা নয় আমাদের মতো থাকলাম। উইথ আওয়ার ওউন আউটলুক। বাবা-মাও থাকুক, যেভাবে তারা চায়। রানাও চলুক রানার পছন্দ মতো। কেউ কারও লাইফে ইনট্রুডও করব না, অকারণ ভেবে ভেবে চুল পাকানোরও কোনও দরকার নেই। আবার প্রয়োজনের সময়ে সবাই সবার পাশে রইলাম। যে যার সাধ্য মতো। রাজা হাসল,— বুরা বাত বোলা হ্যায় কুছ?

কী জানি! পারমিতা ঠোঁট উলটোল,— এ ধরনের তত্ত্বকথা আমার মগজে ঢোকে না।

এই জন্যই তো বলি, বেশি কেমিস্ট্রি পড়লে ব্রেন থিক হয়ে যায়। পড়ালেও। রাজা হ্যা হ্যা হাসছে,— বাঁধা ছকের ইকুয়েশান ছাড়া কিচ্ছুটি বোঝো না।

অ্যাই খবরদার, আমার সাবজেক্ট তুলে কথা নয়।

ও-কে। ও-কে। এবার কাজের কথা শোনো। রাজা গুছিয়ে বসল,— মিস্টার কুলকার্নি আজ একটা দুর্দান্ত অফার দিয়েছেন।

পারমিতার চোখ বড় বড় হল,— তখন যেটা বলতে গিয়ে চেপে গেলে?

ইয়েস। তবে তখনও ব্যাপারটার কংক্রিট শেপ ছিল না।

পারমিতা পায়ে পায়ে বিছানায় এল,— খুব বড় লিফট পাচ্ছ বুঝি?

শুধু বড় নয়, আনইম্যাজিনেবল্। ধবল কুলকার্নি আমার পারফর্ম্যান্সে দারুণ ইমপ্রেসড। কোম্পানি বাঙ্গালোরে আর একটা নতুন ডিভিশান

খুলছে। পুরো নতুন নয়, বলতে পারো বাইফার্কেশান। আমাদের কম্পিউট্রনিক্সকে দুটো অংশে ভেঙে দিচ্ছেন ডি-কে। একটা ডিল করবে সিস্টেমস আর সলিউশানস নিয়ে। ওই ডিভিশানের এন্টায়ার টেকনিক্যাল সাইডটা আমাকে হেড করতে বলছেন। অফ কোর্স উইথ আ ফ্যাবুলাস জাম্প ইন স্যালারি অ্যান্ড পার্কস। তার মধ্যে কম্পিউট্রনিক্সের শেয়ারও আছে।

ওমা, তাই? আনন্দে রাজাকে জড়িয়ে ধরেছে পারমিতা। গালে নাক ঘষে দিয়ে বলল,— এ তো গ্র্যান্ড নিউজ! ইস, আমার নাচতে ইচ্ছে করছে।

বউয়ের উচ্ছ্বাস আর আদর, দুটোই খানিক উপভোগ করল রাজা। হঠাৎই চোখ পিটপিট করে বলল,— লেকিন পারো, আমাকে যে বাঙ্গালোরে মুভ করতে হবে। পার্মান্যান্টলি!

ও হ্যাঁ, তাই তো! এতক্ষণে বুঝি কথাটা খেয়াল হয়েছে পারমিতার। একটু থমকে থেকে অস্ফুটে বলল,— কবে...যাচ্ছ...?

সম্ভবত সামনের মাসেই।

এত তাড়াতাড়ি?

মিস্টার কুলকার্নি চাইছেন...। রাজার ভুরুতে পলকা ভাঁজ,— তুমি তো বোধহয় এখন যেতে পারবে না...

পারমিতা ঢোক গিলল,— না মানে... এক্ষুনি কী করে...? মাকে তো দেখছ, বাবাকে নিয়ে কেমন হাবুডুবু খাচ্ছে। এখন আমি না থাকলে...প্লাস, আমার কলেজ...

হুম্। সমস্যা। চোখ-মুখ কুঁচকে পলক কী যেন ভাবল রাজা। তারপর পারমিতার পিঠে হাত রেখেছে,— এনি ওয়ে, আপসেট হওয়ার কিছু নেই। আমি একলাই চলে যাব।

পারবে থাকতে?...অসুবিধে হবে না তো?

ম্যানেজ করে নেব। তা ছাড়া বাঙ্গালোর তো পাশের বাড়ি। ফ্লাইটে জাস্ট দু'-আড়াই ঘণ্টা। চাইলে ডেলি প্যাসেঞ্জারি করা যায়। পারমিতার চুলে বিলি কাটছে রাজা। চোখ নাচিয়ে বলল,— তোমারই তো কলেজ যাতায়াতে তিন ঘণ্টা লাগে, নয় কী?

তবু...দুটো কি এক...?

ভেবে নিলেই হয়। শোনো, আজকের দুনিয়ায় ওই সব তবু টবু আর চলে না। যখন যেরকম পরিস্থিতি আসবে, ফেস করতে হবে। এটা নিশ্চয়ই বোঝো, কলকাতায় এখন আর কোনও প্রসপেক্ট নেই? এখানে থাকা মানে বদ্ধ জলায় আটকে পড়া?

হ্যাঁ, সে তো বটেই।

আর তুমি নিশ্চয়ই চাও না, এমন সুযোগটা আমি হাতছাড়া করি? হুইচ মে বিল্ড মাই হোল ফিউচার...?

আমি কি তাই বলেছি একবারও?

তা হলে মুখ ভার কেন? হাসো, মোমেন্টটা এনজয় করো। রাজা আরও কাছে টানল পারমিতাকে। নিটোল ফরসা ঘাড়ে ছোট্ট চুমু খেয়ে বলল,— নো প্রবলেম বেবি। আমি মাসে এক-দু'বার এলাম, তুমিও হুস করে উড়ে গেলে...। তারপর তো ধরো, গভর্নমেন্টের কৃপায় তোমাদের অনেক ছুটিছাটা, তখন তাতারকে নিয়ে টানা থেকে আসতে পারো। ঠিক কি না?

পারমিতা অস্পষ্টভাবে ঘাড় নাড়ল। তাও যেন চোরা অস্বস্তি হচ্ছে একটা। ধুস, ভাল্লাগে না।

দুই

ফিজিয়োথেরাপিস্ট এসেছিল আজ?

হ্যাঁ। দু বেলাই ম্যাসাজ করে গেছে। তবে ছেলেটা কিন্তু বড্ড পেশাদার। এসেই শুধু ঘড়ি দেখে।

কাজটুকু ঠিকমতো করে তো?

সে আমি কী করে বুঝব বল? উন্নতির তো তেমন লক্ষণ দেখি না।

সময় লাগবে মা, সময় লাগবে। ডাক্তার কী বলেছে মনে নেই? ধৈর্যই এই রোগের সবচেয়ে বড় চিকিৎসা।

বলতে বলতে সোফায় শরীর ছেড়ে দিল পারমিতা। কাঁধের ভারী ব্যাগখানা রাখল পাশে। হাতের চেটোয় কপাল মুছে বলল,— ফ্রিজ থেকে একটা বোতল দাও তো। ঠান্ডা দেখে।

সুমিতা জল এনেছে। ঢকঢক গলায় ঢালল পারমিতা। আহ্, শান্তি! ভেতরটা যেন শুকিয়ে খাক হয়ে ছিল। কলেজ ছাড়ার আগে রোজ ছোট বোতলটা ভরে নেয়, আজ একদম ভুলে গেছে। ব্যারাকপুর লোকাল ধরার জন্য যা তাড়াহুড়ো করতে হল শেষ মুহূর্তে। ট্রেনটা পেলে তাও শেয়ালদা অবধি বসে আসা যায়। নইলে সেই ঠেলেঠেলে ওঠা, বিশ্রী ভিড়, ধাক্কাধাক্কি...। এমনিই তো সাউথ সেকশানের গাড়িতে গড়িয়া-যাদবপুর এক নরকযন্ত্রণা। অতএব ওই সামান্য আরামটুকুর লোভ সামলানো মুশকিল। কিন্তু আজ কপাল মন্দ, বেরোনোর সময় ম্যাথমেটিক্সের দীপন সান্যালের মুখোমুখি, এবং সেই লোকালও মিস। বড় ভ্যাজর ভ্যাজর করে লোকটা। পারমিতারা এ বছর কীরকম ছেলেমেয়ে পাচ্ছে... কেমিস্ট্রিতে ক'টা দরখাস্ত পড়ল...হাইয়েস্ট মার্কস কত... ক'টা লিস্ট বেরোবে... কাউন্সেলিং-এ কে কে থাকছে...আজই যেন জ্ঞানপিপাসা উথলে উঠল হঠাৎ। সঙ্গে লম্বা লম্বা বুকনি। অত

হুটোপুটি করে দৌড়োচ্ছেন কেন...! সারাক্ষণ সংসার সংসার করলেই চলবে, কর্মস্থানের কথাও তো ভাবতে হবে...! ওফ্, কী কষ্টে যে পারমিতা মাথা ঠান্ডা রেখেছিল!

একটুখানি বরফশীতল জল আঁজলায় নিয়ে মুখে বোলাল পারমিতা,— খুব খিদে পেয়েছে কিন্তু। খাবার-দাবার আছে কিছু?

আগে এক গ্লাস শরবত দিই?

সেই আমপান্না? এখনও ফুরোয়নি?

এনে এনে তো রাখিস। খায় কে?

কেন, তুমি তো লাইক করো!

আর আমার পছন্দ অপছন্দ! সুমিতা ফোঁস করে শ্বাস ফেলল,— বাসনা-রসনা আমার ঘুচে গেছে।

মা ইদানীং প্রায়ই বলে কথাটা। কোন হতাশা থেকে যে উচ্চারণ করে, বুঝতে অসুবিধে নেই পারমিতার। একটা সুস্থ সবল মানুষ যদি আচমকা পঙ্গু হয়ে পড়ে, তা দেখারও একটা অভিঘাত থাকে বই কী। দিব্যি তো ছিল বাবা। দশটা-পাঁচটা অফিস করছিল, কোনওদিন তেমন অসুখ বিসুখেও ভোগেনি, কিন্তু রিটায়ারমেন্টের পর কী যে হল...! আগাম কোনও উপসর্গ ছাড়াই দুম করে সেরিব্রাল অ্যাটাক। নার্সিংহোমে দিতে দেরি হয়নি বলে প্রাণ বাঁচল বটে, তবে ডান-অঙ্গ পড়ে গেল পুরোপুরি। রোগীর দেখভাল করতে মাকেও স্বেচ্ছা-অবসর নিতে হল চাকরি থেকে। গত যোলো-সতেরো মাস ধরে মা'র জীবন তো বাবাতেই থমকে আছে। কত ঘুরতে-বেড়াতে, বাজারহাট করতে ভালবাসত মা, এখন ফ্ল্যাটের গণ্ডি ছেড়ে বেরোতেই পারে না। সুতরাং আক্ষেপ তো থাকবেই।

পারমিতার বুকটা চিনচিন করে উঠল। মাকে প্রফুল্ল করার জন্য গলায় ঈষৎ মজা এনে বলল,— রামপ্রসাদী ধুনটা এবার বন্ধ হোক।...আমি তো বাসনা ভুলিনি মা, আমায় খেতে দাও।

সুমিতা হেসে ফেলেছে। বলল,— আগে হাত-মুখ তো ধুবি। পরোটা-চচ্চড়ি বানিয়ে রেখেছি, চলবে নিশ্চয়ই?

দৌড়োবে।

বাথরুম ঘুরে এসে পারমিতা দেখল, মা রান্নাঘরে। বোধহয় পরোটা গরম করছে। পায়ে পায়ে বাবার ঘরের দরজায় গেল পারমিতা। প্রণব

বিছানায় শুয়ে, যেমন থাকে দিনভর। কোনও কালেই তেমন তাগড়াই ছিল না প্রণব, কিন্তু এখন যেন খাটে মিশে গেছে শরীর। বয়স কতই বা, এখনও বাষট্টি পোরেনি, দেখে মনে হয় জরাগ্রস্ত বৃদ্ধ। পরনে সাদা পাজামা, পাতলা গেঞ্জি। বাঁ হাত পেটের ওপর, ডান হাত নেতিয়ে আছে বিছানায়। একটু যেন ধারে চলে এসেছে না? পাশে বালিশ আছে বটে, তবু...। রাজা ফাউলার্স বেড কেনার কথা বলেছিল। রেলিং-এর বন্দোবস্ত থাকত, রোগীর পড়ে যাওয়ার আশঙ্কা নেই, আবার মাথার দিকটা তুলে বসিয়ে রাখারও সুবিধে। কিন্তু এ ঘরে ঢোকাবে কোথায়? ডবল বেড খাট, আলমারি, ড্রেসিং টেবিল আর একখানা বইয়ের র‍্যাকেই তো ঘর জবরজং। তবু একটা হসপিটাল কট থাকলে দুশ্চিন্তা কমত একটু।

খাটের পাশে বেঁটে টুলে মধ্যবয়সি আয়া। চোখ কোণের তেপায়া টেবিলে বসানো আদ্যিকালের ছোট টিভিটায়। রঙিন পোর্টেবল টিভিখানা দীর্ঘ দিন বাতিল হয়ে পড়ে ছিল, এখন আয়াদের মনোরঞ্জনের কাজে লাগছে। বিনোদনের ওইটুকু উপকরণ এ ঘরে না রাখলেও মুশকিল, লিভিং হলে সুমিতা টিভি খুললেই রোগী ফেলে চলে আসে যখন তখন।

পারমিতা গলা খাঁকারি দিল,— কী গো বিমলা, একটু পেশেন্টকেও দ্যাখো।

চমকে বাংলা সিরিয়াল থেকে দৃষ্টি ফেরাল বিমলা। সামান্য অপ্রস্তুত মুখে বলল,— কেন দিদি, উনি তো আজ ঠিকই আছেন। এই খানিক আগে ইউরিনাল দিলাম।

কতটা ধারে সরে এসেছে, দেখেছ?

হ্যাঁ, হ্যাঁ। আমার নজর আছে। বিমলা ঝিরিঝিরি ছবিওয়ালা টিভি বন্ধ করে উঠে দাঁড়াল। হাসি হাসি মুখে বলল,— আজ চা খাওয়ানোর পর উনি অনেকক্ষণ বসেছিলেন। সেই থেরাপিশের আসা পর্যন্ত।

গায়ে পাউডার টাউডার লাগাচ্ছ তো ভাল করে?

আজকাল বাবু আমার হাতে মাখতে চান না। মাকে ডাকেন।

এ তথ্যটা নতুন। শুনে ঈষৎ রোমাঞ্চিত হল পারমিতা। যত সামান্যই হোক, এও তো উন্নতি। মস্তিষ্কে রক্তক্ষরণের পর প্রথম ক'দিন অচেতন ছিল বাবা, কিন্তু তার পর থেকে সারাক্ষণই জ্ঞান আছে। তবে এই ইচ্ছে-

অনিচ্ছের ব্যাপারটা ছিল না। কেমন অসহায়ের মতো অন্যের হাতে পুরোপুরি ছেড়ে দিয়েছিল নিজেকে। সেদিক দিয়ে ভাবলে এটা অন্তত এক পা এগোনো। আরোগ্যের পথে।

প্রণব মেয়ের আগমন টের পেয়েছে। চঞ্চল দৃষ্টি ঘুরছে পারমিতায়।

বিছানার ধারে এল পারমিতা। ঝুঁকে বলল,— তোমাকে আজ বেশ ফ্রেশ দেখাচ্ছে বাবা।

ঠোঁট সামান্য নড়ল কি? বোঝা গেল না। তবে চোখের পাতা কাঁপছে তিরতির।

পারমিতা বাবার কপালে হাত রাখল,— দুপুরে কী খেয়েছ? মাছ, না চিকেন?

অস্ফুট এক ধ্বনি বাজল শুধু। গোঙানির মতো। ওই আওয়াজে পারমিতার বুকটা ভারী হয়ে আসে। কী চমৎকার গল্প বলত বাবা, কথনের জাদুতে বিস্তার করত সম্মোহন। পারমিতা বড় হওয়ার পরও যখন বাবা বই পড়ে পড়ে শোনাত, আনমনা হওয়ার জো ছিল না। এ কি সেই একই মানুষ? সামান্য একটা শব্দও সঠিক বেরোয় না কণ্ঠ দিয়ে! কেন যে বাবারই এমনটা হল? চাকরি থেকে সকলেরই তো রিটায়ারমেন্ট হয়, এটাই জগতের নিয়ম, অথচ বাবা যেন মন থেকে মানতেই পারল না ঘটনাটা। মুখে খুব বলত, এই লাইব্রেরির মেম্বার হব, ওই বই কিনব, সারাদিন পড়াশোনা করব প্রাণের সুখে, ট্যুরিং পার্টির সঙ্গে ইচ্ছে মতন বেরিয়ে পড়ব...। কিন্তু কিছুই পারল না। বউ খেয়েদেয়ে অফিস বেরিয়ে যাচ্ছে, নিজে একা একা বাড়িতে সারাদিন কর্মহীন, এই মানসিক চাপই কি বাবাকে...?

জানার তো আর উপায় নেই। বাবা কি আর বলতে পারবে কোনও দিন?

পারমিতার বুকটা ছ্যাঁৎ করে উঠল। এ কী আজেবাজে চিন্তা? বাবা সুস্থ হবে না কেন? একটু আগে নিজেই না মাকে বলছিল...!

প্রণবের বাঁ হাতখানা ছুঁয়েছে পারমিতাকে। ছুঁয়েই আছে। পারমিতা জিজ্ঞেস করল,— কিছু বলবে?

কিছু বুঝি জানতে চাইছে প্রণব। মুখ বেঁকে গেছে ডানদিকে। গলায় ফের গঁ গঁ ধ্বনি। চোখের কোল চিকচিক। আজকাল এরকম কেঁদে ফেলে

২৩

হঠাৎ হঠাৎ। এও হয়তো শুভ লক্ষণ। আবেগ-টাবেগগুলো ফিরছে বোধহয়। ধীরে ধীরে।

পারমিতা হাসি হাসি মুখে বলল,— কী? কী হল?

সুমিতা কখন যেন ঘরে ঢুকেছিল। খানিক তফাত থেকেই বলল,— বুঝতে পারছিস না? তাতারের কথা বলছে।

এও এক আশ্চর্য ব্যাপার। মা আজকাল ঠিক পড়ে ফেলে বাবার ভাষা। চব্বিশ ঘণ্টা পাশে পাশে আছে বলেই কি পারে? নাকি এ এক অজানা রসায়ন?

পারমিতা তাড়াতাড়ি বলল,— আনব আনব, তাতারকে আনব। এই রোববার সবাই আসব। রাজাও তোমার সঙ্গে দেখা করে যাবে।

সুমিতা কাঁধ ধরে টানছে। অনুচ্চ স্বরে বলল,— অ্যাই, তোর পরোটা কিন্তু টেবিলে দিয়েছি।

যাই।

বাবার মাথায় একটু হাত বুলিয়ে ঘর থেকে বেরোল পারমিতা। বসেছে ডাইনিং টেবিলে। প্লেটে দৃষ্টি পড়তেই বলল,— চচ্চড়ির সঙ্গে এটা কী?

মলিনা আজ বাজার থেকে এঁচোড় এনেছিল। হালকা হালকা করে বানিয়েছি।

ভাল। মাঝে মাঝে মুখবদল হোক। তুমি শুধুমুধু বারো মাস বাবার রান্না খাবে কেন? রোজ রোজ পেঁপে, ট্যালটেলে মাছের ঝোল, সেদ্ধসেদ্ধ মুরগি...

নিজের জন্য আলাদা কিছু রাঁধতে ইচ্ছে করে না রে। তা ছাড়া অভ্যেসও তো বদলে গেল। এখন আর আগের মতো ঝালমশলা শরীর নিতে পারে না। তাতারের নাম করে তুই সেদিন কত ভাল দোকানের মাটন-চাঁপ আনলি, খেয়ে সারারাত কী অম্বল! বলেই বুঝি খারাপ লেগেছে সুমিতার। হেসে বলল,— তোর বাবা কিন্তু রসমালাইটা খুব ভালবেসে খেয়েছে।

কেকও তো দিয়েছিলে বাবাকে?

সামান্য। বেশি দিতে ভয় করে। যদি গ্যাস ট্যাস হয়ে যায়! মুখে তো বলতে পারবে না...

উম্। এক টুকরো এঁচোড় তুলে চিবোচ্ছিল পারমিতা। তারিফের সুরে বলল,— ফার্স্ট ক্লাস হয়েছে। হালকা একটা গরমমশলার গন্ধ...

তোর বাবারটা সরিয়ে তার পরে অল্প ঘি-গরমমশলা দিয়েছি। তাতেও তো সে বেশ তৃপ্তি করে খেল।

পলকের জন্য বাবার আহারের দৃশ্য চোখে ভেসে উঠল পারমিতার। চটকে চটকে মণ্ড মতো করে মুখে পুরে দেয় মা। পাকলে পাকলে গলাধঃকরণের সময়ে ডান চোয়ালখানা বিশ্রী রকম বেঁকে যায় বাবার। ইস, ওইটুকুও যদি আগের মতো স্বাভাবিক হয়!

বিমলা শাড়ি বদলে উঁকি দিচ্ছে দরজায়। সুমিতা ঘাড় ঘোরাল,— কিছু বলবে?

আজ একটু আগে আগে যাব ভাবছিলাম...

এখন? পারমিতা ঘড়ি দেখল,— সবে তো সাতটা দশ?

নাতিটার জ্বর দেখে এসেছি, মনটা আনচান করছে গো।

সুমিতা গলা খাদে নামিয়ে বলল,— কালকেও কিন্তু তাড়াতাড়ি গেছে। আমি আর বলে পারি না, তুই একটু বক।

পারমিতাও যথাসাধ্য গলা নামাল,— আজকাল আর বকাবকির দিন নেই মা। তোয়াজ করেই কাজ চালাতে হয়। বলেও স্বর সামান্য শক্ত করেছে,— এক-দু'দিন অসুবিধে থাকতেই পারে বিমলা। কিন্তু আমাদের দিকটাও ভাবো। মা একা পারে না বলেই তো তোমাদের রাখা। সেন্টারের সঙ্গে কথা হয়েছিল রাতের জন আসা অবধি তোমায় থাকতে হবে। যদি কোনও কারণে সে অ্যাবসেন্ট করে, তোমাকে তা হলে নাইটটাও...! তার জন্য বাড়তি পয়সাও তো দিই। কী গো, দিই না?

বিমলা ঢক করে ঘাড় নাড়ল,— আমি তো সাধ্যমতো করি দিদি। শুধু কাল আর আজ...

বেশ, যাও। বলছ যখন তোমার নাতির অসুখ...। তবে এটাও তো বোঝো, একজন কেউ না থাকলে মা খুব অসহায় বোধ করে? ধরো শ্যামা আজ ডিউটিতে এল না...যদি বাবাকে ধরে বাথরুমে নিতে হয়, খাওয়ানোর সময়ে বসাতে হয়...মা একা পারবে?

শ্যামা আসবে। আমার সঙ্গে মোবাইলে কথা হয়েছে। আটটার মধ্যে ঢুকে যাবে।

পারমিতা হেসে ফেলল,— নাহ্, তোমার মোবাইল ফোন সার্থক!...তা যাওয়ার আগে আমাদের একটু চা খাওয়াবে না?

আবদারে বিশেষ প্রীত হল না বিমলা। তবে দ্বিরুক্তি না করে গেছে রান্নাঘরে। মোটাসোটা চেহারার মহিলাটি এমনিতে খারাপ নয়, ডিউটি করছে মাস আষ্টেক, ইদানীং সংসারের কাজেও হাত লাগায় টুকটাক। বাবার মেজাজমর্জিও এখন বিমলার চেনা। শয্যাক্ষতর আশঙ্কায় অতি সাবধানে রাখতে হয় বাবাকে। জামাকাপড় চাদর- তোয়ালে নিয়মিত কাচাধোওয়া করো, বারে বারে রোগীকে পাশ ফেরাও, বসাও ওঠাও, ক্রিম-পাউডার মাখাও...। সবই করে বিমলা, তবে বড্ড বলতে হয়। ঘরের কাজেও এগোয় না নিজে থেকে, ডাকলে করে। কেমন যেন আন্তরিকতার অভাব। তাও যেটুকু করে, আজকালকার দিনে সেটুকুই বা কম কী!

তবু মা যেন বিমলার ওপর তেমন তুষ্ট নয়। শুধু বিমলা কেন, শ্যামা, ফিজিয়োথেরাপিস্ট, এমনকী এত কালের পুরনো মলিনা সম্পর্কেও মা অনুযোগ করে ইদানীং। মা কি খিটখিটে হয়ে যাচ্ছে? একে ঘরে ওই রোগী, তায় নিজের হাজার রকম চিন্তা। চাকরিটা ছাড়ল, অথচ পাওনাগন্ডার বেশিটাই এখনও আটকে। সার্ভিস বুকে নাকি কী সব গন্ডগোল আছে। অন্তর্বর্তী পেনশান পায় একটা, পরিমাণ যৎসামান্য। জমানো ছুটির টাকা মেলেনি, গ্র্যাচুয়িটিও না। এদিকে খরচ তো বিশাল। স্বামী-স্ত্রীর সঞ্চয়ের অনেকটাই নিঃশেষ হয়েছিল মেয়ের বিয়েতে, তারপর এত বড় একটা অসুখের ধাক্কা...। যেটুকু যা পড়ে, তাতে আর এখন হাত ছোঁয়াতে দিচ্ছে না পারমিতা। মেয়ের ওপর এই নির্ভরশীল হয়ে পড়াটাও বুঝি খোঁচায় মাকে। পারমিতা লক্ষ করেছে, যখনই সে ব্যাগ থেকে আয়া-ফিজিয়োথেরাপিস্টের টাকা বার করে, মা'র মুখচোখ কেমন শুকনো হয়ে যায়। চিরকাল স্বনির্ভর ছিল বলেই কি পরনির্ভরতা যন্ত্রণা দেয়?

কিংবা সমস্যা অন্য জায়গায়। পারমিতা যদি মেয়ে না হয়ে ছেলে হত, মা'র একই প্রতিক্রিয়া হত কি? তার ওপর বিয়ে হয়ে যাওয়া মেয়ে! সংকোচের মাত্রা তো আরও বাড়ে!

পারমিতার পরোটা শেষ। গলা উঠিয়ে জিজ্ঞেস করল,— কই গো বিমলা, তোমার চা কোথায়?

দিচ্ছি। ভিজিয়েছি।

২৬

চটপট দাও। আমাকেও তো বাড়ি ফিরতে হবে।

সুমিতা রান্নাঘরে প্লেট রাখতে গিয়েছিল। এসে ফের বসেছে মেয়ের মুখোমুখি। হঠাৎই বলল,— হ্যাঁরে, রাজর্ষি তা হলে সত্যিই যাচ্ছে?

প্রশ্নের আকস্মিকতায় পারমিতা থতমত। বলল,— মানে?

বলছি...বাঙ্গালোর যাওয়া তা হলে ফাইনাল?

স্ট্রেঞ্জ! লাস্ট সাত দিনে তোমাকে অন্তত সতেরো বার বললাম, কোম্পানি খুব বড় অফার দিয়েছে, সামনের মাসে ওখানে জয়েন করবে...!

ওখানে পাকাপাকি থাকবে?

অবশ্যই। বললাম তো, ওখানে ওদের হেড অফিস। আজ না হলেও কাল ওকে যেতেই হত।

এখন তোর কী হবে তা হলে?

আহ্ মা, এমন এক একটা কথা বলো না...! আমি কি নাদান বাচ্চা? নাকি বেঘর বেসাহারা? পারমিতা কাঁধ ঝাঁকাল,— যেমন আছি, তেমন থাকব। শ্বশুর, শাশুড়ি, তাতার, তুমি, বাবা, কলেজ... আমার কি কাজ কম?

আর রাজর্ষি ওখানে একা থাকবে?

কোথায় একা মা? ঘুম থেকে উঠে অফিস, আর ফিরেই বিছানায় ধপাস। ওর তো ভালই হল। নো ট্যাকট্যাক, নো ডিস্ট্রাকশান, মহা আনন্দে শুধু অফিস করে যাও।

সুমিতার মোটেই মনঃপূত হল না কথাটা। গোমড়া হয়ে গেছে। বিমলা চা দিয়ে গেল। কাপ টানাতেও উৎসাহ নেই কোনও। চটি গলিয়ে বিমলা বেরিয়ে যাওয়ার পর গুমগুমে গলায় বলল,— তুই তা হলে এখন রাজর্ষির সঙ্গে যাচ্ছিস না?

কী করব গিয়ে? ও তো এখন কোম্পানির গেস্ট হাউসে উঠবে। সেখানে তো সারাদিন ভ্যারেন্ডা ভাজা ছাড়া আমার কোনও কাজ নেই।

তবু...মানসীদি বলছিলেন...

শাশুড়ি তোমায় ফোন করেছিল নাকি?

হ্যাঁ। দুপুরে অনেকক্ষণ আলোচনা হল। সুমিতা এবার কাপ তুলেছে। চুমুক দিয়ে বলল,— মনে হল উনি বেশ আপসেট।

স্বাভাবিক। ছেলে দূরে চলে গেলে কোন মা না ব্যথিত হয়!

লঘু স্বরেই বলল বটে পারমিতা, সঙ্গে সঙ্গে মনেও পড়ল তার মুখ থেকে প্রথম খবরটা পেয়ে পলকের জন্য হতচকিত হলেও পরক্ষণে উচ্ছ্বাসই দেখিয়েছিল মানসী। বরং শুভেন্দুরই যেন কিঞ্চিৎ ভাবান্তর ঘটেছিল। ঝুম হয়ে বসে রইল খানিকক্ষণ। তারপর অবশ্য সেও যথেষ্ট আহ্লাদিত। সগর্বে জানাল, তার বড় ছেলের মতো মেধাবী আর পরিশ্রমী আর দুটি নেই। ছেলের সেই হায়ার সেকেন্ডারির পর থেকে শুভেন্দু নাকি নিশ্চিত, রাজা একদিন চড়চড়িয়ে উঠবেই। মানসী রানার মেধার প্রসঙ্গও তুলেছিল, শুভেন্দু উড়িয়ে দিল ফুৎকারে। রানার মধ্যে নাকি একটা আলস্য আছে, রাজার আদৌ তা নেই। খানিক তর্কবিতর্কের পর মানসীও মানল, উচ্চাকাঙ্ক্ষার ব্যাপারে রানা তার দাদার চেয়ে ঢের ঢের পিছিয়ে।

তা সে যাই হোক, বেশি সফল সন্তানকে নিয়ে মা-বাবা তো মাতামাতি করেই। তাতার যখন পটাপট রাইম মুখস্থ বলে, পারমিতার কি বুক চলকে চলকে ওঠে না? কিন্তু সমাচার প্রাপ্তির সাত দিন পরে মানসী দেবী হঠাৎ কাঁদুনি গায় কেন?

পারমিতা জিজ্ঞেস করল,— উনি আর কী বললেন?

তেমন কিছু নয়। তবে উনি বোধহয় আশা করছেন, অন্তত প্রথমবার তুই রাজর্ষির সঙ্গে যাবি।

আশ্চর্য, আমাকে তো বলেননি!

আমাকেও ডাইরেক্টলি বলেননি। তবে কথার ভঙ্গিতে মনে হল।

আজগুবি এক্সপেক্টেশান। ...আচ্ছা, একটু ভাবো তো, কেন আমাকে যেতে হবে? বাঙ্গালোর কি রাজার অচেনা? আমার হাত ধরে চিনবে? না হোক, বিশ বার ও হেডঅফিস গেছে। ওই গেস্ট হাউসেই নাইট-স্টে করেছে অন্তত বার সাতেক। বড় একটা চুমুকে চা শেষ করল পারমিতা। আঙুলে ঠোঁটের কোণ মুছে বলল,— তা ছাড়া তখন আমার কলেজে পরীক্ষা। প্র্যাক্টিক্যাল। মাত্র বছর পাঁচেকের তো চাকরি...যে ক'টা ছুটি জমেছিল, বাবার অসুখে সব গন্। এখন ইচ্ছেমতো কামাই করা সম্ভব?

মেডিকেল লিভ নে। তোর তো জ্বরজারিও হতে পারে।

সেটাও কি অঢেল, মা? তাতারের হাম হল, তখন আট দিন মেডিকেল

নিলাম। শাশুড়ির ইউটেরাস অপারেশান...আমাকেই বাড়িতে থাকতে হল। বিপদ-আপদের জন্য কয়েকটা তো বাঁচিয়ে রাখা দরকার, নয় কি?

চাকরি করা মেয়েদের ওভাবে একটু কায়দা করে ছুটি নিতে হয় মিতু। আমরাও নিয়েছি।

আর চাকরি করা ছেলেদের বুঝি ছুটি নেওয়ার কোনও দায় নেই? পারমিতা হেসে ফেলল,— সবচেয়ে বড় প্রশ্ন, এখনই বাঙ্গালোর যাওয়ার জন্যে আমি মেডিকেল লিভ নেব কেন? ফুটফাট ডুব মারলে আমার কেরিয়ারে অসুবিধে নেই? প্রোমোশানে আজকাল আমাদের কত রকম ফ্যাকড়া থাকে জানো?

বুঝি না বাবা তোমাদের কী চিন্তাভাবনা! আমার তো মনে হচ্ছে তোমার যাওয়া উচিত।

শোনো মা, রাজার সঙ্গে আমার এ নিয়ে কথা হয়েছে। রাজা নিজেও চায় না আমি এখন যাই।

তা হলে তো চুকেই গেল। সুমিতার মুখে তাও অসন্তোষ,— তবে একটা কথা তোমায় বলে রাখছি মিতু। তোমার শ্বশুর-শাশুড়ি যেন কখনও না ভাবেন, আমাদের মুখ চেয়ে তুমি যাচ্ছ না...

আরে না। ওঁরা অত অবুঝ নন। কমন সেন্স যথেষ্টই আছে। পারমিতার ঠোঁটে ফের হাসি ফুটেছে,— আমি যাব। নিশ্চয়ই যাব। রাজা গিয়ে আগে ওখানে সেট্‌ল করুক। আমারও ছুটিছাটা পড়ুক একটু...

দ্যাখ, যা ভাল বুঝিস। আমি কিন্তু এখনও বলছি...

হুম্‌। পারমিতা ঘড়ি দেখল। তড়াক উঠে দাঁড়িয়ে বলল,— ওরে বাবা, সাতটা পঁয়ত্রিশ! আজ কাটি। তাতারের আজকাল নতুন ভ্যানতাড়া হয়েছে, রাতে আমার হাতে ছাড়া খায় না।

আয় তা হলে।

বেরোনোর আগে বাবার ঘরে একবার ঘুরে এল পারমিতা। একই ভঙ্গিতে শুয়ে আছে বাবা, কোনও নড়াচড়া নেই। দৃষ্টি ঘুরন্ত পাখায় স্থির। কিছু ভাবছে কি? হয়তো পুরনো স্মৃতি...হয়তো বর্তমান...। সেরিব্রাল পেশেন্টদের ব্রেনে কীভাবে খেলে চিন্তার তরঙ্গ?

আনমনা পায়ে ফ্ল্যাটের দরজায় এসেও পারমিতা থামল পলক। দ্রুত নিজের ঘরটায় ঢুকে আলো জ্বালিয়েছে। খাট, আলমারি, বইপত্র, সবই

স্বস্থানে বিরাজমান। আগের মতোই। সুমিতা সেভাবেই রেখেছে। তাতারকে নিয়ে পারমিতা এসে থাকে মাঝে মাঝে। অবরেসবরে রাজাও। এখানে রাত্রিবাসে রাজার একটাই অসুবিধে, নীচে গাড়ি রাখার সমস্যা হয়।

সুমিতা এসেছে পিছন পিছন। ব্যস্ত মুখে বলল,— কী খুঁজছিস রে?

বইয়ের তাকে চোখ চালাচ্ছিল পারমিতা। বলল,— পালিতের একটা ফিজিকাল কেমিস্ট্রি ছিল...

সে তুই জানিস। কোনটা নিয়ে গেছিস, কী আছে...

পাচ্ছি না তো ও বাড়িতে। পারমিতা মাথা দোলাল,— এখানেও তো দেখছি না। কাউকে দিয়েছিলাম বোধহয়। মনে করতে হবে।... পারলে তুমি একবার খুঁজো তো।

দেখব।

আসি তা হলে? কাল দেখা হচ্ছে।

রোজ রোজ তোর কষ্ট করে আসার কী দরকার মিতু?

আমি আমার বাবাকে দেখতে আসি মা। আমার কষ্ট আমায় বুঝতে দাও।

বলে আর সময় নষ্ট করল না পারমিতা। রাস্তায় নেমে একটা রিকশা ধরেছে। যাদবপুর বাসস্ট্যান্ড থেকে বাড়িটা অনেকটা দূর, রিকশাতেই ছ'-সাত মিনিট লাগে। ইউনিভার্সিটির গেটের সামনে এসে দাঁড়াল অটোর জন্য। হঠাৎই মস্তিষ্কে ঝিলিক। মাকে একা রেখে এল। যদি শ্যামা না আসে...? বিমলা তো তাড়াতাড়ি পালানোর জন্য গুলও মারতে পারে! নাহ্, ভুল হয়ে গেছে। শ্যামা আসা পর্যন্ত অপেক্ষা করা উচিত ছিল। কিন্তু ওদিকে তাতার যে...!

দুৎ, কেন টেনশান করছে? এসে পড়বে শ্যামা। নয়তো মা ম্যানেজ করে নেবে একটা রাত্তির। করতেও তো হয় মাঝেমধ্যে। হয় না?

অটো এসেছে। একজন যাত্রী নামতেই ঝটাক উঠে পড়ল পারমিতা। ড্রাইভারের পাশে সিট, বসেছে কোনওমতে। বাড়ি ফিরে তাতারকে খাইয়েই বসতে হবে পরীক্ষার খাতাগুলো নিয়ে। জমা দেওয়ার দিন এসে গেল প্রায়, এবার হেড-এগজামিনারের ফোন শুরু হবে। সত্যিই কি তার রাজার সঙ্গে বেঙ্গালুরু যাওয়া উচিত? মুখে না বলছে বটে রাজা, কিন্তু

মনে মনে কি চাইছে না? এক-আধ দিনের ট্যুর তো নয়, এবার বেঙ্গালুরু গমন একেবারেই আলাদা, সিঁড়ির দু'-তিন ধাপ উঁচুতে রাজা পা ফেলছে...পাশে এখন পারমিতা না থাকলে কি দৃষ্টিকটু দেখাবে? শাশুড়িও ক্ষুণ্ণ হবেন হয়তো! কিন্তু কলেজে অ্যাডমিশান চলছে, তারও তো খানিকটা দায়িত্ব আছে পারমিতার কাঁধে। সেটা ফেলে কেটে পড়া কি সংগত? শ্যামা এল কি?

একটা ভাবনার ওপর আর একটা চেপে জট পাকিয়ে যাচ্ছে। চিন্তাগুলো পৃথক করতে পারছিল না পারমিতা।

তিন

আষাঢ় প্রায় ফুরিয়ে এল। প্রকৃতি এ বছর এক আজব খেলায় মেতেছে যেন। মাসের প্রথম দিকটায় বেজায় গরম ছিল। সূর্য দাপাচ্ছিল খুব। তার পরই হঠাৎই আকাশ ঢেকে গেল মেঘে। আবহাওয়া দপ্তর গলার শির ফুলিয়ে ঘোষণা করল, দেরিতে হলেও মৌসুমি বায়ু ঢুকেছে পশ্চিমবঙ্গে। তাদের মান রাখতেই বুঝি ক'দিন বৃষ্টি হল জোর। ব্যস, তার পরেই মেঘেরা উধাও। আকাশ ঝকঝকে নীল, যেন বর্ষা পেরিয়ে শরৎ হাজির। তিন-চার দিন হল আবার দর্শন মিলছে মেঘের। চেহারায় ওজনদার, কিন্তু বারিধারার নামটি নেই। ফলে যা হয়, গরম বেড়ে দ্বিগুণ। সঙ্গে একটা বিচ্ছিরি প্যাচপেচে ভাব। সারাদিন ঘামে থসথস করছে মানুষ, প্রাণ প্রায় ওষ্ঠাগত হওয়ার জোগাড়।

পারমিতার কলেজের পরিবেশও বেশ তপ্ত এখন। ছাত্রভরতি নিয়ে একটা না একটা ঝামেলা লেগেই আছে। রোজ বিক্ষোভ, রোজ স্লোগান...এক এক সময়ে যেন কান ঝালাপালা।

আজও কলেজে পা রেখে পারমিতা টের পেল, হাওয়া যথেষ্ট থমথমে। ইউনিয়নের ছেলেমেয়েদের করিডরে উত্তেজিত ঘোরাফেরা, একে ওকে হাঁক পেড়ে ডাক, রাগ রাগ চাউনি, নির্ভুলভাবে বলে দেয়, ঝড় উঠল বলে।

অন্য দিনের মতো সরাসরি নিজেদের বিভাগে না গিয়ে পারমিতা আগে স্টাফরুমে এল। তেমন কেউ নেই ঘরে। শুধু বাংলার অপরাজিতা চক্রবর্তী চোখ বোলাচ্ছে খবরের কাগজে, আর তিনজন অতিথি অধ্যাপক নিজেদের মধ্যে কথায় মগ্ন। হাজিরা খাতা টেনে নিয়ে অপরাজিতার পাশের চেয়ারে বসল পারমিতা। সই করতে করতে জিজ্ঞেস করল,— আজ কী নিয়ে টেনশান গো অপাদি?

বছর পঁয়তাল্লিশের অপরাজিতা কাগজ থেকে মুখ না তুলেই বলল,—তোর তো জানা উচিত। তোদের ডিপার্টমেন্টেরই তো কেস।

মানে?

তোরা নাকি কাউন্সেলিং-এর নিয়ম না মেনে কোন একটা মেয়েকে অনার্সে অ্যাডমিশান করিয়েছিস! অথচ লেজিটিমেট কারণ থাকা সত্ত্বেও একজন ক্যান্ডিডেট নাকি বাতিল হয়েছে!

যাহ্, বাজে কথা। এমন কিছু ঘটেইনি।

তুই বললেই হবে? ইউনিয়ন তো এদিকে মাসল ফোলাচ্ছে। যে মেয়েটা ভরতি হয়েছে, সে বোধহয় অপোজিট ক্যাম্পের কারও ঘনিষ্ঠ। তোরা নাকি পার্শিয়ালিটি করে...

এই এক নতুন উৎপাত শুরু হয়েছে এ বছর। কলেজটা তৈরি হয়েছে বছর কুড়ি। গোড়া থেকেই ছাত্র-ইউনিয়নে নির্বাচন বস্তুটির বালাই ছিল না, এক পক্ষই দাপটে চালাত সংসদ। গত বছর থেকে পরিস্থিতির বদল ঘটেছে। বিরোধী পক্ষও এখন রীতিমতো জোরদার, তাদের ছাত্র সংগঠন হইহই করে ঢুকে পড়েছে মঞ্চে। এবার ভোটেও তারা অংশ নিল। নমিনেশান পেপার জমা দেওয়ার সময়ে গন্ডগোলও হয়েছিল এক প্রস্ত। নির্বাচনের দিন তো পুলিশ ডাকতে হল। শেষমেশ বিরোধীরা অবশ্য জয় হাতাতে পারেনি, তবে এবারের ছাত্রসংসদে তাদের প্রতিনিধির সংখ্যা নেহাত কম নয়। দু'পক্ষের প্রায় তুল্যমূল্য অবস্থান। সুতরাং এত কাল যাদের মৌরসিপাট্টা ছিল, তারা একতরফা ছড়ি ঘোরাতে পারছে না। এর কোনও ফাঁক পেলে ও রে রে করে ঝাঁপায়। এক পক্ষ চেঁচালে অন্য পক্ষ চিলচিৎকার জোড়ে। বাইরে থেকে ইন্ধন জোগানোরও কামাই নেই। রাজনৈতিক দলগুলো মেঘনাদ হয়ে চালনা করছে ছেলেমেয়েদের। পরিণাম, কলেজে নিরবচ্ছিন্ন শান্তির কাল খতম!

কিন্তু পারমিতারা কী পক্ষপাত দেখাল?

শেষ কাউন্সেলিং-এর দিনটাকে ভাবার চেষ্টা করল পারমিতা। দুপুর দুটো অবধি তো চলেছিল, যেমনটা চলার কথা। তাদের কেমিস্ট্রি অনার্সে মোট পাঁচিশটা সিট, তিনটে মাত্র ফাঁকা ছিল, সেদিনই পূর্ণ হল পুরোপুরি। যারা চান্স পেল না তাদের অনেকে ঝুলোঝুলি করছিল বটে, দু'-চারজনের অভিভাবকও এসে ধরল...। কিন্তু তাদের তো বুঝিয়ে-শুনিয়ে ফেরত

পাঠানো গিয়েছিল। কী করবে পারমিতারা, তাদের হাত-পা যে বাঁধা। বাড়তি ছেলেমেয়ে নিলে ইউনিভার্সিটি যদি তাদের রেজিস্ট্রেশান না দেয়, তখন তো আর এক বিপত্তি।

পারমিতা কষ্টে মুখে বলল,— অকারণ গন্ডগোল পাকিয়ে কী লাভ বলো তো?

গন্ডগোলের আবার কারণ অকারণ! অপরাজিতা কাগজ মুড়ে পাশে রাখল,— যারা ঝঞ্ঝাট চায়, তারা কারণটাও খুঁজে নেয়।

আমাদের ক্ষেত্রে কিন্তু কিস্যুটি পাবে না। যারা যারা অ্যাপিয়ার করেছে, প্রত্যেকের নাম, মার্কস, টাইম নোট করে, যারা আসেনি তাদের লিস্ট বানিয়ে, টোটাল রিপোর্ট প্রিন্সিপাল স্যারকে জমা করে দিয়েছি। ইউনিয়ন হল্লা করলে সোজা সব দেখিয়ে দেব।

তাদের দেখতে ভারী বয়ে গেছে। তাদের তো উদ্দেশ্য, স্টুডেন্টদের সামনে নিজেদের প্রতিপত্তি জাহির করা। যাতে নতুন ছেলেমেয়েরা ভাবে ওরাই তাদের বিপদ-আপদের ত্রাতা। চান্স পেলেই অপোনেন্টদের সম্পর্কে খানিক কুৎসা গেয়ে দেবে।

তার মানে বলছ, যার ভরতি নিয়ে ঘোঁট, সে অন্য ক্যাম্পের ঘনিষ্ঠ নাও হতে পারে?

ছাড় তো। কে কার বন্ধু, কে কার আত্মীয়...অত যাচাই করে দেখা যায় নাকি? ওরা তো জাস্ট ছুতো খুঁজছে। অপরাজিতা মুখ বেঁকাল,— ছেলেগুলোর মগজেরও বলিহারি। বোঝেও না, ওরা শুধুমাত্র রাজনীতির বোড়ে। শুধু পলিটিক্যাল ধান্দায় ওদের নাচানো হয়।

ভাল লাগে না, পারমিতার একটুও এসব ভাল লাগে না। সাধে কি অ্যাডমিশান কমিটিতে ভিড়তে চায়নি! তার কি এমনিতেই টেনশান কম, যে যেচে আর একটা উটকো অশান্তি মাথায় নেবে? অন্য যারা কমিটিতে আছে, তারা যথেষ্ট উপযুক্ত। প্রত্যক্ষ রাজনীতির সঙ্গে তাদের ভালই যোগাযোগ। এই ধরনের পরিস্থিতির মোকাবিলা করায় তারা অনেক বেশি দড়। পারমিতা তো সাতেও নেই, পাঁচেও নেই। তার মতো একটা আন্‌খা পাবলিককে এমন এক স্পর্শকাতর কমিটিতে ঢুকিয়ে কী যে মোক্ষলাভ হল প্রিন্সিপালের? সরে আসাও তো আর এক বিড়ম্বনা। ওমনি আওয়াজ উঠবে, দেখেছ তো মেয়েরা দায়িত্ব নিতে কেমন ভয় পায়!

যাক গে, এখন আর ঢোক গেলা অর্থহীন। যেমন যেমন পরিস্থিতি আসবে, তেমন তেমন ফেস করতে হবে। কে যেন সেদিন বলল কথাটা? রাজা...? হ্যাঁ, রাজাই তো।

সত্যি, রাজার বাস্তববুদ্ধির তারিফ করতে হয়। দুই মায়ের যতই ইচ্ছে জাগুক, এক্ষুনি এক্ষুনি পারমিতার বেঙ্গালুরু যাওয়াটা রাজাই তো কাঁচিয়ে দিল। তার সাফ কথা—আগে ফ্ল্যাট নিই, তখন ওরা আসবে। উফ, কত অস্বস্তির যে অবসান!

চেয়ার ছেড়ে উঠল পারমিতা। লম্বা করিডর ধরে চলেছে সায়েন্স বিল্ডিং অভিমুখে। একটু যেন উদাস। বেঙ্গালুরু উড়ে গেছে রাজা। এয়ারপোর্টে তাকে বিদায় জানিয়ে ফেরার পথে পারমিতার কী মনখারাপ! যদিও অনুভূতিটা একান্তই হাস্যকর। এবারই যে প্রথম তাকে ফেলে রাজা কোথাও গেল, এমন তো নয়। তাতার হওয়ার আগে আগে প্রায় দেড় মাস ছিল নিউজার্সিতে। গত বছর সিঙ্গাপুরে তিন সপ্তাহ। কই, তখন তো অমনটা হয়নি? রাজা যে সত্যি সত্যি কলকাতার পাট চোকাল, এই বোধটাই কি বিষণ্ণ করে দিচ্ছিল পারমিতাকে? তাই হবে। একই যাত্রা সময়বিশেষে ভিন্ন মাত্রা পায় বই কী। দু'বছর আগে কলেজ ফেরতা মাঝেসাঝে যাদবপুর যাওয়া, আর এখন প্রায় রোজ হাঁচোড়পাঁচোড় করে সেখানে ছোটা কি অবিকল এক? প্রতিদিনই একটা উদ্বেগ বুকে নিয়ে...

ভাবনায় ছেদ পড়ল। ডিপার্টমেন্টে জনা দশ-বারো ছেলেমেয়ে জোর ক্যালোর ব্যালোর জুড়েছে। ফার্স্ট ইয়ারের ব্যাচটা না? যাদের সবে থিয়োরি পেপার শেষ হল? হঠাৎ দল বেঁধে হানা দিয়েছে যে বড়?

রসায়ন বিভাগে ডিপার্টমেন্ট বলে আলাদা ঘরটর নেই। ল্যাবরেটারির একাংশকে সামান্য সাজিয়ে গুছিয়ে, আলমারি টালমারি বসিয়ে ওই গোছের একটা চেহারা দেওয়া হয়েছে মাত্র। রয়েছে প্রকাণ্ড টেবিল আর খানচারেক হাতলওয়ালা চেয়ার। মাঝের কুর্শিটিতে বিভাগীয় প্রধান অনিমেষ দত্ত হাত ছড়িয়ে বসে এবং তাকে ঘিরেই জটলা। ছাত্রছাত্রীরা সমস্বরে কী যেন বলেই চলেছে, আর চোখ বুজে দু'দিকে ঘাড় দোলাচ্ছে অনিমেষ। দুলিয়েই চলেছে।

একটুক্ষণ দরজায় দাঁড়িয়ে দৃশ্যটা অবলোকন করল পারমিতা। তারপর

হেসে ফেলেছে। ছেলেমেয়েদের বলল,— অ্যাই, কী হচ্ছে? স্যারকে জ্বালাচ্ছ কেন?

পারমিতার গলা পেয়ে অনিমেষ চোখ খুলেছে। আহ্লাদিত স্বরে বলল,— এই তো, তোমাদের ম্যাডাম এসে গেছে...। দ্যাখো তো পারমিতা, এদের কী গতি করা যায়?

হয়েছেটা কী, আগে শুনি।

কর্ণগহ্বরে কড়ে আঙুল চালাতে চালাতে অনিমেষ বলল,— উনত্রিশ তারিখ থেকে ওদের প্র্যাক্টিক্যাল পরীক্ষা...

জানি তো। বারাসতে সিট পড়েছে।

তার আগে ওরা দু'-তিন দিন প্র্যাক্টিস করতে চায়।

বেশ তো, আপনি ডেট ফিক্স করে দিন।

খেপেছ? আমি আর এসবে নেই। কানের ফুটো থেকে আঙুল বার করে নিরীক্ষণ করছে অনিমেষ। ঠোঁট টিপে বলল,— আমার তো চাকরির মেয়াদ খতম। বাকি ক'টা দিন আমি আর কোনও ঠিক করাকরিতে নেই।

তা বললে হয় স্যার? আপনি আমাদের হেড!

সাকুল্যে তো আমরা দু'জন। তুমি আর আমি। তার আবার হেড-টেল! অনিমেষ খোঁচা খোঁচা দাড়ি চুলকোল,— যাও, তোমাকে আজ থেকে হেড করে দিলাম। এখন থেকে তুমিই সব দেখবে। তুমিই হুকুম করবে, আমি সেইমতো চলব।

অবসর গ্রহণের প্রাক্কালে অদ্ভুত এক বৈরাগ্য জেগেছে অনিমেষের। কলেজের কোনও কাজেই আর থাকতে চায় না। অথচ রসায়ন বিভাগের তিনখানা পরীক্ষাগারই তার নিজের হাতে গড়া। অনার্সও চালু হয়েছিল তারই উদ্যোগে। প্রিন্সিপালের পিছনে লেগে থেকে থেকে আরও দুখানা পোস্টের অনুমোদন আনিয়েছিল এই অনিমেষই। লেকচারার অবশ্য এসেছে শুধু একজন। পারমিতা। বাকি কাজ অতিথি অধ্যাপক দিয়ে চলে। ছ'-সাত বছর ধরে কেন শিক্ষা দপ্তর তৃতীয় পদটিতে কাউকে পাঠাল না, তা নিয়ে খুব গজগজ করত অনিমেষ। এখন যেন সেটা নিয়েও কোনও তাপ-উত্তাপ নেই। বরং রাজ্যপাট পারমিতাকে সঁপে অবসরে যাবে, এই ঘোষণাতেই তার বেশি আনন্দ।

পারমিতা হেসে বলল,— ঠিক আছে স্যার, আপনি রিল্যাক্স করুন। আমি এদের দেখছি।

আগামী সপ্তাহের মঙ্গল, বুধ, বৃহস্পতি, তিনটে দিন বরাদ্দ করে ছেলেমেয়েগুলোকে ভাগাল পারমিতা। গুছিয়ে বসেছে চেয়ারে। বছরের এই সময়টায় ক্লাস টাস বিশেষ নেই। ফাইনাল ইয়ার চলে গেছে। যারা থার্ড ইয়ারে উঠবে, তাদের ক্লাস শুরু হতে আরও দিন দশেক। আর এই ছেলেমেয়েগুলোর তো পরীক্ষাই শেষ হল না। নতুন মুখ তো সবে ঢুকছে। সেশান শুরুর এই সময়েই নোট ফোট বানিয়ে ফেলতে হয়।

বাইরে স্লোগান বাজছে। মুহুর্মুহু ধ্বনিতে কলেজ চত্বর মুখর সহসা। কী যে বলছে বোঝা দায়, শুধু 'মানছি না, মানব না'টাই শোনা যায় স্পষ্ট।

ক্ষণপূর্বের অস্বচ্ছন্দ ভাবটা ফিরে আসছিল পারমিতার। নার্ভাস গলায় অনিমেষকে বলল,— ওই আবার স্টার্ট হল স্যার। আজ আমাদের ডিপার্টমেন্টই ওদের টার্গেট।

অনিমেষের হেলদোল নেই। হাই তুলে বলল,— ওই অ্যাডমিশানের কেসটা তো? প্রিন্সিপালকে বুঝে নিতে দাও।

কিন্তু প্রিন্সিপাল স্যার তো আমাদেরই ডাকবেন। খেয়াল আছে তো স্যার, আপনিও কিন্তু কাউন্সেলিং-এর দিন ছিলেন?

তো? গর্দান যাবে?

তা নয়। অহেতুক একটা অপ্রীতিকর সিচুয়েশান...

ছাড়ো তো। ঘেঁচু হবে। খানিকক্ষণ গলা ফাটাবে, প্রিন্সিপালকে পাবে না, তারপর যে যার ধান্দায় কেটে পড়বে।

ও। প্রিন্সিপাল স্যার আজ আসেননি?

কলেজে ক'টা ঝঞ্ঝাটের দিন উনি থাকেন? ব্যাটা মহা শাহেনশাহ। আগাম টের পায় আর টুক করে ডুব মারে। অসুবিধে তো নেই, কলকাতায় কোনও কাজ দেখিয়ে দিলেই হল। ব্যাটার দু'তরফা লাভ। এদিকে কলেজ বাঙ্ক, ওদিকে ট্রাভেলিং অ্যালাউন্সও তুলল।

এমন একটা রটনা কলেজে আছে বটে। অধ্যক্ষ স্বপন বিশ্বাস অত্যন্ত ধড়িবাজ। দুই ছাত্রসংগঠনেই নাকি স্বপনের গুপ্তচর মজুত, তাদের মাধ্যমেই গোপন খবরটবর মেলে, আগাম সতর্কবার্তাও। এই ধরনের প্যাঁচোয়া লোকের অধীনে চাকরি করা যে কী বিপজ্জনক! কাকে কখন

৩৭

কীভাবে ফাঁসায় তার ঠিক আছে? পারমিতাকে নরম-সরম ভেবেই কি অ্যাডমিশান কমিটিতে ঢোকাল? কে জানে!

স্লোগান চড়া হচ্ছে ক্রমশ। একটা খুদে মিছিল পাক খাচ্ছে কলেজময়। কেমিস্ট্রি বিভাগের সামনে এসে দু'-চার মিনিট জোর তড়পাল, তারপর ধীরে ধীরে ঝিমিয়েও গেল হল্লাগুল্লা।

ক্যান্টিনের ঝন্টু চা দিয়ে গেছে। ভাঁড়ে সুড়ুৎ টান দিয়ে অনিমেষ বলল, — ব্যস, খেল খতম, পয়সা হজম! এবার তুমি নিশ্চিন্ত মনে নিজের কাজ করো। ...একটা কথা মাথায় রেখো, তুমি যদি জেনেবুঝে অন্যায় না করো, দুনিয়ার কাউকে ভয় পাবে না। বিবেকটা শুধু সাফ থাকলেই হল।

পিতৃতুল্য মানুষটার এ হেন কথাবার্তা সাহস জোগায় পারমিতাকে। মেরুদণ্ডের জোর আছে অনিমেষের, একেবারে কর্তাভজা টাইপ নয়, পারমিতা তাকে বেশ শ্রদ্ধাই করে। কলেজে যখন প্রথম পূর্ণ সময়ের শিক্ষক হিসেবে পারমিতা ঢুকল, ক্লাস নিতে গিয়ে কী যে নার্ভাস থাকত! অনিমেষই ধমকে-ধামকে জড়তা কাটিয়ে দিয়েছিল পারমিতার। বিয়ের পর পরই তাতার এল পেটে, চাকরিতে পারমিতা তখনও প্রায় নতুন, মেটারনিটি লিভে যেতে বড় সংকোচ হচ্ছিল...। টুপটাপ টিপ্পনীও তো তখন গিলতে হয়েছে পারমিতাকে। মেয়েদের নিয়ে এই এক ফ্যাকড়া, কাজ ফেলে বাচ্চা বিয়োতে ছুটল...! পুরুষ অধ্যাপকদের মধ্যে এই অনিমেষই তখন প্রায় বাবার মতো আগলেছিল পারমিতাকে। গেস্ট লেকচারার দিয়ে চালিয়ে নিয়েছিল দিব্যি। জয়েন করার পরেও পুরো একটা সেশান পারমিতার ক্লাসের বোঝা কমিয়ে দিয়েছিল অনেকটা। মানুষটা মাথার ওপর থাকবে না, ভাবলেই কেমন অসহায় অসহায় লাগে।

চা শেষ। পারমিতা আলমারি থেকে ফাইল বার করে আনল। অনিমেষকে জিজ্ঞেস করল, — থার্ড ইয়ারের ইউনিট টেস্টের মার্কসগুলো তা হলে রেডি করে ফেলি স্যার? ইউনিভার্সিটিতে পাঠাতে হবে তো।

আবার আমায় জড়াচ্ছ? অনিমেষ আড়মোড়া ভাঙছে, — বললাম না, আজ থেকে ডিপার্টমেন্ট তোমার?

ওরকম করছেন কেন? আমি তো অকূল পাথারে পড়ে যাচ্ছি।

তাই তো বলছি, সাঁতার টানা স্টার্ট করো। ধরেই নাও, টিচার ফিচার আর পাবে না। আমার জায়গাতেও আসবে না কেউ। এভাবেই ঠেলে, গড়িয়ে, টেম্পোরারিদের তেল দিয়ে চালাও ধুঁকতে ধুঁকতে। অনিমেষ ঘাড় বেঁকিয়ে তাকাল,— বাই দা বাই, তোমার সেই প্ল্যানটার কী হল?

কোনটা স্যার?

রিসার্চ!

আর কি হয়ে উঠবে? এখন থেকে একাই তো এই ডিপার্টমেন্ট...

তো? নিজের কেরিয়ার কেন বিসর্জন দেবে? ইউ-জি-সির এখন হাজার গন্ডা স্কিম, কত ইনস্টিটিউটও তো ফেলোশিপ দিচ্ছে...দেখেবুঝে দরখাস্ত ঠুকতে থাকো। যদি জুতসই কিছু পাও, তবে তো নো সমস্যা। তোমার স্টাডি লিভের সময় ইউ-জি-সির পয়সাতেই লোক আসবে, নইলে বড়জোর তুমি উইদাউট পে হবে। কিন্তু পিএইচ-ডি ইজ মাস্ট। তোমার বয়স কম, সময়টাকে বয়ে যেতে দিয়ো না।

শুনতে তো ভালই লাগে পারমিতার। প্রচুর উন্নতি যে হবে, তাতেও কোনও সন্দেহ নেই। এই তো, ফিজিক্সের কণাদ গত ডিসেম্বরে কাল্টিভেশান অব সায়েন্স থেকে পিএইচ-ডি করে ফিরল ডিপার্টমেন্টে, এখন ওর কত সুবিধা। রিডার হওয়ার দরজা খোলা, সময়ও লাগবে কম, ইউনিভার্সিটিতে আবেদন করতেও আর কোনও বাধা নেই। চাকরিতে পারমিতার চেয়ে মাত্র এক বছরের সিনিয়ার, অথচ কতটা এগিয়ে গেল! কিন্তু পারমিতা চাইলেও আদৌ সম্ভব হবে কি? কত যে বাধাবিঘ্ন! পড়াশোনার জন্য তো তিন বছরের বেশি ছুটি মেলে না। ওই সময়সীমার মধ্যে কণাদের মতো বউ-মেয়ে-সংসার শিকেয় তুলে গবেষণা শেষ করতে পারবে কি পারমিতা? এখন তো পিএইচ-ডি করা আরও কঠিন। রিসার্চের আগে ছ'মাস কোর্সওয়ার্ক করতে হচ্ছে। ওই বাড়তি পড়াশোনাও তো সময় খাবে খানিকটা। নাহ্, হবে না, পারবে না পারমিতা। মাঝখান থেকে আবার নতুন একটা চাপ...

পারমিতা প্রসঙ্গটা ঘোরাতে চাইল। আলগা হেসে বলল,— আপনার সময় কী করে কাটবে এখন? আপনি তো টিভিও দেখেন না, গল্পের বইয়ের নেশাও নেই...

ব্রেনটাকে নিজের মতো করে সচল রাখব। চাকরি-জীবনের গোড়ায়

অল্পস্বল্প টিউশানি করতাম, তারপর তো ছেড়েই দিলাম...ভাবছি ছাত্র পড়ানোটাই ফের শুরু করি না কেন! কম বয়সে আর একটা বাসনা ছিল বুঝলে। নানান ল্যাঙ্গুয়েজ শেখার। ফ্রেঞ্চ, রাশিয়ান, জার্মান...। তাতেও হয়তো লেগে যেতে পারি। পপুলার সায়েন্স নিয়ে লেখালিখিরও ইচ্ছে আছে।

হুবহু বাবার মতো সংলাপ! পারমিতা ঈষৎ নাড়া খেয়ে গেল। বোঝাই যায়, আগামী দিন সম্পর্কে কোনও সুনির্দিষ্ট পরিকল্পনা নেই অনিমেষের। বাবার দশা হবে না তো শেষে? দুম করে ফাঁকা জীবনে পৌঁছে খেই না হারিয়ে ফেলে!

ধুস, কেন এসব ভাবছে পারমিতা? সবাই বাবার মতো হবে কেন? অনিমেষের ছেলে, ছেলের বউ দু'জনেই ডাক্তার, অনিমেষের সঙ্গে তারা থাকে, মিসেস কস্মিনকালে চাকরি বাকরি করেনি, বাড়িতে নাতি-নাতনি...এমন ভরভরন্ত সংসারে একাকিত্বের সুযোগই কই।

পারমিতা আর কথা চালাল না, ফাইল খুলেছে। ছাত্রছাত্রীদের মার্কস্লিপগুলো বার করল, অনিমেষও চেয়ার ছাড়ল। দরজায় যেতে যেতে বলল,— তুমি কাজ সারো, আমি লাইব্রেরিতে যাই। কী কী বই ফেরত দিতে হবে তার একটা লিস্ট বানিয়ে আনি।

কাগজপত্র ঘাঁটতে ঘাঁটতে পারমিতার হঠাৎ খেয়াল হল, নিত্যকর্মটাই বাকি। কলেজ থেকে বারোটা-একটা নাগাদ একবার ফোন করে শাশুড়িকে। ক্লাস নেওয়ার ফাঁকে বা অন্য কোনও কাজকর্মের মাঝে যখনই সময় পায়, দু'-চারটে কথা বলে নেয়। তাতার কখন প্লে-হোম থেকে ফিরল, বেশি দুষ্টুমি করছে কিনা...। চার মাসের তাতারকে মানসীর জিম্মায় রেখে ফের কলেজে জয়েন করার সময়ে শুরু হয়েছিল ওই ফোনালাপের পালা। এখন অবশ্য নিছকই অভ্যাস। তাতার এখন দিব্যি সাব্যস্ত, মা নিয়ে তেমন ঘ্যানঘ্যানানি নেই, বরং মা যে দুপুরে থাকবে না এটা সে জন্ম থেকেই মেনে নিয়েছে, এবং দাদু-ঠাম্মার সঙ্গেই তার পটে বেশি, তবু ফোন একটা পারমিতা করবেই। পাছে মানসী ভেবে বসে, তাকে দায়টা গছিয়ে পারমিতা গায়ে হাওয়া লাগাচ্ছে! যদিও মানসী এ হেন অভিযোগ কদাচ করেনি, হয়তো মানসীর চিন্তাতেও এমন ধারার ক্ষোভ নেই, উলটে তাতার বিনা মানসী-শুভেন্দুর

৪০

দিনটাই তো পানসে। তাও পারমিতার কোথায় যেন একটা খচখচ করে। চাকুরে মায়েদের বুঝি এও এক জ্বালা। পারমিতার মা-ও তো ফোন করত। পারমিতার ঠাম্মিকে। সেই স্মৃতিই কি সংস্কার হয়ে গেঁথে গেছে মগজে?

কলম বন্ধ করে নিয়ম রক্ষেটা সারল পারমিতা। বাঁধা গতের দু'-চারটে সংলাপের আদানপ্রদান, তাতেই যেন শান্তি। এবার আর মনোযোগী হতে বাধা নেই, বিভাগীয় জাবদা খাতায় টুকছে ছেলেমেয়েদের নম্বর, পূরণ করছে বিশ্ববিদ্যালয়ের মার্কস-স্লিপ, এর পর খামে ভরে প্রিন্সিপালকে জমা দিলে ল্যাটা চোকে।

হিসেব প্রায় শেষ, মোবাইলে সুরেলা ঝংকার। সাধারণ রিংটোন, অতএব রাজা নয়। তা হলে কি কলেজের কেউ? নাকি মা? কোনও বিশেষ দরকার?

ভাবতে ভাবতেই মোবাইল ব্যাগ থেকে হাতে। পারমিতা সামান্য অবাক। সোনালি।

বোতাম টিপে পারমিতা বলল,— তুই হঠাৎ? অসময়ে? অফিসে কাজটাজ নেই?

আপাতত ফাঁকা। এবার লাঞ্চে যাব।... ভাবলাম, ক'দিন তোর খোঁজখবর নেওয়া হচ্ছে না...। সোনালি খিলখিল হাসল,— কাটছে কেমন? বর বিহনে?

দেড় বছরের ছোট সোনালির সঙ্গে পারমিতার সখীত্বের সম্পর্ক। হেসে বলল,— নাথিং স্পেশাল।

তবু...। এবার রাজাদার যাওয়াটা তো একটু স্পেশাল!

কী জানি, কিছু তো মালুম হচ্ছে না। তবে খাটে জায়গা বেড়েছে, হাত-পা ছড়িয়ে আয়েশ করে ঘুমোচ্ছি।

ইস, কথাটা নিশ্চয়ই বলিসনি রাজাদাকে?

কী হবে বললে?

বা রে, কষ্ট পাবে না? বউ তার বিরহে কাতর নয়, শুনতে কোন বরের ভাল লাগে?

বিরহ টিরহের টাইম নেই রে রাজার। সে এখন অন্য ঘোরে। নিজের গন্ধে নিজেই মাতাল।

৪১

ওভাবে বলছিস কেন? অমন একটা প্রোমোশান পেলে কে না পুলকিত হয় রে?... ফোন টোন করছে তো?

মাঝরাতে। পারমিতার মুখ দিয়ে বেরিয়ে যাচ্ছিল, যখন আমার চোখ ঘুমে জড়িয়ে আসে...। কোনওক্রমে গিলে নিয়ে স্বর তরল করল,—বাবুর যে দিনান্তে একবার বউকে মনে পড়ছে, এই না ঢের!

ওটাই ভাল, বুঝলি। সারাক্ষণ ঘাড়ে নিশ্বাস ফেললেও তো দম আটকে যাবে। ভাব তুই, বস হয়তো একটা লে-আউট বোঝাচ্ছে, পুঁ করে শমীকের বাঁশি! কম্পিউটারে ডাটা এন্ট্রি করতে করতে জেরবার, মাথা পুরো থানইট, তখনই কিনা শমীকের জানার ইচ্ছে হল দুপুরে কী খেয়েছি, কখন লাঞ্চ সেরে ফিরলাম...!

আহা রে, বেচারার যে এখনও মধুচন্দ্রিমা ফুরোয়নি রে! পারমিতা ঠাট্টা জুড়ল। হাসতে হাসতে জিজ্ঞেস করল,— তা আমাদের টুসকিরানির কী খবর? নতুন কোনও কীর্তি ঘটাল?

হাঁটাটা একটু স্টেডি হয়েছে। ধুপধাপ পড়ছে না। এর মধ্যে তো আবার ক'দিন বেশ ভুগল। গরমে ঘামাচি টামাচি বেরিয়ে...সেখান থেকে ফোড়া...। কিছু খেতে চাইছিল না। যা দেওয়া হয়, থুথু করে। দেখাশোনা করার মেয়েটাও হয়েছে সেরকম। গুড ফর নাথিং। বাচ্চা ম্যানেজই করতে জানে না।

ওই রোগামতন বউটা? তাকে রেখেছিস কেন?

আর একটা ভদ্র গোছের পাই, এটাকে দেব দূর করে।

তোর শাশুড়িকে এসে থাকতে বল না।

তিনি শ্রীরামপুরের বাড়ি ছেড়ে নড়বেন? হুঁহ্। সোনালি একটু থেমে বলল,— সবাই তো তোর শাশুড়ির মতো বুঝদার নয়। ছেলে কেন শ্রীরামপুর থেকে অফিস করল না, কেন এখানে ফ্ল্যাট নিল...সেই রাগে তিনি এখনও মটমট। আরে বাবা, তার ছেলের বউকে যে ন'টার মধ্যে অফিসে ঢুকতে হয়, সেখান থেকে যাতায়াতে তার তো প্রাণ বেরিয়ে যাচ্ছিল!

পারমিতা মনে মনে হাসল। সোনালি চিরকালই আজুলি টাইপ। একদম ধকল নিতে পারে না। জীবনে তেমন কোনও ধাক্কা তো সইতে হয়নি, তাই অল্পেই মেজাজ হারায়।

উপদেশের সুরে পারমিতা বলল,— শোন, একটু নরম নরম ডায়ালগ দিয়ে শাশুড়িকে ভজা। বাড়িতে বয়স্ক কেউ থাকলে কত সুবিধে। দেখবি, টেনশানের লেভেল অনেকটাই নেমে গেছে।

লাভ হবে না রে। তা ছাড়া, টু স্পিক দা ট্রুথ, ওই মহিলার না আসাই ভাল। এমন খিটকেল, একত্রে থাকলেই হল্লা মাচাবে। শান্তিতে জিন্স পরার জো নেই। কোথায় যাচ্ছি, কেন গেলাম...হাজার গন্ডা কৈফিয়ত দাও। তার চেয়ে বরং আমার সমস্যা আমারই থাক। তিনি মনের সুখে বাড়ির ছাদে বেলফুল জুঁইফুল ফোটান যত খুশি। ফোনে একটা দীর্ঘশ্বাস ভাসাল সোনালি,— বাদ দে।...মেসো কেমন আছে রে?

আমাকে জিজ্ঞেস করছিস কেন? যাদবপুরে ফোন করলেই পারিস।

বাড়ি ফিরে আর কিছু মাথায় থাকে না রে। টুসকিটা এমনভাবে আঁকড়ে ধরে...! দেখি, একদিন চলেই যাব মাসির ওখানে। টুসকিকে নিয়ে গোটা দিন কাটিয়ে আসব।

যাস। মা-বাবা দু'জনেই খুব আনন্দ পাবে। আমি ছাড়া কেউ তো বড় একটা যায় না।

তুই কিন্তু মেসোর জন্য জান লড়িয়ে দিয়েছিস। সত্যি বলতে কী, ছেলেরাও এতটা করে না।

গ্যাস দিস না তো। আমি জাস্ট আমার ডিউটি করছি।

প্রায় নির্লিপ্ত স্বরে পারমিতা বলল বটে, তবে ফোন ছাড়ার পর সোনালির স্তুতিটুকু যেন তিরতির কাঁপন জাগাচ্ছিল বুকে। শুধুই তা হলে উদ্বেগ নয়, প্রশংসা শোনার আকাঙ্ক্ষাও কি তাকে ছোটায় যাদবপুর? নির্মোহ, নিষ্কাম কর্তব্যের পাশাপাশি গৌরবান্বিত হওয়ার বাসনাও কি তাকে উজ্জীবিত করে? কে জানে!

বাপের বাড়ি হয়ে গড়িয়া ফিরতে আজ একটু রাত হল পারমিতার। শুভেন্দু ড্রয়িং হলে টিভিতে সংবাদ শুনছিল। একবার ঘাড় ঘুরিয়ে দেখল পারমিতাকে, কোনও প্রশ্ন করল না। আগে আগে প্রতিদিন প্রণবের খবর নিত শুভেন্দু-মানসী, দেখতেও যেত প্রায় সপ্তাহে, ইদানীং বুঝি ব্যাপারটা গা-সওয়া হয়ে গেছে।

পারমিতা খানিক জবাবদিহির সুরে বলল,— আজ বড্ড দেরি হয়ে গেল।

কিছু প্রবলেম হয়েছিল নাকি?

না। মা একটা মলম আনতে বলেছিল, যাদবপুরে পাওয়া যাচ্ছে না, তাই শেয়ালদায় নেমে খুঁজতে হল দোকানে দোকানে। তারপর ও বাড়ি গিয়ে দেখি বহুকাল পর ছোটপিসি এসেছে। তার সঙ্গে বকর বকর...

পারমিতার গলা পেয়ে মানসী বেরিয়েছে ঘর থেকে। স্বাভাবিক স্বরে বলল,— একটু জানিয়ে দিতে পারতে। তাতারটা তোমার জন্য এতক্ষণ জেগে ছিল, এই ঘুমোল।

পারমিতার বলতে ইচ্ছে করল, আপনারাও তো ফোন করতে পারেন! গলা দিয়ে বেরোল,— তাতার কি খাওয়ার সময়ে খুব জ্বালিয়েছে?

তেমন কিছু নয়। তবে বেশি বাবা-বাছা করতে হল...। ওকে আজ আর উঠিয়ো না, ও আমাদের ঘরেই ঘুমোক।

রাত্তিরে কিন্তু চরকি খাবে। বাবার অসুবিধে হতে পারে।

না না, আমার এপাশে তো থাকবে। মানসীর যেন হঠাৎই কী মনে পড়েছে, এমনভাবে বলল,— হ্যাঁগো মিতা, বিকেল থেকে কি তোমার মোবাইল অফ?

কই, না তো!

রাজা সন্ধেবেলা এখানে ফোন করেছিল। বলল, তোমায় নাকি পাচ্ছে না...

তাই?

তাড়াতাড়ি সেলফোনখানা বার করল পারমিতা। সত্যি তো, তিনটে মিসড কল! ছটা বারো থেকে ছটা ছেচল্লিশের মধ্যে। ওষুধটা কিনে পারমিতা আর স্টেশনে ফেরেনি, বাস ধরেছিল, তখনই বোধহয়...। ভিড় আর হট্টগোলে কখন যে ফিরে গেছে রাজার ডাক!

কিন্তু অসময়ে রাজার ফোন কেন? পারমিতা শাশুড়িকে জিজ্ঞেস করল,— কিছু বলেছে কি? কোনও কি জরুরি কথা ছিল?

আমাকে তো ভাঙল না কিছু। মানসী গিয়ে শুভেন্দুর পাশে বসেছে। স্মিত মুখে বলল,— রাজার ফোনটা পেয়ে আজ বেশ লাগল। মনে হচ্ছিল কত কাল পর ছেলের গলা শুনলাম!

সূক্ষ্ম একটা শ্লেষ রয়েছে কি মানসীর কণ্ঠে? রাজা প্রতি রাতে বউকেই

ফোন করে, মাকে নয়, এটাই কি ঘুরিয়ে বলল শাশুড়ি? নাকি এ শুধুই আনন্দের সরল বহিৰ্প্রকাশ?

পারমিতা আর ঘাঁটাল না মানসীকে। চটপট পোশাক আশাক বদলে খেতে এসেছে। রানা ফেরেনি, যে ডিউটিই থাকুক, রাত এগারোটার আগে ফেরেও না, তার খানা ঢাকা থাকে টেবিলে। শ্বশুর-শাশুড়ির সঙ্গে নৈশাহার সারল পারমিতা, তারপর ঘরে এসে অপেক্ষা করছে রাজার ফোনের। এক সময়ে অসহিষ্ণু হয়ে নিজেই টিপল সেলফোনের বোতাম। এনগেজড, এনগেজড...। মিনিট দশেক পর আবার চেষ্টা করল। আবার ব্যস্ত। পনেরো মিনিট পর একই প্রয়াস। জবাবও এক। দা নাম্বার ইউ হ্যাভ ডায়ালড ইজ বিজি...। হায় রে, রাজার কনফারেন্স কল আর ফুরোয় না। একটা এস এম এস পাঠাবে কি? যদি পরে রাজা দেখে...!

থাক। হতাশ হয়ে পারমিতা শুয়ে পড়ল। কখন যে ভারী হয়ে এল দু'চোখের পাতা...!

গভীর রাতে হঠাৎই ভেঙেছে ঘুম। পরিচিত অভ্যাসে হাত ঘুরছে শয্যায়। অভ্যস্ত কাউকে খুঁজছে যেন।

ধড়মড়িয়ে উঠে বসল পারমিতা। ফাঁকা বিছানাটা বড্ড বেশি শূন্য শূন্য লাগে। বালিশের পাশ থেকে মোবাইলটা টানল। চাইছে রাজাকে।

আহ্বান পৌঁছোল না। রাজার ব্ল্যাকবেরি এখন নিদ্রায়।

চার

কম্পিউটারের পরদায় চমৎকার এক ফ্ল্যাটের ছবি। আটতলার প্রশস্ত লিভিং হলে আধুনিক সোফাসেট, নকশাদার কার্পেটে আয়তাকার সেন্টারটেবিল, দেখনদার স্ট্যান্ডল্যাম্প, বাহারি ল্যাম্পশেড, দেওয়ালে পেন্টিং, দামি দামি পরদা, বৃত্তাকার কাচের ডাইনিংটেবিল, সবই অতি সুচারুভাবে সাজানো। ফ্রিজ, মাইক্রোওয়েভ ওভেন, ডিশওয়াশার শোভিত মডিউলার কিচেনটিও চোখ টানে। দু'খানা শয়নকক্ষ, দুটোই বেশ বড়সড়। মানানসই কাঠের আসবাব, দেওয়ালে এল-সি-ডি টিভি, জানলার ওপারে ঘন নীল আকাশ...। গিজার বাথটব সহ লাগোয়া বাথরুম দুটোও চমকদার।

মাউস স্ক্রোল করে পুরো ফ্ল্যাটখানা পরিক্রমা করল পারমিতা। এবার দু' নম্বর। এটি পাঁচতলায়। একই ধরনের সাজসজ্জা, তবে রান্নাঘর বাথরুম যেন একটু ছোট ছোট। অবশ্য ব্যালকনিটায় বাহার আছে।

আবার মাউস ক্লিক। তিন নম্বর। তেরোতলায়। বসা আর খাওয়ার জায়গা এখানে ছাড়া ছাড়া। দুটো ব্যালকনি, দুটোই মোটামুটি গোছের। তবে বাড়তি একটি ছোট ঘর দৃশ্যমান। সেখানে বইয়ের র‍্যাক, কম্পিউটার টেবিল, সুন্দর একটা আরামকেদারা...

প্রতিটি ফ্ল্যাটই কোনও না কোনও সম্পন্ন আবাসনে। নীচে সুইমিং পুল, বাচ্চাদের খেলার জায়গা, ক্লাব হাউস, ভূগর্ভস্থ গ্যারাজ ট্যারাজ নিয়ে রীতিমতো স্বয়ংসম্পূর্ণ বন্দোবস্ত। প্রথমটা জয়নগরে, পরের দুটো কোরামঙ্গলায়। এ ধরনের আবাসনে থাকার কত দিনের যে শখ পারমিতার!

তাতার মা'র গা ঘেঁষে দাঁড়িয়ে। হাঁ করে দেখছিল ছবিগুলো। চোখ পিটপিট করে বলল,— এগুলো কাদের বাড়ি গো?

যে থাকে, তার। পারমিতা ছেলের চুল ঘেঁটে দিল,— চাইলে আমাদেরও হতে পারে।

আমরা ওই বাড়িগুলোয় থাকব?

সব ক'টায় নয়, যে-কোনও একটাতে। কোনটা তোর পছন্দ?

তাতার ফাঁপরে পড়ে গেল। ভুরু কুঁচকে ভাবছে।

পারমিতা হেসে ফেলল। কাল রাতে ছবিগুলো মেল করেছে রাজা। তখন আর কম্পিউটারে বসা হয়নি। আজ শনিবার, পারমিতার অফ-ডে, মন দিয়ে এখন নিরীক্ষণ করছে ফ্ল্যাটগুলো। এর মধ্যে কোনও একটি আপাতত ভাড়া নেবে রাজা। অন্দরের সাজসজ্জা সমেত। কোম্পানিই দিচ্ছে। পছন্দ করার গুরুদায়িত্বটা পারমিতার। কিন্তু কোনটাকে যে সে হ্যাঁ বলে?

পারমিতা ছেলেকেই খোঁচাল,— কী রে, বল?

আমি কী জানি! তাতার ঠোঁট উলটোল,— আমরা কি গিয়ে থাকব?

তোর বাবা তো থাকবে।

বাঙ্গালোরে?

হুঁ। আমরাও যাব মাঝে মাঝে। তুই, আমি...

আর দাদু-ঠাম্মা?

তারাও যেতে পারে। যখন ইচ্ছে।

মানসীর প্রসঙ্গ উঠতে না উঠতে মানসীর আবির্ভাব। দরজায় দাঁড়িয়ে বলল,— মা-ছেলেতে কী হচ্ছে?

তাতার চোখ বড় বড় করে বলল,— বাবার বাড়ি দেখছি। এসো না, এসো। তুমিও দ্যাখো।

রাজা গেস্টহাউস ছেড়ে ফ্ল্যাটে যাবে শিগগিরই, এ তথ্য মানসীর অজানা নয়। কিন্তু সত্যি সত্যি সে যে এতটা এগিয়েছে, দেখে মানসী মহা পুলকিত। পারমিতার সঙ্গী হয়ে সেও বসে গেল ছেলের ডেরা নির্বাচনে। চলছে চুলচেরা বিচার। বেশি উঁচুতে থাকার কী সুবিধে অসুবিধে...ব্যালকনি বড় নেওয়া ভাল, না রান্নাঘর...কোন ফ্ল্যাটের বেডরুমে ভাল আলো-বাতাস খেলতে পারে...লিভিংরুম বড় হওয়া কতটা প্রয়োজনীয়... কিছুই ছাড় পাচ্ছে না গবেষণা থেকে। শেষমেশ আটতলার ঘরটাই মানসীর মনে ধরেছে। রাজা নিশ্চয়ই তো আর চিরকাল ভাড়াবাড়িতে থাকবে না, আজ

না হোক কাল বাড়ি কিনবেই, সুতরাং এখন কাজ চলা গোছের একটা বাসস্থানই তো যথেষ্ট...

পারমিতার তত চোখে লাগেনি ফ্ল্যাটটা। তেরোতলাতেই তার আকর্ষণ বেশি। তবু নিজের মতামত সেভাবে জাহির করল না। কেজো গলায় বলল,— তা হলে আট নম্বরটাই রাজাকে ফাইনাল করতে বলি?

হ্যাঁ, হ্যাঁ। সঙ্গে জানিয়ে দাও, ঢোকার আগে একবার যেন রং করিয়ে নেয়।

কেন? দেওয়াল টেওয়াল তো বেশ ঝকঝক করছে।

ছবিতে ওরকম লাগে। তা ছাড়া আগে কারা বাস করেছে তার ঠিক নেই...। নিজের মতো করে দু'পোঁচ বুলিয়ে নেওয়া উচিত।

এবারও তর্কে গেলে না পারমিতা। বলল,— বেশ। পাঠিয়ে দিচ্ছি আপনার অ্যাডভাইস।

মানসীর প্রফুল্ল ভাব বেড়েছে আরও। আদুরে গলায় নাতিকে বলল,— অ্যাই ছেলে, চল, চান করবি তো?

উঁউঁউঁ, আমি আজ মা'র কাছে করব।

আজ খুব মা মা, অ্যাঁ? অন্য দিন কে করায়?

নিতান্তই সরল বাক্য। মানসী এভাবেই তো বলে। তাও কেন যেন কানে টুং করে বাজল কথাটা। ওই বাজনাটুকু শুনতে চায় না বলেই না নিজের ছুটির দিনে শাশুড়িকে যথাসাধ্য ঝাড়া হাত-পা রাখার চেষ্টা করে পারমিতা। রাঁধুনি মেয়েটা না এলে রান্নাঘরে পর্যন্ত ঢুকতে দেয় না। এবং কী আশ্চর্য, পারমিতার অফ ডে-টাই অণিমার কামাই করার দিন। সম্ভবত সেও বুঝে গেছে, এই দিনটায় পারমিতার ওপর চাপ তৈরি করা খুব সহজ। শাশুড়িকে সরিয়ে পারমিতা এদিন হেঁশেল ঠেলবেই। না ঠেলে পারবেই না।

আজ অবশ্য অণিমা দেবী দয়া দেখিয়েছেন, দেরিতে হলেও এসেছেন কাজে। শাশুড়িও খুশ, পারমিতাও খুশ। অন্তত নিশ্চিন্ত মনে কম্পিউটারে বসতে পারছে তো পারমিতা।

বৈদ্যুতিন চিঠি টাইপ করতে করতে পারমিতা মুচকি হাসল,— তাতারকে আজ আমার হাতেই ছেড়ে দিন মা। প্রাণের সুখে দুরমুশ করি।

সেই ভাল। মানসী নাতিকে তর্জনী দেখাল,— আমার কাছে তো শ্যাম্পু মাখতে চাও না... দ্যাখো আজ মা কীভাবে ডলে!

শুনেই তাতারের বিদঘুটে ভেংচি। পরক্ষণে ঘর ছেড়ে ধাঁ। মানসীও ধর তো, ধর তো, বলে ছুটেছে পিছনে। গ্রীবা হেলিয়ে নাতি-ঠাকুমার চকিতে নিষ্ক্রমণ দেখে নিয়ে রাজাকে চিঠিটা পাঠাল পারমিতা। তারপর হঠাৎই যেন আনমনা। একবার যাবে নাকি ইউ-জি-সির সাইটে? কণাদ পরশু বলছিল, নতুন কী একটা ফেলোশিপ দিচ্ছে...। তা ছাড়া আগামী বার যদি নেটে বসে, পরীক্ষার তারিখটাও তো জানা দরকার।

ধুস, কী হবে জেনে? রিসার্চ তার কপালে নেই, স্বপ্নটা মন থেকে ঝেড়ে ফেলাই ভাল। ক্ষণে ক্ষণে স্বপ্নভঙ্গের যন্ত্রণাটা তো পোয়াতে হয় না। চাকরি একটা জুটেছে, তাতে লেগে থাকাই তো যথেষ্ট। এখন বরং বন্ধুবান্ধবের সঙ্গে খানিক আড্ডা মারলে মাথাটা ঝরঝরে হয়।

ভাবামাত্র কাজ। ফেসবুকে ঢুকছে পারমিতা। প্রযুক্তির কী মহিমা, হারিয়ে যাওয়া বন্ধুরাও কেমন জড়ো হতে পারে এক জায়গায়। হোক না এক কাল্পনিক পরিসর, যোগাযোগ একটা হচ্ছে তো। স্কুলের বন্ধু, কলেজ-ইউনিভার্সিটির সহপাঠী...কত হারিয়ে যাওয়া চেনাজানাকে পারমিতা খুঁজে পেল এখানে। একটাই যা দুঃখ, ক'দিনই বা প্রাণ ভরে গল্প-আড্ডার ফুরসত মেলে!

আজ ফেসবুকে গিয়ে পারমিতার চক্ষু স্থির। অনেক দিন বসা হয়নি, তাতে কী ব্যাপক সাড়া পড়ে গেছে! তার অলীক দেওয়ালে গাদা গাদা টিপ্পনী। নিজের বন্ধুদের, রাজার বন্ধুদের...। কী রে, বর কেটেছে বলে তুইও ভ্যানিশ!...দেবদাস যে বিবাগী হল পারো, বাঙ্গালোর গিয়ে তাকে বাঁচাও।...তুই কি একাই কলেজ করিস নাকি রে শালা, থুড়ি শালি! ...কী গো দিদিমণি, সাড়া দাও, সাড়া দাও!...অ্যাই, তুই বেঁচে আছিস তো? না থাকলে কাগজে মৃত্যু সংবাদটা ছাপিয়ে দে।... রাজাকে মিস করতে করতে কিসমিস হয়ে গেলি নাকি রে!

দেওয়াল-লিখন পড়তে পড়তে পারমিতা মিটিমিটি হাসছিল। রাজার বেঙ্গালুরু প্রস্থান তা হলে রীতিমতো একটা ইভেন্ট? সবাইকে আলাদা আলাদা উত্তর দিতে হবে নাকি? একটাই জুতসই কিছু লিখলে হয়, যাতে এক ঢিলে সব ক'টা পাখি...!

ভুরু বেঁকিয়ে মনপসন্দ্ একটা জবাব খুঁজছিল পারমিতা, দরজায় মৃদু টকটক,— ব্যস্ত আছ?...আসব?

পারমিতা অবাক। রানা তো বড় একটা আসে না এ ঘরে?

ঘুরে বসে পারমিতা বলল,— কী ব্যাপার গো? কিছু বলবে?

কাজ করছিলে? ডিস্টার্ব করলাম?

রানার হাতে চায়ের কাপ। কাল অনেক রাতে ফিরেছে, এইমাত্র উঠল বোধহয়। পরনে আজও সেই শর্টস আর স্লিভলেস টিশার্ট। চুল এলোমেলো। দৃষ্টি কম্পিউটারের মনিটরে।

পারমিতা ওয়েব-সাইট থেকে বেরিয়ে এল। যন্ত্রটাকে ঘুম পাড়াতে পাড়াতে বলল,— তেমন কিছু না।...দাঁড়িয়ে কেন, বোসো।

খাটে বসেছে রানা। কাপে চুমুক দিয়ে বলল,— তোমাদের এই অফ ডে-র সিস্টেমটা কিন্তু বেড়ে। একটা দিন বাড়তি ছুটি।

পারমিতা হাসল,— সাংবাদিকরা কি কিছুই খবর রাখে না? এটা ছুটি নয় স্যার, প্রিপেরাটারি ডে। সারা সপ্তাহ পড়ানোর প্রস্তুতি নিতে হয় এই দিনে।

সরি। সরি। নলেজটা বাড়ল।...তোমাদের কলেজ এখন ফুল সুয়িং-এ চলছে, না?

বলতে পারো। এটাই তো কলেজের পিক সিজন।

অর্থাৎ এই সময়ে ক্লাসটা বেশি থাকে?

হ্যাঁ। সব ক'টা ইয়ার একসঙ্গে চলে তো।

দিনে তোমায় কতগুলো ক্লাস নিতে হয়?

ঠিক থাকে নাকি! কোনওদিন হয়তো তিনটে, আবার কোনওদিন প্র্যাক্টিকাল নিয়ে ছ'টা-সাতটা।

তোমাদের কেমিস্ট্রিতে তোমরা মোট ক'জন টিচার?

স্টোরি করবে নাকি? পারমিতা ঠোঁট টিপে হাসল, ভাল ম্যাটার পাবে কিন্তু।

কীরকম?

ধরো... ল্যাবরেটারি বেস্ড ডিপার্টমেন্ট সাতজনের কমে চলে না। পাঁচজনের নীচে তো চালানো প্রায় অসম্ভব। কিন্তু আমাদের পোস্ট আছে তিনটে। লোক মাত্র দুই। অগস্টে একজন বাই বাই করছেন, তখন হারাধনের একটা মাত্র মেয়ে পড়ে থাকবে।

সর্বনাশ! পারবে কী করে?

ওটাই তো ম্যাজিক। এখন চারজন গেস্ট-লেকচারার দিয়ে কোনওমতে কাঠামোটা খাড়া করা আছে। সামনের মাসে আমাদের হেড চলে গেলে অন্তত আরও তিনজন দরকার। ক্লাস পিছু তাদের বরাদ্দ একশো পঁচিশ টাকা। সপ্তাহে তাদের আটটার বেশি ক্লাস দেওয়ার নিয়ম নেই। মাসে তিন-সাড়ে তিন হাজারের বেশি জোটে না বলে তাদেরও বয়ে গেছে ভাল করে পড়াতে। কোনওক্রমে সিলেবাস উলটোয়, আর ছাঁকনি ফেলে টিউশান ধরে। ছেলেমেয়েরাও জন্ম থেকে প্রাইভেট পড়তে অভ্যস্ত, গোছা গোছা নোটই তাদের বৈতরণী পার করে দেয়। আমি ক্লাসে কত খাটলাম, তা নিয়ে ওদের কণামাত্র মাথাব্যথা নেই। সুতরাং ডিপার্টমেন্টও ঠিক গড়িয়ে গড়িয়ে চলে যায়।

তবু...তোমার ওপর প্রেশার তো একটা থাকছেই।

সে আর বলতে, প্র্যাক্টিক্যালগুলো শেষ করানোর দায়িত্ব, বছরে অন্তত তিনবার ইউনিট টেস্ট নেওয়া, গোছা গোছা খাতা দেখা, রুটিন তৈরি, কোয়েশ্চেন সেট করা...। এ ছাড়া ইউনিভার্সিটির এগজ্যামের হ্যাপা তো আছেই। সঙ্গে কলেজের হাজারো হ্যাঙ্গামা, এই কমিটি, সেই কমিটি...। বলতে বলতে পারমিতার উৎসাহী স্বর থেমেছে সহসা। চোখ সরু করে বলল,— অ্যাই, তুমি কি সত্যিই আমাদের প্রবলেম নিয়ে ইন্টারেস্টেড?

উঁহু। আমার ইন্টারেস্ট শুধু তুমি। ইউ।

পারমিতা এবার সত্যিই থতমত। কাল রানা কিছু খেয়েছিল টেয়েছিল নাকি? এখনও কি খোঁয়াড়ি কাটেনি? না হলে এই ধরনের বাক্য তো রানার মুখ দিয়ে বেরোনোর কথা নয়!

পারমিতার গলা দিয়ে ঠিকরে এল,— মানে?

চা শেষ করে কাপটা দু' হাতে ঘোরাচ্ছে রানা। মিচকি হেসে বলল,— বড্ড স্ট্রেন হয় তোমার। বিকেলে একটা সিনেমায় যাবে?

তোমার সঙ্গে?

ইয়েস। একদিন গেলে কী হয়? ভাল একটা মুভি চলছে। পিপলি লাইভ। মিডিয়াকে খুব আওয়াজ মেরেছে। তোমার মজা লাগবে।

পারমিতা আরও গোমড়া হয়ে গেল, তুমি কি আমার সঙ্গে ইয়ারকি মারছ?

মোটেই না। বেরোতে তোমার কষ্টও হবে না। দাদার গাড়িটা তো পড়েই আছে, সেন্টার থেকে একটা ড্রাইভার ডেকে নিচ্ছি, সোজা কোনও মাল্টিপ্লেক্সে চলে যাব। রানা গাল ছড়িয়ে হাসল,— আরে বাবা, চলোই না। একজন তোমার সঙ্গে খুব আলাপ করতে চাইছে।

পারমিতার রক্তচাপ যেন বেড়ে গিয়েছিল হঠাৎ। ঝুপ করে নেমে গেছে। হাঁ করে একটা শ্বাস ফেলল। ভুরু নাচিয়ে বলল,— কে? কে? স্পেশাল কেউ?

গেস করো। গেস করো। রানা হাসি হাসি মুখে উঠে পড়ল। খানিকটা যেন বায়নার সুরে বলল,— আমি কিন্তু তা হলে ড্রাইভার ডাকছি। সাড়ে তিনটেয় তৈরি থেকো।

রানা বেরিয়ে যাওয়ার পর পারমিতা হতবুদ্ধির মতো বসে রইল একটুক্ষণ। বোঝাই যাচ্ছে, কোনও গার্লফ্রেন্ড টালফ্রেন্ড। রানাকে তো আপাত চোখে নীরসই মনে হয়, সেও কিনা প্রেমে পড়ল? নীরস? নাকি নিস্পৃহ? রাজা জীবনে বড় চটপট ঝকমকিয়ে উঠেছে, তুলনায় রানা যেন অনেকটাই নিষ্প্রভ। মাস কমিউনিকেশানে ডিপ্লোমা করে বেশ কিছুকাল বেকার ছিল রানা, মাঝে মাঝে টুকটাক ফিচার লিখত এদিক সেদিক। তখন একটা হীনন্মন্যতায় ভুগত রানা, পারমিতা জানে। নতুন বাংলা দৈনিকটায় সাংবাদিক বনে যেতেই এক ধরনের আত্মম্ভরিতা জেগেছে রানার, পারমিতা এও বোঝে। হয়তো এটা ওই হীনম্মন্যতারই উলটো পিঠ। মাইনেকড়ি খুব একটা বেশি পায় না তো! তা বলে চিরকালই একটা দূরত্ব বজায় রেখে চলা রানা তার প্রেমিকার সঙ্গে পারমিতার আলাপ করাতে উদগ্রীব, এটা কেমন আজব ঠেকে না?

খবরটা তো রাজাকে জানাতেই হয়। মোবাইল মুঠোয় তুলেও পারমিতা রেখে দিল। রাজার এখন ব্যস্ত সময়, কোথায় কী মিটিং-এ বসেছে কে জানে, রসালো গল্পটার হয়তো স্বাদই পাবে না।

কম্পিউটারও আর চালু করল না পারমিতা। ছন্দ কেটে গেছে, ফেসবুক তোলাই থাকুক। বরং সপ্তাহান্তের কাজে লেগে পড়াই সংগত। কোণে নেটের বালতিতে ক'দিনের ছাড়া জামাকাপড় জড়ো করা আছে, বিছানায় চাদর বালিশের ঢাকাও খুলে ফেলল, সবগুলো সাপটে নিয়ে চলেছে ওয়াশিং মেশিনে ঢোকাতে। এ বাড়িতে আগে একটি সেমি অটোমেটিক

যন্ত্ররজক ছিল, সেটিকে পালটে গত বছর একখানা পূর্ণ স্বয়ংক্রিয় কাচাকুচির মেশিন কেনা হয়েছে। পারমিতাই কিনেছে। শ্বশুর-শাশুড়ি কিছুতেই পারমিতার কাছ থেকে মাসিক টাকা নিতে রাজি নয়। ছেলের বউয়ের রোজগারে হাত ছোঁয়াতে বাধে বোধহয়। হয়তো সংস্কার। অথবা মানে লাগে। তবে এই ধরনের জিনিস টিনিস কিনে আনলে খুব একটা আপত্তি জোড়ে না। দিতে পেরে পারমিতারও মনের ভার খানিকটা লাঘব হয়। এভাবেই চিমনি ঢুকেছে রান্নাঘরে, এসেছে মাইক্রোওয়েভ ওভেন, একগাদা ননস্টিক বাসন, বিদেশি ডিনারসেট...

কাপড় হাতে বড় বাথরুমে গিয়ে পারমিতা হতবাক। অন্দরে শ্বশুরমশাই। স্ক্রু-ড্রাইভার ঘুরিয়ে কমোডের ঢাকনাখানা খুলছে!

বিস্মিত স্বরে পারমিতা বলল,— ওটা কী করছেন, বাবা?

কভারটা চেঞ্জ করব। একদম রং জ্বলে গেছে। ঘাম থসথসে মুখে শুভেন্দু ঘুরেছে,— কাল একখানা নতুন কিনে এনেছি।

সে ঠিক আছে, কিন্তু আপনি লাগাচ্ছেন কেন?

পারি বলে। যে কাজ সাধ্যের মধ্যে আছে, তার জন্য খামোখা মিস্ত্রি ডাকব?

তা বলে কমোডের ঢাকনা...!

সো হোয়াট? জানোই তো, তুচ্ছ কারণে অন্যের ওপর ডিপেন্ডেন্ট হওয়া আমার পোষায় না।

হ্যাঁ, তা পারমিতা এত দিনে টের পেয়েছে বই কী। বাড়ির কোনও জিনিস খারাপ হলে সেটা নিজেই আগে মেরামতির চেষ্টা চালায় শুভেন্দু। সে মিক্সিই হোক, কিংবা গ্যাস-ওভেন। বাতিল ট্রানজিস্টারই হোক, কি হোঁচট খেতে খেতে চলা দেওয়ালঘড়ি। প্রথমেই পটাপট খুলে ফেলে বস্তুটি। তারপর খুঁটিয়ে খুঁটিয়ে খোঁজে ব্যাধিটা। বেশির ভাগ সময়ে সারিয়েও ফেলে। রিটায়ারমেন্টের পর বাতিকটা যেন আরও বেড়েছে। এই তো, মাস তিনেক আগে পারমিতার মোবাইলটা গড়বড় করছিল, অপর প্রান্তের কথা ঠিকঠাক শোনা যাচ্ছিল না, ওমনি শুভেন্দু সিমকার্ড খুলে শুকনো কাপড়ে ঘষে দিব্যি সযুত করে দিল। হিসাবরক্ষকের চাকরিতে থেকেও যন্ত্রপাতিতে এমন পারদর্শিতা একান্তই দুর্লভ। হায় রে, বাবার যে কেন এমন কোনও নেশা ছিল না?

৫৩

পারমিতা হেসে বলল,— আপনার কি সময় লাগবে?

তা একটু...। নতুনটাকে লাগাব...। শুভেন্দু চোখ চালিয়ে কাপড়ের গোছাটা দেখল,— তুমি ঢুকিয়ে দাও। আমি সাবান দিয়ে চালিয়ে দিচ্ছি। ...একটা কাজ করো তো। বাথরুমের দরজাটা টেনে দিয়ে যাও।

কেনওও?

তোমার পুত্তুরটি যে বারবার হানা দিচ্ছে! এই তো, একখানা স্ক্রু নিয়ে চম্পট দিল।

সত্যি, দাদু-ঠাকুমাকে বড্ড জ্বালায় তাতার। যত দিন যাচ্ছে, দুরন্তপনা বাড়ছে। ঠাম্মার শান্তিতে টিভি দেখার জো নেই, ঘাড়ে উঠে লাফাচ্ছে, চ্যানেল ঘুরিয়ে দিচ্ছে পটাপট...। দাদু বেচারা তো নাতি থাকলে পেশেন্স খেলায় বসতেই পারে না, এমন এলোমেলো করে দেয় তাস...। প্লে-হোম ছেড়ে স্কুলে ভরতি হবে সামনের বছর, তখন যদি খানিক শান্ত হয়।

মানসীর ঘর থেকে তাতারকে ধরল পারমিতা। তারপর টানা যুদ্ধ ঘণ্টাখানেক। ছেলেকে স্নান করানো, গা মোছানো, জামাকাপড় পরানো, চুল আঁচড়ানো, গায়ে পাউডার দেওয়া...প্রতি পদে সে এক লড়াই। আর খাওয়ানো তো রীতিমতো সংগ্রাম। প্রথম একটা-দুটো দলা ঠিকঠাক খায়, তারপর গালে ঠুসে বসে আছে তো বসেই আছে...পারমিতার ধৈর্য হারানোর জোগাড়।

আজ তো পারমিতা ঠাস করে একটা চড় কষিয়ে দিল। চোখ পাকিয়ে বলল,— কী হচ্ছে কী তাতার? চিবোও, চিবোও বলছি।

মানসী খাবার টেবিলে। এতক্ষণ যেন মা-ছেলের দ্বৈরথ উপভোগ করছিল। এবার হাঁ হাঁ করে উঠেছে,— আহা, মারছ কেন? ওভাবে হবে না। গালে আলতো ঠোনা দাও, মুখ চলতে শুরু করবে।

পারমিতা ঈষৎ অপ্রসন্ন সুরে বলল,— এক-আধদিন ওকে পেটানো দরকার মা। রোজ খেতে বসে বদমাইশি, রোজ খেতে বসে বদমাইশি...। রাত্তিরেও তো দেখি রুটি মুখে বসেই থাকে।

বাচ্চারা তো এরকম করেই, মিতা। মাথা ঠান্ডা রেখে ভুলিয়ে ভালিয়ে খাওয়াতে হয়।

না মা, ওকে আর একদম আশকারা দেবেন না। আদরে বাঁদর তৈরি

৫৪

হচ্ছে। পারমিতা ছেলেকে ঝাঁকাল,— কী হল, গেলো। কী হল, কথা কানে যাচ্ছে না?

নিজের গলতা থেকে কখন যেন বেরিয়ে এসেছিল রানা। কোমরে হাত রেখে দেখছিল নাটক। দৃশ্যটাকে ক্লাইম্যাক্সে তুলতেই বুঝি বলে উঠল,— খবরদার মা'র কথা শুনবি না তাতার। মুখেরটা বার করে দে। ফু ফু করে।

একটু একটু ঠোঁট ফুলছিল তাতারের। কাকাইয়ের পরামর্শে অভিমান উধাও, হি হি হেসে উঠেছে। ওমনি কী কাণ্ড, ভাতের দলা মুখগহ্বর ছেড়ে থস টেবিলে।

তাড়াতাড়ি ভাতটুকু কাচিয়ে থালার কোনায় রাখল পারমিতা। বেজার মুখে বলল,— কেন ওকে উসকোচ্ছ? এরকম চললে আমার কিন্তু আর বেরোনো হবে না।

সঙ্গে সঙ্গে মানসী টানটান,— তুমি আজ যাদবপুর যাচ্ছ নাকি মিতা?

পারমিতার হয়ে রানাই উত্তর দিল,— বউদি একটা মুভি দেখতে যাবে। আমার সঙ্গে। ড্রাইভার ফিট করেছি, দাদার গাড়িটা নিয়ে বেরোব।

মানসী ভয়ানক আশ্চর্য হয়েছে। এমন ঘটনা কদাচ ঘটে না তো। চোখ ঘুরিয়ে ঘুরিয়ে বলল,— তোরা...সিনেমায়...একসঙ্গে...?

কেন, আপত্তি আছে?

তা নয়, যাস না তো কখনও। মানসী টুকুন দম নিল। বুঝি ধাতস্থ করছে নিজেকে। খানিকটা আত্মগত ভাবে বলল,— ভাবছিলাম বিকেলে একবার মাকে দেখে আসব...শনি-রোববার ছাড়া তো হয়েও ওঠে না...তোর ছোটমামা বলছিল বুকে নাকি সর্দি বসেছে...

আজকের বদলে কাল যেয়ো।

যদি না কাল আবার কোনও বাধা পড়ে...

তা হলে পরশু যাবে। তুমি তো চেনে বাঁধা নেই।

আমার তাতার রয়েছে না? ওকে ফেলে যখন তখন নড়তে পারি?

আশ্চর্য, বাবা একদিন তাতারকে সামলাতে পারে না?

তিনি কি বিকেল-সন্ধের তাসের আড্ডাটি মিস করবেন? একদিনও?

তুমি তা হলে তাতারকে নিয়েই যেয়ো।

ওই দুরন্ত ছেলে নিয়ে বাসে...?

আহ্, বাড়িতে একটা গাড়ি তো পড়ে। ইউজ তো করতেই পারো।

ওরে বাবা, একদিন চড়ব...ওমনি তোর বাবার হিসেব কষা শুরু হয়ে যাবে। গড়িয়া থেকে ভবানীপুর কত কিলোমিটার, যাতায়াতে ক' লিটার পেট্রল পুড়ল, তার মূল্য কত, ড্রাইভারের পিছনে কত খসল...

মা-ছেলের কথোপকথন শুনতে শুনতে কান-মাথা জ্বালা জ্বালা করছিল পারমিতার। পলকের জন্য মনে হল, আজ প্রোগ্রামটা বাতিল করে দেয়। কিন্তু মেয়েটিকে দেখার কৌতূহলও যে বিজবিজ করছে!

গলা নামিয়ে পারমিতা বলল,— একটা কথা বলব মা? গাড়ির ট্যাঙ্কি আজ ভরতি করে আনছি। যেদিন চাইবেন, রানার চেনা ড্রাইভার আপনাকে দিদার বাড়ির থেকে ঘুরিয়ে আনবে। আর কাল যদি চান, আমিও সঙ্গে যেতে পারি।

শেষের বাক্যটি যেন কানেই গেল না মানসীর। আগেরটুকুই আঁতে লেগেছে বোধহয়। মাথা ঝাঁকিয়ে বলল,— না না বাবা, অত করার দরকার নেই। একবার বললে ওদের ছোটমামাই তো আমায় গাড়ি পাঠিয়ে দিতে পারে। আমি গেলে বাসেই যাব। এখনও আমার হাত-পা চলে। ...তোমরা যাও, সিনেমা দেখে এসো।

শাশুড়ির স্বরে কি ব্যঙ্গ? নাকি কোনও ক্ষোভ? উষ্মা? পারমিতা ঠিক ঠিক বুঝতে পারছিল না। স্নানে ঢুকেও ভাবছিল কথাগুলো। শ্বশুরবাড়ির প্রতি কর্তব্য পালনে তার কি কোনও ফাঁক থেকে যাচ্ছে? মাঝে মাঝে কি তার শাশুড়িকে নিয়ে বেরোনো উচিত? আজ হয়তো পরিস্থিতির চাপে কথাটা উচ্চারণ করল, কিন্তু রাজা যাওয়ার পর একবারও কি বলেছে মুখ ফুটে? কী করবে পারমিতা, সপ্তাহের ছোটাছুটি করে এত ক্লান্ত থাকে, এত ক্লান্ত লাগে...! তবু... রাজা যখন ছিল, তখন কি রবিবারে বেরোত না? বন্ধুবান্ধবদের বাড়ি আড্ডা, রাতে বাইরে খাওয়া, সিনেমা-থিয়েটার, সবই তো চলত! আবার পরদিন হাঁপাতে হাঁপাতে কলেজ করেছে। করেনি? রাজার মামার বাড়িও ছুঁয়ে এসেছে অবরেসবরে। কিংবা অন্য কোনও আত্মীয়ের বাড়ি। রাজার সঙ্গে। রাজার গাড়িতে। কিন্তু তাতে কি শাশুড়িকে নিয়ে এখন না বেরোনোর দোষ স্খালন হয়? ক্লান্তির দোহাই পাড়াটা কি হাস্যকর শোনায় না?

বিশ্রী এক দোলাচল। পারমিতার মেজাজ ক্রমশ পানসে। খাওয়া দাওয়া

৫৬

সেরে যখন সাজতে বসেছে, তখনও মন বলছে, না বেরোলেই হয়, না বেরোলেই হত...। সারা সপ্তাহ পরতে হয় বলে ছুটিছাটায় শাড়ি দেখলেই অসহ্য লাগে, সালোয়ার সুটে কত আরাম, তবু শাড়িই পরল আজ। রানার বান্ধবীর সামনে বেশ চকমা দিয়ে হাজির হওয়ার বাসনা জেগেছিল, যৎসামান্য প্রসাধনেই থেমে গেল হাত।

বাইরে আকাশেরও আজ মুখ ভার। ঘন মেঘে ছাওয়া। শ্রাবণের মাঝামাঝি ফের ফিরেছে বর্ষা, রোজই এখন ঢালছে দু'-চার পশলা তবে তেমন জোরদার বারিধারার দর্শন মিলল না এখনও। শুধু মেঘই সার, ভ্যাপসা গুমোটে বৃষ্টি যেন উবে যায়।

যথাসময়ে বাইপাসের শপিংমলটায় পৌঁছেছে রানা-পারমিতা। পথে রানা চুপচাপই ছিল, গাড়ি থেকে নেমে হঠাৎই সে ব্যস্তসমস্ত। পারমিতাকে দাঁড়াতে বলে সাঁ ঢুকে গেল মলে। ফিরল এক শ্যামলা মেয়েকে নিয়ে। চেহারাটি বড়সড়, পরনে লো-কাট জিন্স, খাটো টপ। জিন্স আর টপের মধ্যে পক প্রণালী নয়, ভূমধ্যসাগরের ব্যবধান। এবং রঞ্জিত নাভিটি প্রবলভাবে প্রকট। হাইলাইট করা বাদামি চুল ঝাঁপ কাটছে মুখে, চোখের পাতা কালচে লাল, ঠোঁটে চড়া লিপস্টিক। চরণে স্টিলেটো। কানে পাকানো পাকানো ঝোলা দুল।

রানা পরিচয় করানোর আগেই মেয়েটি জড়িয়ে ধরেছে পারমিতাকে। গালে আলতো চুমু দিয়ে বলল,— আমি রঞ্জা। রঞ্জাবতী খাসনবিশ। তোমার কথা দেবর্ষির মুখে এত শুনেছি, এত শুনেছি...

পারমিতা বেশ হকচকিয়ে গেছে। বোকা বোকা হেসে বলল,— কী বলে? খুব নিন্দে করে বুঝি?

ওমা, না না, তা কেন...দেব তো তোমার প্রশংসায় পঞ্চমুখ। তোমার মতো ব্রিলিয়ান্ট মেয়ে নাকি দুটো নেই, তুমি হেভি সুইট, দারুণ ডিউটিফুল...!

যাহ্, বাড়িয়ে বলে।

না গো, তোমায় দেখেই বোঝা যায় তুমি কত ভাল। কাঁধে হাত রাখল রঞ্জা। আহ্লাদি আহ্লাদি গলায় বলল,— তুমি তো আমাদের লাইনেই কলেজে পড়াতে যাও, তাই না?

কোথায় থাকো তুমি?

ঘোলা। সোদপুর। চেনো তো?

উম্। আমাদের অনেক স্টুডেন্ট ওদিক থেকে আসে।

উত্তরের অবশ্য প্রয়োজন ছিল না, রঞ্জা একাই বকে যেতে পারে একটানা। মিনিট পাঁচেকের মধ্যে নিজের ঠিকুজিকুষ্ঠি উগরে দিল। কোন কলেজে পড়েছে, কী কী কোর্স করেছে, কবে প্রথম চাকরিতে ঢুকল, ক'টা চাকরি বদলে এখন সে কোন মোবাইল কোম্পানিতে কী পদে আসীন, দেবের সঙ্গে তার কোথায় আলাপ, দেব তখন কেমন লাজুক ছিল, দিদির গল্প, বাবা-মা'র সমাচার, কী না শোনাল! সব কথা মস্তিষ্কে ঠিকঠাক সেঁধোচ্ছিল না পারমিতার, এত তড়বড় করে রঞ্জা! তার মাঝেই ব্যাগ থেকে সিগারেট বের করে ধরিয়ে ফেলল, ওস্তাদ নেশাড়ুর মতো ধোঁয়া ছাড়ছে। অর্ধেকটা টেনে ফেলে দিল। তারপর পারমিতাকে বগলদাবা করে সোজা চারতলায়। রানা ভ্যাবলার মতো অনুসরণ করছে রঞ্জাকে। ঝটপট তিনখানা টিকিট কেটে ফেলল, অতঃপর চিপস-কোল্ডড্রিঙ্কস হাতে হলে প্রবেশ, এবং চলচ্চিত্র দর্শন। ভারী মজাদার ছবি। শ্লেষ-বিদ্রূপে বোঝাই। কিন্তু পারমিতা দেখবে কী, এমন সশব্দে হাসে রঞ্জা! সে হাসি থামতেই চায় না। প্রায় জনশূন্য শীতল প্রেক্ষাগৃহ যেন কেঁপে কেঁপে ওঠে!

শেষ হতেই ফুডকোর্ট। আস্ত একখানা পিৎজা খেল মেয়েটা, সঙ্গে দু'খানা ব্রাউনি। রানা আর পারমিতা বারগার নিয়েছে। খুঁটছে পারমিতা, আর চোরা চোখে ঘড়ি দেখছে। কখন যে ছাড়া পাবে!

এক সময়ে রঞ্জাবতী টয়লেটে যেতেই রানা ব্যগ্র স্বরে প্রশ্ন করল,— কেমন দেখলে?

পারমিতা ঠোঁট টিপে হাসল,— মন্দ কী!

খুব লাইভলি না?

একটু বেশিই প্রাণবন্ত! কইমাছের মতো খলবলে! ধরলে না কাঁটা ফোটে!

পারমিতা হেসেই বলল,— হ্যাঁ, সে তো বটেই।

তা হলে বাবা-মাকে কনভিন্স করার ভারটা তোমার?

আজই বলতে হবে?

তা কেন, টেক ইয়োর টাইম। তবে আমরা কিন্তু জলদি রেজিস্ট্রিটা সেরে ফেলছি। তোমাকে বিয়েতে উইটনেস থাকতে হবে।...পাক্কা?

কোনওমতে পারমিতা হাসিটা ধরে রাখল। আর বাতচিত হল না তেমন। রঞ্জাবতীকে ছেড়ে এক্ষুনি এক্ষুনি নড়ার লক্ষণ নেই রানার, একাই উঠে পড়ল পারমিতা।

গাড়িতে চেপেই রাজাকে ফোন লাগিয়েছে। ওপারে রাজার গলায় লঘু সুর,— সাঁঝবেলায় আহ্বান কেন সখী?

এখনও কি অফিসে...?

এবার বেরোব।...তোমার তো আজ মস্তির দিন। এনজয় করছ নিশ্চয়ই?

এনজয় বলে এনজয়! আজ রানার সঙ্গে বেরিয়েছিলাম।

রানা? অফ অল দা পারসন্‌স?

হুম্। ওর ফিঁয়াসের সঙ্গে আলাপ করিয়ে দিল।

হোয়াট? রানা প্রেমে পড়েছে?

হাবুডুবু। কী মুগ্ধ নয়নে তাকিয়েছিল তুমি ভাবতেও পারবে না।

দেখতে কেমন মেয়েটা?

তোমার বউয়ের মতো নয়। রীতিমতো জাঁদরেল। রানাকে বনবন ঘোরাবে। ড্রাইভারকে আড়ে দেখে নিয়ে পারমিতা গলা নামাল,— খুব হেপ্ মেয়ে। কী স্মার্টলি স্মোক করছিল!

আজকাল তো মেয়েরাই সিগারেট খায়। ফ্যামিলিটা কেমন?

মিডল ক্লাস। বাবার ওষুধের দোকান। সোদপুর বাজারে। দিদি শাদিশুদা।

ভালই তো।

কিন্তু মেয়েটা বড্ড চুলবুলে। কী লাউডলি হাসে, বাপ্‌স!

বুঝেছি। এক্সট্রোভার্ট টাইপ। এরা কিন্তু বেসিকালি সরল হয়।

পারমিতারও রঞ্জাকে তেমন জটিল মনে হয়নি। তবু বলল,— তোমাদের বাড়িতে কি ওই মেয়ে চলবে? যা ড্রেস-ট্রেস...দেখে বাবা-মা না ভিরমি খায়।

তাতে তোমার কী এল গেল? বাবা-মা বুঝে নেবে।

কিন্তু...রানা যে এদিকে আমাকেই উকিল পাকড়েছে!

খবরদার না। রাজা হঠাৎই গম্ভীর,— তুমি এসবে একদম থাকবে না।

কেন?

যদি পরে ভালমন্দ কিছু হয়, তখন তো তোমার দিকেই আঙুল উঠবে।

আমার ধারণা...ওই মেয়ে রানার চলবে না।

সেটাও রানাকেই বুঝতে দাও।

বা রে, তোমার ভাই যদি পরে মুশকিলে পড়ে...

তাকে নিজেকেই আসান করতে হবে। তুমি তখন বড়জোর একটা ভাল ল'ইয়ার ধরে দিতে পারো।

রাজার বলার ভঙ্গিটা পছন্দ হল না পারমিতার। বড় বেশি কর্তা কর্তা ভাব। এখন যদি পারমিতা বলে রানা তাকে বিয়ের সাক্ষী করতে চাইছে, চটে লাল হয়ে যাবে নির্ঘাত। আরও কড়া নিষেধাজ্ঞা জারি হবে নিশ্চয়ই। কিন্তু রানাও যে বড় মুখ করে অনুরোধ করল, তাকে না বলাটা কি শোভন দেখায়? তা ছাড়া পারমিতা কোন ব্যাপারে কী সিদ্ধান্ত নেবে, সেটাও কি রাজা বেঙ্গালুরু থেকে রিমোট কনট্রোলে স্থির করে দেবে?

কী হল? ফের রাজার গলা,— চুপ মেরে গেলে যে?

ভাবছি। তোমার ভাই আজ সত্যিই জব্বর সারপ্রাইজ দিয়েছে।

আমিও একটা দিতে পারি। রাজার গলা অনেকটাই তরল আবার,— অ্যান্ড আই বেট, সেই সারপ্রাইজটাও তোমার কল্পনাতে নেই।

কী গো? কী? কী?

ধীরে সখী, ধীরে...। দেখতেই পাবে।...অ্যাই শোনো, একটা কল আসছে, এখন ছাড়ছি। রাত্তিরে ফোন করব।

আলাপ ছিন্ন হল। গাড়ির চালে বৃষ্টির শব্দ। অবশেষে আকাশ ভাঙল বোধহয়। বন্ধ কাচের ওপারে ঝাপসা হয়ে এল পৃথিবীটা।

পারমিতার গা ছমছম করছিল হঠাৎ। আবার কী সারপ্রাইজ দেবে? আবার একটা প্রোমোশান? নাকি নতুন চাকরি? আরও কি দূরে চলে যাবে রাজা?

পাঁচ

চমক একটা দিল বটে রাজা। একেবারে মুন্ডু ঘুরিয়ে দেওয়া চমক। পরদিনই সকালে সশরীরে কলকাতায় হাজির।

আর পাঁচটা রবিবারের মতোই দিনটা শুরু হয়েছিল পারমিতার। উঠেছিল সামান্য দেরিতে, যেমন ওঠে। মুখ টুখ ধুয়ে সকালের চা বানিয়ে ফেলল, যেমন বানায়। তারপর তাতারকে ঘুম থেকে তোলা, দাঁত ব্রাশ, দুধ খাওয়ানোর পর্ব সেরে লেগে পড়েছিল রবিবাসরীয় জলখাবারের আয়োজনে। শুভেন্দুর এখন গোটা সপ্তাহটাই রবিবার, তার সঙ্গে সঙ্গে মানসীরও। তবু সত্যিকারের রবিবারটা যেন একটু অন্যরকম। শুভেন্দুর অফিসজীবনের রীতিটাই এখনও বহাল আছে এ বাড়িতে, এদিন প্রাতরাশ খানিক জবরদস্ত হবেই। গরম গরম লুচি, কিংবা আলুপরোটা, অথবা ফ্রেঞ্চটোস্ট...। এক এক সপ্তাহে এক এক রকম।

আজ ছিল লুচির দিন। সঙ্গে কালোজিরে-কাঁচালঙ্কা দিয়ে সাদা সাদা আলুচচ্চড়ি। মানসীও হাত লাগিয়েছিল কাজে। লেচি কেটে বেলে দিচ্ছিল। যেমনটা দেয়। শুভেন্দু মর্নিংওয়াক সেরে বাজার নিয়ে ফিরল প্রায় ন'টা নাগাদ। বসে গেল দু'খানা খবরের কাগজ নিয়ে, যেমন্ বসে। রবিবারে অন্তত ঘণ্টাখানেকের আগে কাগজ গেলার পালা চোকে না শুভেন্দুর। তাতারকে প্লে হোম পৌঁছোনোর তাড়া নেই, এদিন তার অনন্ত অবকাশ। সাপ্তাহিক ক্রোড়পত্রের গল্পটা পর্যন্ত পড়ে ফেলে।

তারই ফাঁকে পারমিতা জলখাবার দিয়ে গেল। মুখ থেকে কাগজ সরিয়ে টেরিয়ে দেখল শুভেন্দু, যেমন দেখে। অভ্যাস মতো লুচির সংখ্যা গুনে বলল,— আজ একখানা কম মনে হচ্ছে?

পারমিতা ফিক করে হাসল,— মা আপনাকে পাঁচখানাই দিয়েছেন।

সব কিছুতে রেশান করলে বাঁচি কী করে বলো তো? গত দিনও তো ছ'খানা দিয়েছিলে।

লুচির বেলায় স্মৃতিশক্তি যেন উথলে ওঠে! মানসীর গলা উড়ে এল। কাল মাতৃগৃহে না যেতে পারার ক্ষোভটুকু তার ঘোচেনি যেন, সকালেও ভার হয়ে আছে মুখখানা। কথাও বলছে কম। যেটুকু বা বলছে, তাতেও বুঝি পলকা ঝাঁঝ। গুমগুমে গলায় বলল,— স্মরণে আছে কি, আগের দিন আলুর তরকারি হয়নি?

বেগুনভাজা তো ছিল। তেল চুপচুপে বেগুনভাজাতে কি আলুর চেয়ে ক্যালরি কম?

অত আমি জানি না। আজ থেকে পাঁচখানার বেশি তুমি পাবে না, ব্যস।

শুভেন্দু মিইয়ে এতটুকু। করুণ চোখে পারমিতার দিকে তাকাল। পারমিতা ছেলের আহারপর্ব শুরু করেছিল। লুচি ছিঁড়ে ছিঁড়ে চিনি সুদ্ধু দিচ্ছিল ছেলের মুখে। এই খাদ্যটি তাতারের মোটামুটি পছন্দসই, বেশি ঘ্যানাতে হয় না, খেয়ে নেয় চটপট। তাকে খাওয়াতে খাওয়াতে চোখে পড়েছে শুভেন্দুর অনুনয়। মুচকি হেসে ইশারায় শ্বশুরকে বলল, দাঁড়ান আমি ম্যানেজ করছি...

তখনই কলিংবেল ডিং ডং। অণিমা এল ভেবে পারমিতা দরজা খুলতে গিয়েছিল। এবং খুলেই স্তম্ভিত। এ কাকে দেখছে সে?

ল্যাপটপের ঝোলা কাঁধে মিটিমিটি হাসছে রাজা,— কী, কেমন দিলাম?

বিশ্বাস হচ্ছে না। পারমিতার দৃষ্টি বিস্ফারিত। হৃৎপিণ্ড তড়াক তড়াক লাফাচ্ছে। রাজা নিউ জার্সি থেকে ফেরার দিনও এমনটা হয়নি। এ যেন নিছক আনন্দ নয়, অপ্রত্যাশিত বলে তার চেয়েও বেশি কিছু। পারমিতা প্রায় চেঁচিয়ে উঠল,— বাবা, দেখুন কে এসেছে!

মুহূর্তে বাড়ির পরিবেশটাই বদলে গেল। একটু যেন ঝিমিয়ে ঝিমিয়ে গড়াচ্ছিল, হঠাৎই উচ্ছলতায় থইথই। শুভেন্দুর সঙ্গে মানসীও ছুটে এসেছে। গদগদ স্বরে মানসী বলল,— লুচি বেলতে বেলতে তোর কথাই ভাবছিলাম রে রাজা। খালি মনে হচ্ছিল, তুই এত ভালবাসিস...

গন্ধে গন্ধেই তো উড়ে এলাম। স্নিকার ছেড়ে রাজা সোফায় বসেছে।

শার্টের বোতাম খুলতে খুলতে বলল,— সঙ্গে সেই ফেমাস আলুচচ্চড়ি আছে তো? চটপট লাগাও। হেভি খিদে পেয়েছে।

কেন রে, ফ্লাইটে কিছু খাসনি?

সরকারি এয়ার লাইনস ছিল মা। বিমান সেবিকারা পেঁচার মতো মুখ করে যা দেয়, তা কি গলা দিয়ে নামে?

তাতারের খাওয়া মাথায়। বাবার গা ঘেঁষে দাঁড়িয়েছে। জ্বলজ্বলে চোখে বলল,— বাবা, চিনি দিয়ে লুচি খাবে?

তাও চলতে পারে। ছেলের নাক নেড়ে দিল রাজা,— এনিথিং হোমমেড ইজ ওয়েলকাম।

শুভেন্দু বসেছে রাজার মুখোমুখি। জিজ্ঞেস করল,— ক'টায় ল্যান্ড করেছে রে ফ্লাইট?

আটটা কুড়ি। রাস্তা ফাঁকা ছিল, সাঁই সাঁই পৌঁছে গেলাম।

ওখান থেকে অনেক সকালে বেরিয়েছিস বল?

সকাল কী গো! প্রায় ভোর রাত। যখন গেস্টহাউস থেকে ট্যাক্সিতে উঠলাম, তখন সওয়া চারটে। আকাশে তারা ফটফট।

ও। তুই তা হলে একটু রেস্ট নে।

হ্যাঁ, ঘরে গিয়ে ফ্রেশ হ। মানসী সায় দিয়ে বলল,— আমি ততক্ষণ লুচি ভাজছি।

উঠে এগোচ্ছিল রাজা, দু' পা গিয়ে দাঁড়িয়েছে। মানসীকে জিজ্ঞেস করল,— তোমার ছোট ছেলের কি এখন মাঝরাত?

এবার বোধহয় জাগবেন। কাল তো তাড়াতাড়িই শুয়েছিল। ...ডাকব?

একদম না। প্রাণ ভরে ঘুমিয়ে নিক। যে ক'টা দিন পারে। এরপর তো বাবুর জাগরণই জাগরণ।

মানসীর মাথায় ঢোকেনি কথাটা। ভুরুতে যেন প্রশ্নচিহ্ন। ইঙ্গিত হেনে রাজাকে প্রসঙ্গটা চেপে যেতে বলল পারমিতা। রাজা কাঁধ ঝাঁকিয়ে ঢুকে গেল ঘরে। শার্টটা খুলে রেখেছে বিছানায়।

পারমিতাও এসেছে পিছন পিছন। ছাড়া জামাখানা নেটের বালতিতে চালান করে বলল,— তুমি আচ্ছা লোক তো! কাল রাত্তিরেও কিছু ভাঙলে না!

এসে অসুবিধে ঘটালাম বুঝি? বলো তো চলে যেতে পারি।

ফাজলামি হচ্ছে? পারমিতা রাজার সামনে এসে দাঁড়াল। চোখ তুলে বলল,— এখন এক-দু' দিন থাকছ নিশ্চয়ই?

উঁহু। কালই ফেরা। মর্নিং ফ্লাইটে।

যাহ্ বাবা! এমন আসার দরকারটা কী ছিল?

না এসে পারলাম না যে। পারমিতার দু'কাঁধে হাত রেখেছে রাজা। গাঢ় স্বরে বলল,— বড্ড মন কেমন করছিল।

পারমিতা বিহ্বল। হৃৎপিণ্ডে শিরশিরে অনুভূতি। সরু একটা নদী যেন বয়ে যাচ্ছে নেচে নেচে। রাজার বুকে মুখ রেখে বলল,— তুমি কিন্তু একটু পাগল আছ।

একটুক্ষণ পারমিতাকে জড়িয়ে রইল রাজা। যেন ওম নিচ্ছে শরীরের। তারপর কপালে চুমু খেয়ে বলল,— ঝটপট একটা শাওয়ার নিয়ে আসি, কী বলো?

স্নান করাটা রাজার প্রিয় ব্যসন। গরমকালে দিনে দু'বার তো বটেই, ছুটিছাটায় তিনবার, চারবার...। এমনকী শীতেও গিজার চালিয়ে রাতের বেলা দাঁড়ায় শাওয়ারের নীচে। নইলে নাকি দেহ আনচান করে।

পারমিতা ওয়ার্ড্রোব থেকে পাজামা বার করল রাজার। ধরিয়ে দিয়ে বলল,— যাও। ...তোমার খাবারটা কি ঘরে আনব?

না, না, টেবিলেই আসছি।

রাজা বাথরুমে ঢুকেছে। তার ঘরে পরার স্লিপারখানা বাথরুমের দরজায় রেখে পারমিতা বাইরে এল। নিজের কাজ নিজেই করতে পারে রাজা, মোটেই ঠুঁটো জগন্নাথ টাইপ আয়েশি বর নয়, তবু হাতের কাছে গুছিয়ে দিলে ভারী খুশি হয়।

বাড়িতে একটা সাজো সাজো রব। শুভেন্দু হাফপাঞ্জাবি চড়িয়ে চলেছে বাজারে, ছেলের জন্য ইলিশ মাছ আনবে। রাজার লুচিভাজা শেষ করে মানসী ব্যস্ত রান্নাবান্নায়, আনাজপাতি ঘেঁটে ঘেঁটে দেখছে আর কী বিশেষ পদ বানানো যায়। অণিমা এসে পড়ল, তাকে মশলা বাটতে বসাল মানসী। বাজার থেকে শুভেন্দু রুই মাছ এনেছিল, ওটা রাঁধবে না, সেদ্ধ করে কাঁটা ছাড়িয়ে দিতে বলল অণিমাকে। আজ মাছের চপ হবে।

৬৪

কী আজব ব্যাপার স্যাপার, তাই না? হেতুটা কত সামান্য...! ক'দিনই বা গেছে রাজা, দু'মাসও তো পেরোয়নি, তার চকিত আগমনে এই আহ্লাদ তো প্রায় বাড়াবাড়িরই সামিল। তবু পারমিতার বেশ লাগছিল। আসলে কাজেকর্মে কোথাও গমন, আর স্থায়ীভাবে ঠাঁইনাড়া হওয়া, দুটোতে বুঝি বিস্তর প্রভেদ। রানা পর্যন্ত জলখাবারের টেবিলে গল্প জুড়েছে দাদার সঙ্গে। আর তাতার যেন বাবার লেজ। কস্মিনকালে বাবা বাবা আদিখ্যেতা ছিল না, আজ সুযোগ পেলেই গায়ে সেঁটে যাচ্ছে। গ্যারেজে ঢুকল রাজা, তাতার পাশে। গাড়ি নিয়ে এক প্রস্ত চক্কর মেরে এল, তাতারই সঙ্গী। ফোন এল রাজার, মেঘলা উঠোনে ব্ল্যাকবেরি কানে পায়চারি করছে রাজা, বাবাকে নকল করে খেলনাফোন নিয়ে একই ভঙ্গিতে হাঁটছে তাতার। সে এক দৃশ্য! পারমিতা তো বটেই, শুভেন্দু-মানসী-রানা, এমনকী অণিমাও হেসে কুটিপাটি।

দুপুরের ভুরিভোজ সেরে রাজা লম্বা হল বিছানায়। এসি চালিয়ে। পারমিতার তখনও হাতজোড়া। সরস্বতী গতকালই গা গুলোনোর ধুয়ো তুলেছিল, আজ ডুব, সিঙ্কে থালাবাসনের ডাঁই...মাজছিল ঘষে ঘষে। ভারী বাসনগুলো অন্তত সরস্বতীর জন্য রেখে দিতে বলছিল মানসী, ভরসা পেল না পারমিতা। যদি কালও সরস্বতী নাগা করে! ভোরবেলা রাজার বেরোনোর প্রস্তুতি, তাতারকে তৈরি করা, ন'টা-সওয়া ন'টার মধ্যে নিজের কলেজ রওনা...সময় মিলবে কি? সেই হয়তো শাশুড়ির ঘাড়েই পড়ে যাবে। তার চেয়ে পারমিতা এখনই না হয়...

বাসনপত্র ধুয়ে যথাস্থানে রাখতে রাখতে কে জানে কেন হঠাৎ রঞ্জাবতীকে মনে পড়ল পারমিতার। ওই হাইফাই মেয়ে এ বাড়ি এসে কি মাজবে এত বাসন? বলা যায় না, মেয়ে তো, সংসার করতে গেলে কী না পারে! পারমিতা যখন কুমারীবেলায় জিন্স চড়িয়ে, চোখে সানগ্লাস এঁটে, বন্ধুদের সঙ্গে হাহা হিহি করত, তখন কি স্বপ্নেও ভেবেছিল বিয়ের পর তাকে...! এখনও ল্যাবরেটরিতে যখন ছেলেমেয়েদের প্র্যাক্টিকাল করায়, ক্লাস-টাস নেয়, বকাঝকা করে, তখনও তো ওই পারমিতার কাছে এই পারমিতা এক অলীক মানবী। অথচ মোটেই অলীক নয়, সংসারে এই পারমিতাও এক জ্যান্ত বাস্তব। নয় কি?

ফ্রিজ খুলে ঢকঢক খানিক ঠান্ডা জল খেল পারমিতা। শিথিল পায়ে

ঘরে এসে দেখল রাজা নাক ডাকাচ্ছে। খাটে বসতে গিয়েও রাজার পানে তাকিয়ে রইল নির্নিমেষ। দু'হাত ছড়িয়ে ঘুমোচ্ছে রাজা, চিত হয়ে। মুখের রং ঈষৎ তামাটে মেরে গেলেও বুক-পেট বেশ ফরসা ফরসা। চেহারাটা রাজার চিরকালই কষা ধরনের, রীতিমতো শক্তপোক্ত। ইদানীং কিঞ্চিৎ মেদ জমেছে গায়ে। বাড়তি চর্বিটুকু যেন কমিয়ে দিয়েছে মুখমণ্ডলের তীক্ষ্ণতা। বহিরঙ্গের ওই সামান্য বদলটুকু ছাড়া আর কোনও পরিবর্তন হয়েছে কি রাজার? উঁহু, এখনও তো পারমিতাকে চোখে হারাচ্ছে। অল্প ক'দিনের অদর্শনে কতটা উতলা হলে একটা ছেলে মাত্র একদিনের জন্য বেঙ্গালুরু থেকে কলকাতা পাড়ি দিতে পারে!

বিয়ের আগের সেই সব দিনগুলো মনে পড়ছিল পারমিতার। তেমন পুরনো হয়তো নয়, তবে মাঝে সাত-আট বছর তো কাটল। তখনও এক দিন দেখা না হলে কী ছেলেমানুষি যে করত! এক-দু'ঘণ্টা ছাড়া ছাড়া ফোন, ক্ষণে ক্ষণে এস-এম-এস...মাঝরাতেও মোবাইলে টুং টুং। এখনও এই সদা ব্যস্ত, নিষ্ঠুর প্রতিযোগিতার দুনিয়ায় আকণ্ঠ ডুবে থেকেও কোথায় যেন সেই অস্থির প্রেমিকটাকে বাঁচিয়ে রাখতে পেরেছে রাজা। ভাবলে পারমিতার একটা আলাদা গর্ব হয় বই কী। সে এমনই এক বিশেষ নারী, যার অমোঘ টানে বাঁধা পড়ে আছে রাজা। শুধু শরীর নয়, রাজা নিশ্চয়ই আরও কিছু পায় পারমিতার কাছ থেকে!

পারমিতাও কি পায় না? এক মায়াবী জাদু, এক অজানা রসায়ন...! এমনি এমনি কি শত কাজের মাঝেও হঠাৎ হঠাৎ মনে পড়ে ওই মুখখানা? ওমনি একটা মিষ্টি মিষ্টি বিষাদে ছেয়ে যায় বুক! এক একটা রাতে তো ঘুমই আসতে চায় না পারমিতার। বালিশে মাথা রাখলেই অজস্র সোনালি মুহূর্ত দুলতে থাকে চোখের পাতায়। কী অপূর্ব শিহরন যে জাগে তখন! মনে হয় এক্ষুনি চলে যাই তার কাছে, সেই পুরুষের কাছে, বালিহাঁসের মতো ডানা মেলে পেরিয়ে যাই হাজারটা মাইল...!

পারমিতা শুয়ে পড়ল রাজার পাশে। ঘুম তার আসে না দুপুরে। শ্রান্ত থাকলেও না। আলগাভাবে ছুঁয়ে আছে রাজার ছড়িয়ে থাকা হাত। স্পর্শটুকুই বুঝি অনেকখানি। হিমেল ঘরে এ যেন এক নরম সুখ।

বিকেলে আজ কী করা যায়? চোখ বুজে ছকছিল পারমিতা। এমন একটা পড়ে পাওয়া মণিমুক্তোর মতো দিন তো নষ্ট হতে দেওয়া যায় না!

প্রতিটি মুহূর্ত তারিয়ে তারিয়ে চাখতে হবে। গঙ্গার ধারে যাবে দু'জনে? তাতারও নয় রইল সঙ্গে। খানিকক্ষণ হয়তো নৌকো চড়ল, হেঁটে বেড়াল নদীর ধারে, তারপর ফুচকা-ভেলপুরি-আইসক্রিম, যার যা প্রাণ চায়...। শেষে পার্ক স্ট্রিটে কোথাও চাইনিজ সাঁটিয়ে একেবারে ফিরবে রাতে। একটা সিনেমাও যেতে পারে। কাল তো রঞ্জাবতীর কলকলানিতে ছবিটা মন দিয়ে দেখাই গেল না...। কোথায় যেন একটা থ্রি-ডি মুভি চলছে, পরদা থেকে লোকজন জীবজন্তু হুশ করে সামনে চলে আসে। ভারী মজা পায় তাতার! রাজাও। যাবে কি? সিনেমার পর টো-টো করবে শপিংমলটায়।...যাদবপুরে ঘুরে এলেই বা কেমন হয়? বেঙ্গালুরু যাওয়ার আগে রাজা তো শেষমেশ ও বাড়ি গিয়ে উঠতে পারল না...। আচমকা জামাইকে দেখে মা তো আহ্লাদে চৌষট্টিখানা হবেই, বাবারও ভাল লাগবে নিশ্চয়ই। শ্বশুরের শারীরিক উন্নতিটুকুও সরেজমিন করে আসুক রাজা। পারমিতা যে এত দিনের পরিশ্রমের ফল পাচ্ছে, দেখে রাজারও কি আনন্দ হবে না!

শেষ পরিকল্পনাটাই বেশি মনে ধরল পারমিতার। ভেবেছিল রাজা জেগে উঠলেই পাড়বে প্রস্তাবটা, কিন্তু আচমকা ঘুঁটি কেঁচে গেল।

সাড়ে পাঁচটা নাগাদ দ্বারে মৃদু করাঘাত। মানসীর গলা,— মিতা, তোমরা কি জেগে?

পারমিতা দৌড়ে দরজা খুলেছে। মানসীর হাতে চায়ের ট্রে। পারমিতা তাড়াতাড়ি বলল,— এমা, আপনি করতে গেলেন কেন? আমি তো যাচ্ছিলাম।

ভাবলাম তুমি জিরোচ্ছ। আজ অত বাসন মাজামাজি গেল...

হায় রে, ওইটুকুতেই পারমিতার শ্রান্তি! শুধু ওইটুকুর জন্যই বিশ্রাম চাই পারমিতার!

চা এনেছ নাকি? রাজার জড়ানো গলা শোনা গেল। উঠে বসেছে বিছানায়। হাই তুলতে তুলতে বলল,— দাও। ঘুমটা এবার ছাড়ুক।

মানসী ঢুকে বেড-সাইড টেবিলে রাখল ট্রেখানা। যেতে গিয়েও কী ভেবে ঘুরেছে। খাটে বসে জিজ্ঞেস করল,— কিছু করছিস বিকেলে?

কী আর করার আছে? একটু আয়েশ করব, গল্প আড্ডা...

চল না, তোর দিদাকে একবার দেখে আসবি! মা'র শরীরটা ভাল

৬৭

যাচ্ছে না...বয়স হয়েছে, কবে আছে, কবে নেই...এত তোর কথা বলে...রানা তো কিছুতেই ও পথ মাড়াবে না...

রাজা অপাঙ্গে পারমিতাকে দেখল। যেন জানতে চায় পারমিতার অভিমত। কিন্তু আর কি বাপের বাড়ির কথা তুলতে পারে পারমিতা? বিশেষ করে কাল যখন একটা মান-অভিমানের পালা হয়ে গেছে?

পারমিতা ঢক করে ঘাড় নেড়ে দিল। রাজাও কাঁধ ঝাঁকাচ্ছে,— চলো তবে। বুড়িকে দর্শন করে আসি।

প্রফুল্ল বদনে ঘর ছাড়ল মানসী। সূক্ষ্ম জয়ের সুখ? চা শেষ করে পারমিতাও তৈরি হচ্ছে। মনটা যেন ভার ভার। অদৃশ্য যুদ্ধে হেরে গেল বলেই কি? ওয়ার্ড্রোব খুলে একটা তাঁত-ঢাকাই বার করেও রেখে দিল পারমিতা। আত্মীয়স্বজনের বাড়ি শাড়ি পরে গেলেই শাশুড়ি খুশি হয়, আজ সে সালোয়ার-কামিজ পরবে।

রাজার মাতুলালয়টি ভবানীপুরের চক্রবেড়িয়ায়। ছোট দোতলা বাড়ি। প্রাচীন, তবে জীর্ণ নয়। একটা সাবেকিয়ানা আছে। রাজার দুই মামার বড়জন হৃদরোগে গত হয়েছে বছর সাতেক, তার একমাত্র পুত্র এখন অস্ট্রেলিয়া প্রবাসী। কলকাতা থেকে বউ নিয়ে গিয়ে সে সিডনিতে থিতু, সম্প্রতি মাকেও নিয়ে গেছে ও দেশে। ছোটমামার চাকরিজীবন এখনও শেষ হয়নি, তবে মেয়ের বিয়ে দিয়ে সে অনেকটা যেন ঝাড়া-হাত-পা। তার ছেলেটিও দাঁড়িয়ে যাব যাব করছে। এবার বাবুয়ার ম্যানেজমেন্ট কোর্সে ফাইনাল ইয়ার। এদের নিয়েই ছিয়াশি বছরের সাধনার এখন ছড়ানো-ছেটানো সংসার।

সদলবলে দিদির আবির্ভাবে চিন্ময় যথেষ্ট পুলকিত। হেসে বলল, জামাইবাবুকেও ধরে আনলে পারতিস।

তার আজ ব্রিজ কম্পিটিশান। সন্ধেবেলা ক্লাব ছেড়ে সে নড়বেই না। বলতে বলতে অন্দরের প্যাসেজে পা রেখেছে মানসী। জিজ্ঞেস করল,— কেমন আছে রে মা এখন?

মন্দের ভাল। কাশিটা কম, কিন্তু বুকে সাঁ সাঁ এখনও যায়নি।

রাজা বিজ্ঞ বিজ্ঞ সুরে বলল,— ডাক্তার কী দিয়েছে? অ্যান্টিবায়োটিক্স?

তা ছাড়া আর কী! এখনকার ডাক্তারদের ওটাই তো হাতিয়ার। গড়বড় দেখলেই একটা কোর্স ঠুকে দেয়।... যা না ওপরে, দেখে আয়।

৬৮

সাধনা দোতলার বড় ঘরে। পালঙ্কের বাজুতে ঠেসান দিয়ে বসে। পরনে ঢোলা নাইটি, চোখে চশমা, সাদা ধবধবে চুল লিকলিকে বিনুনিতে বাঁধা। বিছানায় একটি লাঠি শোওয়ানো। এবং একটি বাংলা উপন্যাস। মহিলাকে বই ছাড়া কখনও দেখেনি পারমিতা।

রাজা দরজা থেকেই হাত তুলল,— হাই ডার্লিং! কী সব পাকিয়েছ শুনলাম?

সাধনা হাঁপাচ্ছিল অল্প অল্প। রাজার ডাক শুনে ফোলা ফোলা মুখখানা হাসিতে ভরে গেছে,— ওমা, তুই কোত্থেকে? আয় আয়।...ও বাবা, তোর বউও এসেছে? পুচকে বিচ্ছুটাও...? অ্যাই অ্যাই ছেলে, লুকোচ্ছিস কেন? দেখি দেখি তোদের চাঁদমুখগুলো!

কারও বাড়ি গেলে তাতার কেমন ভেবলে যায়। কিছুতেই এগোচ্ছে না। পারমিতা গিয়ে প্রণাম করল দিদিশাশুড়িকে। ঢাউস পেস্ট্রির বাক্সখানা দিদাকে অর্পণ করল রাজা।

সাধনা ডগমগ স্বরে বলল,— আমাকে কেন, তোর মামির হাতে দে।

আগে তুমি একটু ছুঁয়ে দাও। তারপর তো মামি...

ঠোঁটে মাপা হাসি টেনে অঞ্জলি পাশেই দাঁড়িয়ে। বাক্সখানা নিয়ে বাড়িয়ে দিল রাতদিনের কাজের মেয়েটিকে। অভ্যস্ত নিরাবেগ স্বরে মানসীকে বলল,— তুমি আজ মাকে একটু বোকো।

কেন গো?

কত বলছি খাট থেকে নামার আগে কাউকে একটা ডাকবেন। সবিতাকে তো ওঁর জন্যই রাখা। নইলে চব্বিশ ঘণ্টার লোক আমার কী কাজে লাগে! কিন্তু মা তো নিজের নিয়মেই চলছেন। সেই লাঠি ঠুকঠুক করে একাই বাথরুম, এ ঘর, ও ঘর...। কিছু একটা ঘটলে লোকে তো তখন আমাদেরই দুষবে।

মামিশাশুড়ির এই আত্মরক্ষার সুরটা পারমিতার ভাল লাগে না। যেন বদনাম থেকে বাঁচার জন্যই বৃদ্ধার দেখভাল করে!

সাধনারও মুখ অপ্রসন্ন। বলল,— পারোও বটে। ঢুকতে না ঢুকতেই নালিশ! আগে ওদের একটু জলটল দাও।

অঞ্জলি বুঝি সেই আয়োজনেই গেল, ভাবলেশহীন ভঙ্গিতে। বড় ধীর লয়ে হাঁটে মহিলা, কোনও কাজেই যেন তাড়া নেই। তাতারকে

নিয়ে রাজাও সুড়ুৎ। বোধহয় নীচে টিভি চালিয়ে খেলা টেলা দেখবে।

মানসী বসেছে বেতের আরামচেয়ারে। পারমিতা বিছানার ধারটিতে, আদুরে গলায় বলল,— সত্যি, আপনার কিন্তু একা চলা-ফেরা একদম উচিত নয় দিদা।

একেবারেই পরনির্ভর হয়ে যাব রে? কষ্টেসৃষ্টে এখনও যখন হাত-পা চলছে, সেটাকে অযথা বিকল করি কেন?

কিন্তু এই বয়সে যদি একবার আছাড় খান...

নারীজন্ম তো খালি আছাড় খাওয়ার জন্যই রে। একটু সোজা হয়ে হাঁটতে গেলেই ধপাস। এতরকম ফেনায় পিছল থাকে জীবনটা!

তোমার কেতাবি বাক্যিগুলো থামাও তো মা। মানসী মৃদু ধমক দিল,— পাঁচজনে যা বলছে, একটু শুনে চলো। বয়সটাকে তো মান্য করবে!

করি তো। তাই তো লাঠি নিয়েছি।

পারমিতা হেসে ফেলল, দেহে জরা ধরেছে বটে দিদিশাশুড়ির, কিন্তু মগজ দিব্যি সাফ। যুক্তিতে এঁটে ওঠা মুশকিল। এই বয়সে এমনটা কমই দেখা যায়। মানসীর মুখে শুনেছে, দিদার নাকি চিরদিনই খুব দাপট। বিয়ের পর বরকে জাপিয়ে জাপিয়ে, শ্বশুর-শাশুড়ির বিরুদ্ধে গিয়ে, কলেজে ভরতি হয়েছিল। তার মধ্যেই প্রেগন্যান্ট, তবু দমেনি, একটা বছর নষ্ট হলেও ছেলে কোলে গ্র্যাজুয়েশান করেছে। স্কুলে পড়ানোর নাকি ইচ্ছে ছিল, পর পর আরও দুটো বাচ্চা এসে সেই মনোবাঞ্ছা আর পূর্ণ হয়নি, সংসারেই বাঁধা পড়েছে আষ্টেপৃষ্ঠে। অবশ্য জ্ঞানপিপাসা তাতে মরেনি, হাতের কাছে যা পায় তাই পড়ে ফেলে। এখনও। বাহাদুর বটে মহিলা।

হাসিমাখা মুখে পারমিতা বলল,— শুধু একটা কাষ্ঠদণ্ডেই কি সব শক্তি পাওয়া যায় দিদা?

তা বটে। আগে তো লাগে মনের জোর, তারপর লাঠি। পারমিতার একটা হাত টেনে নিল সাধনা। ঈষৎ তপ্ত আঙুল বোলাচ্ছে পারমিতার হাতে। স্মিত মুখে বলল,— হ্যাঁরে, তোরা শাশুড়ি-বউ কি আমায় শুধু শাসন করতে এসেছিস? অন্য কথা বল।... তোর বাবা এখন কেমন?

একটু ভাল। ফিজিয়োথেরাপিতে রেসপন্স করছে।

সুস্থ হলেই মঙ্গল। শয্যায় যে পড়ে, তার তো অশেষ যন্ত্রণা। পাশে যারা থাকে, তাদেরও কি কম জ্বালা? তোর মা'র যা যাচ্ছে...

মিতারও প্রাণান্ত। মানসী বলে উঠল,— কলেজ ঠেঙিয়ে হুড়মুড়িয়ে যাদবপুর...তাও একদিন দু'দিন নয়, মাসের পর মাস...আমি তো বাবা পারতাম না। পারমিতা একদম ছেলের মতো করছে।

উপমাটা কি শোভন হল মানু? বাবা-মা'র ওপর ছেলেমেয়েদের টানের ধরন কি আলাদা আলাদা? নাকি কর্তব্যটা সমান সমান নয়?

একটু তো তরবেতর থাকেই মা। বিয়ে হলে মেয়েদের একটা ভিন্ন জগতে যেতে হয়। একটা অন্য সংসার, যেখানে স্বামী থাকে, শ্বশুর-শাশুড়ি, দেওর-ননদ...সেই গণ্ডি থেকে বেরিয়ে ছেলেদের মতো করে বাপ-মা'র দায়িত্ব নেওয়া কি মেয়েদের পক্ষে সম্ভব? পেরে ওঠে তারা? আমি কি চিনু বা দাদার মতো তোমার সেবাযত্ন করতে পেরেছি? ওরা না থাকলেও কি পুরো ভারটা নিতে পারতাম?

সেটা তোর সমস্যা। কিংবা অক্ষমতা। তা বলে আমার নাতবউয়ের গলায় একটা ভুলভাল সার্টিফিকেট ঝোলাস কেন? মুখে কেন আসে না, ও সন্তানের যোগ্য কাজই করছে?

এটা তো পারমিতারও অন্তরের কথা। সাধে কি এ বাড়ি এলে দিদিশাশুড়ির সান্নিধ্যটুকুই তার কাছে বেশি প্রিয়?

মানসী অবশ্য বিশেষ প্রীত হয়নি। আঁতে লাগল কি? নাকি কোনও প্রচ্ছন্ন অনুযোগ আছে পারমিতাকে নিয়ে? একটুক্ষণ চুপ থেকে বলল,— যাক গে, অন্য খবরটবর বলো। তোমার নাতির ফোন কি এল?

অবশেষে। কাল বিকেলে করেছিল। শুনলাম কম্পিউটারে নাকি বাচ্চার রাশি রাশি ছবি পাঠিয়েছে, আমার অবশ্য এখনও দেখা হয়নি।

সেই মেয়ে নাকি খুব গাবলুগুবলু হয়েছে?

ঝিনি তো তাই বলছিল।

ওমা, ঝিনি এসেছিল নাকি?

এই তো পরশু ঘুরে গেল। নাতজামাইকে নিয়ে।

অঞ্জলি ফিরেছে। সঙ্গে সবিতা, হাতে শরবতের ট্রে। একটা গ্লাস নিয়ে মানসী যেন অঞ্জলিকে শুনিয়েই বলল,— ইস, কবে থেকে ঝিনি আর ঝিনির বরকে খেতে ডাকব ভাবছি, হয়েই উঠছে না।

তাড়া কীসের? তোমার ভাইঝি-জামাই তো অস্ট্রেলিয়া পালাচ্ছে না। অঞ্জলিও উত্তরটুকু ভাসিয়ে দিয়েছে,— তোমরা এখন কী খাবে বলো? নোনতা কিছু আনাই?

না গো, কিছু না। আমরা অনেক বেলায় খেয়েছি। মানসী ফের সাধনাকে প্রশ্ন করল,— তা ঋজুর সঙ্গে তোমার কথা হল? কী বলল?

খোশমেজাজেই আছে সিডনিতে। মেয়ের জন্য চমৎকার একটা আয়া পেয়ে গেছে...না না, আজকাল কী যেন বলে...বেবিসিটার!

মানসীর উচ্ছ্বাস থমকেছে। সন্দিগ্ধ স্বরে বলল,— তুমি কি বউদির কথা বলছ?

নয় তো আর কে! অঞ্জলির চকিত মন্তব্য,— মা'র কথা তো ওরকমই ধারা। ঋজু কত ভালবেসে তার মাকে ডাকল...দিদিও কত আনন্দ করতে করতে গেল... নাতনিকে নিয়ে তার এখন সুন্দর সময় কাটছে... অথচ মা'র যত বাঁকা টিপ্পনী।

সোজা-বাঁকা আমি বুঝি না ছোটবউমা। সাদাকে সাদাই বলি, কালোকে কালো। ঋজু আমাদের খুব গুণের ছেলে, এ কি আমি কখনও অস্বীকার করেছি? কিন্তু কবেই তো সে বিদেশ গেছে, আগে একবারও মাকে নিয়ে যাওয়ার কথা মনে পড়েনি কেন? যেই বউয়ের পেটে বাচ্চা এল, ওমনি ম্যা ম্যা ডাক! ডলার তো বাঁচছেই। মাকে বাচ্চার পাহারাদারিতে রেখে দুটিতে অফিসও করতে পারছে নিশ্চিন্তে।

উফ মা, তুমি সত্যিই বড় নেগেটিভ। মানসী অঞ্জলিরই পক্ষ নিয়েছে,— বউদি দিব্যি ছেলে ছেলের বউয়ের কাছে থাকছে, উপরি পাওনা একটা ফুটফুটে নাতনি...

ওসবের মোহেই তো মেয়েরা মরে। তাদের শেকলে বাঁধতে সুবিধে হয়।

উত্তেজনায় জোরে জোরে শ্বাস ফেলছে সাধনা। মুখ লাল, একটা ফ্যাঁসোর ফ্যাঁসোর আওয়াজ উঠছে বুক থেকে। মানসী বুঝি তাই আর তর্ক বাড়াল না। নিজের নাতির মুখ মনে পড়ল কি? দিনভর তাতারকে সামলানো...? অঞ্জলিও সরে গেছে প্রসঙ্গ থেকে। টুকিটাকি গল্পগাছা হচ্ছে সাংসারিক। চিন্ময় বেরিয়ে একগাদা মোগলাই পরোটা এনেছিল, পারমিতাদের কারওই তেমন আহারে রুচি নেই, তবু গিলতে হল

উপরোধে। বেরোনোর ঠিক মুখে মুখে বাবুয়ার প্রবেশ, আরও খানিকক্ষণ বসতে হল সকলকে। শেষে যখন গাড়িতে উঠল, তাতার রীতিমতো ঢুলছে।

রাত্তিরে গজগজ করছিল রাজা। অভ্যাস মাফিক ল্যাপটপে মেল চেক করতে করতে বলল,— ধুস, বিকেলটা আজ পুরো চৌপাট!

রাজার জন্য ছোট একখানা সুটকেস গোছাচ্ছিল পারমিতা। নিজের অনেক জামাকাপড়ই নিয়ে গেছে রাজা, এবার আরও ক'টা যাক সঙ্গে। শ্যাওলা রং চিনোজটা ভরতে ভরতে পারমিতা বলল,— কেন গো? তুমি তো ভালই আড্ডায় মেতেছিলে?

ঘোড়ার মাথা। শুধু বসে বসে বাকতাল্যা হজম করা! ছোটমামার গুল মারার হ্যাবিটটা আর গেল না। কী বলে জানো? বাবুয়া নাকি ক্যাম্পাস ইন্টারভিউতে চারখানা ঘ্যাম অ্যাপয়েন্টমেন্ট পেয়েছে!

পেতেই পারে।

ছাড়ো তো। বাবুয়ার মেরিট আমি জানি না? হায়ার সেকেন্ডারিতে তো কেঁদে-ককিয়ে ফার্স্ট ডিভিশান। এখন যেখানে পড়ছে, সেটাও তো একটা সেকেন্ড গ্রেড ইনস্টিটিউট। সেখানেও এন্ট্রি পাওয়ার মুরোদ ছিল না, ছোটমামাকে প্রচুর গ্যাঁটের কড়ি ঢালতে হয়েছে। মা-ই তো বলে, লোকে মেয়ে পার করতে সর্বস্বান্ত হয়, ছেলেকে খাম্বা ধরাতে চিনুর ভিখিরি বনার দশা...। বাবুয়ারও বোলচাল শুনছিলে? অসহ্য।

তুতো ভাইবোনদের সম্পর্কে রাজার এক ধরনের তুচ্ছতাচ্ছিল্য আছে, পারমিতা জানে। বিশেষত মেধার ব্যাপারে সে যে তাদের চেয়ে বহু ওপরে, এ বিষয়ে যেন সদা সচেতন। সমকক্ষতার আভাস দেখলেও সে অখুশি হয়। শাশুড়ি বলে, কোনও বছর স্কুলে যদি রানা দাদার চেয়ে অঙ্কে একটু বেশি নম্বর পেল, ওমনি দাদা গোঁজ! অথচ ভাইকে সে কম ভালবাসে তাও তো নয়। এমনকী বাবুয়াও যদি আজ রাজার সাহায্যপ্রার্থী হয়, তার জন্য যথাসাধ্য করবে রাজা। এও জানে পারমিতা। রাজার এটাই স্বভাব। অহংটা একটু বেশি। কী আর করা, দোষেগুণেই তো মানুষ।

ডালা বন্ধ করে দেওয়ালের ধারে সুটকেস রাখল পারমিতা। বৃষ্টি হয়নি আজ, তবে বাতাসে বড্ড জোলো ভাব, ঘর তাই ঠান্ডা হয়ে গেছে

৭৩

তাড়াতাড়ি। পারমিতা এসি সামান্য কমিয়ে দিল। বিছানায় বসেছে। নিচু স্বরে বলল,— এবার ল্যাপটপ বন্ধ হোক।

এক সেকেন্ড। রাজা চোখ তুলে একবার হাসল। ফের মনিটরে দৃষ্টি রেখে বলল,— মা এমন ফাঁসিয়ে দিল! ...এর চেয়ে গঙ্গার হাওয়া খেতে যাওয়া ঢের ভাল ছিল।

পারমিতার বেদনাটুকু উথলে উঠছিল প্রায়। কিছু না বলে ফোঁস করে একটা শ্বাস ফেলল শুধু। দু'জনারই একই বাসনা, অথচ ঠিক সময়ে মনের দরজা না খুলতে পেরে দু'জনেই অতৃপ্ত, এটা ভাগ্যদেবীর ঠাট্টা ছাড়া আর কী!

রাজাই আবার বলল,— গাড়িটায় আজ একটা শব্দ হচ্ছিল, খেয়াল করেছ?

কই, না তো।

কী যে চড়ো তোমরা! সাউন্ডটা বোধহয় গিয়ার থেকে আসছে। বাবাকে বোলো তো, একবার যেন মেকানিক এনে দেখায়।

গাড়িটা তুমি নিয়ে গেলেই তো পারো।

অফিস একটা দিয়েছে ওখানে। এটা থাক। তোমরা ইউজ করো।

কে করবে? মা তো চড়তে চান না, বাবার প্রশ্নই ওঠে না, রানাও...

তুমি চড়ো। কাল যেমন বেরিয়েছিলে। ছুটিছাটায় হয়তো শপিং টপিং-এ গেলে, কিংবা যাদবপুর...। ও বাড়িতে বাবা তো অনেক বেটার...এখন মাকে নিয়ে একটু এদিক ওদিক...

দৃশ্যটা কল্পনা করে পারমিতা শিউরে উঠল যেন। সে হুশ করে গাড়ি নিয়ে বেরিয়ে যাচ্ছে, এদিকে শাশুড়ি বাড়িতে...মুখে কিছু না বললেও শাশুড়ি কি মানতে পারবেন মনে মনে? তা ছাড়া খারাপও তো দেখায়।

পারমিতা মাথা ঝাঁকিয়ে বলল,— না না, তুমি নিয়েই যাও। এখানে পড়ে পড়ে নষ্ট হবে।

বলছ? ল্যাপটপ সাইড টেবিলে সরিয়ে পারমিতাকে কাছে টানল রাজা। গলায় মুখ ঘষে বলল,— দেখি, কী করা যায়!

এই ক্ষণটুকুরই যেন প্রতীক্ষায় ছিল পারমিতা। মুহূর্তে জেগে উঠেছে শরীর। তাদের কথা ভেবেই বুঝি তাতারকে আজ নিজেদের ঘরে শুইয়েছে মানসী, আর তাতার নেই বলেই বুঝি দু'জনে পলকে উদ্দাম।

রমণ শেষে দু'জনে শুয়ে আছে পাশাপাশি। অন্ধকার ঘরে ভাসছে একটা বুনো ফুলের গন্ধ। রাজা জোরে শ্বাস টানল। যেন নিচ্ছে ঘ্রাণটা। ফিসফিসে স্বরে বলল,— অ্যাই...?

উঁ?

আমি তো সারপ্রাইজ দিলাম। এবার কিন্তু তোমার পালা। আমি আটতলার ফ্ল্যাটটা নিচ্ছি। পনেরোই অগস্টের সময়ে তো আর একটা কী যেন ছুটি আছে। প্লাস, শনি-রবি...

পারমিতাও একই কথা ভাবছিল। এবার যেতে হবে বেঙ্গালুরু। সাজিয়ে রেখে আসতে হবে ফ্ল্যাটখানা।

ছয়

কত কিছু তো পরিকল্পনা করে মানুষ, সব কি আর ঘটে সেই মতো? কখন যে কোত্থেকে এক উটকো বাতাস এসে ভেস্তে দেয় সাজানো ছক। হয়তো এটাই জীবনের নিয়ম।

রাজা ফিরে যাওয়ার পর পরই বেঙ্গালুরু ঘুরে আসার বন্দোবস্ত করে ফেলেছিল পারমিতা। স্বাধীনতা দিবস আর জন্মাষ্টমীর মাঝে একটা শুধু ক্যাজুয়াল লিভ, ব্যস তা হলেই টানা পাঁচদিনের অবকাশ। ওই সময়ে তাতারকে নিয়ে ক'টা দিন যথাসম্ভব সঙ্গ দিয়ে আসবে রাজাকে। বেচারা একদম একা একা আছে, নতুন ফ্ল্যাট নিল...যাওয়াটা পারমিতার কর্তব্যও তো বটে। প্ল্যানমাফিক প্লেনের টিকিট হয়ে গেল, টুটান আর সোনালিকে পারমিতা বলেও দিল তারা যেন ক'টা দিন বাবা-মা'র খোঁজখবর রাখে...।

ওদিকে রাজাও বেজায় খুশি। রোজ পারমিতাকে শোনাচ্ছে কবে কোথায় বেড়াবে, কোন কোন শপিং মল ঘুরে কেনাকাটা করবে নতুন গৃহস্থালির টুকিটাকি, কখন কোন রেস্তোরাঁয় খাবে...। তার উৎসাহ দেখে এক্ষুনি একবার বেঙ্গালুরু ছুঁয়ে আসা আরও যেন বেশি জরুরি মনে হচ্ছিল পারমিতার। সে গিয়ে ক'দিন থেকে এলে যদি কলকাতা ত্যাগের ঝটকাটা রাজার কাছে খানিক সহনীয় হয়ে ওঠে, তার চেয়ে ভাল আর কী হতে পারে!

যাত্রার ঠিক আগে আগে আচমকা বিভ্রাট। সেদিন কলকাতায় জোর ঝড়বৃষ্টি, দাদু-ঠাকুমার চোখ এড়িয়ে ছাদে উঠে প্রাণের সুখে ভিজেছিল তাতার, রাত থেকেই তার ধুম জ্বর। অনেকটা প্রায় তড়কার মতো। দুমদাম টেম্পারেচার চড়ে যাচ্ছে, কেঁপে কেঁপে উঠছে ছেলে, ভুলভাল বকছে...রীতিমতো ভয় ধরিয়ে দেওয়া ব্যাপার। তড়িঘড়ি ডাক্তার ডাকা

হল, ওযুধও পড়ল। চড়চড়িয়ে জ্বর বাড়লে প্যারাসিটামলে নেমে আসে বটে, কিন্তু দু'-তিন ঘণ্টার মধ্যে আবার একশো তিন, একশো চার! ক্রমশ নেতিয়ে পড়ছিল তাতার, দেখে তো বাড়িসুদ্ধু সকলের হাত-পা ছেড়ে যাওয়ার জোগাড়। রাজা তো ঘনঘন ফোন করছেই, রানার পর্যন্ত কপালে চিন্তার রেখা, দরজায় এসে খোঁজ নেয় বারবার। ডাক্তারবাবু অবশ্য বলেছিলেন ভয়ের কিছু নেই। বছর চারেক বয়স অবধি শিশুদের দেহের তাপমাত্রা নিয়ন্ত্রণে না থাকাটা নাকি মোটেই অস্বাভাবিক নয়। অ্যান্টিবায়োটিক চলুক, তাতার ঠিক সুস্থ হয়ে উঠবে।

হলও তাই। কিন্তু তার আগেই তো বেঙ্গালুরু যাত্রা বাতিল। ছেলে ছেড়ে যাওয়ার প্রশ্নই নেই, ছেলেকে নিয়েই বা পারমিতা যায় কোন সাহসে। সুতরাং পাকা ঘুঁটি কাঁচিয়ে ঘরেই আটকে থাকো চুপচাপ।

তাতার অবশ্য এখনও পুরোপুরি তরতাজা নয়। ছোটাছুটি করছে ঠিকই, তবে ঘংঘঙে কাশিটা আছে। সঙ্গে ভয়ানক অরুচি। তাকে যে কীভাবে কী খাওয়ানো যায়, ভেবে ভেবে মা-ঠাকুমা জেরবার। যেমন আজই সকালে নাতিকে ফ্রেঞ্চ টোস্ট ভেজে দিয়েছে মানসী। টম্যাটো সস মাখিয়ে কত বাবা-বাছা করছে। তা তাতার মুখে তুললে তো।

পারমিতার আজ ছেলের দিকে তাকানোর ফুরসত নেই। তড়িঘড়ি আহার সেরে তৈরি হচ্ছিল দ্রুত। সপ্তাহের এই দিনটায় বড্ড চাপ থাকে কলেজে। ক্লাস, ক্লাস, অন্তহীন ক্লাস। প্রথমেই প্র্যাক্টিকাল, তারপর একের পর এক থিয়োরির পিরিয়ড...শরীর যেন ঝিমিয়ে আসে। আজ তো আবার মাথার ওপর বাড়তি বোঝা। দুপুর বারোটায় বসতে হবে ইন্টারভিউ বোর্ডে। সপ্তাহ খানেক হল স্কুল সার্ভিস কমিশনের ফল বেরিয়েছে, পারমিতাদের রসায়ন বিভাগের তিন-তিনজন অতিথি অধ্যাপক চাকরি পাচ্ছে স্কুলে, তাদের জায়গায় এক্ষুনি নতুন মুখ দরকার। অনিমেষের রিটায়ারমেন্টের আর বারো দিন বাকি, সে এখন একেবারেই পাল ছেঁড়া নৌকো, অগত্যা অস্থায়ী শিক্ষক নির্বাচনের গোটা ঝক্কি এখন পারমিতার। বিশ্ববিদ্যালয়ের একজন প্রতিনিধি আসবে, বোর্ডে পরিচালন সমিতিরও থাকবে কেউ না কেউ, নিয়োগপত্রও দেবেন প্রিন্সিপাল, কিন্তু মূল কাজটা তো পারমিতারই। আবেদনকারীদের মোটামুটি বাজিয়ে দেখা, তাদের মার্কশিট চেকিং, ইন্টারভিউ বোর্ডের সকলের অভিমত একসঙ্গে গাঁথা,

তারপর তথ্যপঞ্জি সমেত একখানা তালিকা বানানো...। এই প্রথম স্বাধীন ভাবে পুরো প্রক্রিয়াটি চালাবে পারমিতা, ভেতরে ভেতরে একটা চোরা উত্তেজনাও বুঝি রয়েছে তাই। কাজটা ঠিকঠাক উতরোলে হয়। কোনও ঝুটঝঞ্ঝাট ছাড়াই।

মোবাইলখানা ব্যাগে ভরে পারমিতা ঝটিতি একবার চোখ চালাল আয়নায়। নিছকই অভ্যেস মাফিক। অভ্যেস মতোই গোড়ালি দিয়ে টেনে শাড়ির প্রান্ত নামাল সামান্য, গালে আলতো আঙুল বোলাল, কপালের টিপখানা চাপল আর একবার। ছাতা নিয়েছে, এবার জলের বোতলটা নিলে প্রস্তুতি শেষ। গড়িয়া থেকে ন'টা দশের ট্রেনটা পেয়ে গেলে নিশ্চিন্ত, আরামসে ওদিকের ব্যারাকপুর লোকাল ধরতে পারবে।

সরস্বতী পরদা সরিয়ে উঁকি দিচ্ছে। ব্যাগ কাঁধে তুলে পারমিতা জিজ্ঞেস করল,— কিছু বলবে?

একটা দরকারি কথা ছিল গো বউদি।

এখন...? চটপট, চটপট।

ভারী মুশকিলে পড়েছি গো। সরস্বতী ভেতরে এল, একটু যেন আড়ষ্ট পায়ে। সংকুচিত স্বরে বলল,— তুমি যদি একটা বুদ্ধি দাও...

সরস্বতীকে ঝলক দেখে পারমিতা পড়ে ফেলল সমস্যাটা। বেশ কয়েক দিন ধরেই সরস্বতী দেবীর হাবেভাবে সন্দেহটা দানা বাঁধছিল, প্রশ্নটা অবশ্য করা হয়ে ওঠেনি।

ভুরু কুঁচকে পারমিতা বলল,— টেস্ট করিয়েছ?

সরস্বতী ঘাড় ঝোঁকাল,— হ্যাঁ।

কত দিন হয়েছে?

দু' মাস মতন। সরস্বতীর মুখ এবার কাঁদোকাঁদো,— কী করি বলো তো বউদি? দুটো বাচ্চার পেট ভরাতে প্রাণ যায়, এর পর যদি ফের একটা আসে...

সেটা তো আগে ভাবা উচিত ছিল। তোমার ছোট ছেলেটা যখন হল, তখনই তো বলেছিলাম অপারেশান করিয়ে নাও।

বর রাজি হল না যে, সে বলে, ওতে নাকি মেয়েমানুষের শরীরের ক্ষতি হয়। জোশ কমে যায়।

যত্ত সব পিত্তি জ্বালানো কথাবার্তা। কী যে কুযুক্তি মাথায় ঢুকে আছে!

বরটার কর্তালিরও বলিহারি। ওই তো তার মুরোদের ছিরি! নাম কা ওয়াস্তে কাজ করে জোগাড়ের। সকালবেলা যাদবপুরে গিয়ে বসে থাকে দল বেঁধে, প্রায় দাসশ্রমিকের মতো। চেহারাপত্র দেখে কোনও ঠিকাদারের পছন্দ হল তো ভাল, সেদিনের মতো কাজ জুটল। না মিললেই বা কী, বাড়ি ফিরে ভাতপান্তা খেয়ে ঘুমোবে ভোঁস ভোঁস। আর কাজ পেলেও যেটুকু যা আসে, তার চেয়ে মৌজমস্তি, চুল্লুর ঠেক, মোবাইলে চলে যায় ঢের বেশি। সেই অকম্মা বর বিধান ঝেড়ে খালাস, আর এদিকে এই মেয়েটা, বয়স তো মেরেকেটে পঁচিশ, এরই মধ্যে জীবনের সব সাধআহ্লাদ খতম, উদয়াস্ত শুধু জোয়াল টানছে। এরপর আবার যদি একটা বাচ্চা হয়, তার অন্ন সংস্থানও করতে হবে এই সরস্বতীকেই। তিনি হাত উলটে থাকবেন, নইলে স্রেফ ভেগে যাবেন। তাও বরের সিদ্ধান্তই মেয়েটার কাছে বেদবাক্য! কোনও ভাবেই ওই বরের ওপর নির্ভরশীল নয় সরস্বতী, তবুও।

পারমিতা মুখ বেঁকিয়ে বলল,— তা এখন তার কী মত? বাচ্চা রাখা হবে? না নষ্ট করবে?

সে তো বলছে, তুমি যা ভাল বোঝো করো।

তুমি কী ঠিক করেছ?

আমি চাই না।

তোমার বর মানবে?

আপত্তি করবে না।

তা হলে একদম দেরি নয়। এবং ভুলেও কোনও হাতুড়ে টাতুড়ের পাল্লায় পোড়ো না যেন।

না না, ভাল জায়গাতেই যাব। বাঘাযতীন হাসপাতালে আমার ননদাইয়ের চেনাজানা আছে। একটুক্ষণ থেমে রইল সরস্বতী। তারপর মৃদু স্বরে বলল,— কিন্তু কিছু টাকা লাগবে যে।

কাল নিয়োখ'ন।

দু'-তিন দিন বোধহয় কামাইও হবে। তুমি একটু মাসিমাকে বুঝিয়ে বোলো...

আইনত ছুটিটা সরস্বতীর প্রাপ্য। কিন্তু তিন দিন ধরে ঘর ঝাড়পোঁছ, বাসন মাজা...!

পারমিতা সরু চোখে বলল,— বদলি কাউকে দাও তা হলে।

ঢক করে ঘাড় নেড়ে দিল সরস্বতী। কিন্তু পারমিতা খুব একটা আশ্বস্ত হতে পারল কি? যদি সরস্বতী বদলি লোক না দেয়, কী করার আছে? তখন ক'টা দিন যা চরম বিশৃঙ্খলা চলবে... ঘরদোর একহাঁটু...মানসীর মুখ হাঁড়ি।...ওফ্, ভাবলেও গায়ে কাঁটা দেয়।

যাক গে যাক, পরের ভাবনা পরে। এখন একটাই টারগেট। ন'টা দশের ট্রেন। মনে হতেই পারমিতা প্রায় ছিটকে বেরোল ঘর থেকে। তাতার এখনও ডাইনিং টেবিলে, সামনে ফ্রেঞ্চ টোস্টের প্লেট, পাশে মানসী। রান্নাঘর থেকে জলের বোতলটা নিয়ে এসে ছেলের কপালে একবার হাত ছোঁয়াল পারমিতা। নাহ্, তাপ নেই। ভোরবেলা একটু যেন গা গরম গরম ঠেকছিল, ওটা তবে মনেরই ভুল, জ্বরটা সত্যিই গেছে।

আলগা হাতে ছেলের চুল ঘেঁটে দিয়ে পারমিতা বলল,— আমি তা হলে আসি সোনা?

ওমনি তাতার খপ করে হাত চেপে ধরেছে। মিনতির সুরে বলল,— আজ যেয়ো না মা। প্লিজ।

ওরকম করে না বেটা। আজ আমার অনেক কাজ।

উঁউঁউঁ...প্লিজ...দুপুরে আমরা লুডো খেলব...

এমন একটা ব্যস্ত মুহূর্তেও পারমিতার জোর হাসি পেয়ে গেল। যেন কল্পচোখে দেখতে পেল গ্রান্ডারি সভায় ইন্টারভিউ নেওয়ার বদলে আয়েশ করে সে ছক্কা-পাঞ্জা চালছে লুডোর বোর্ডে! দৃশ্যটা শুধু অলীক নয়, যেন পরাবাস্তবকেও হার মানায়।

মাথাটা সামান্য ঝাঁকিয়ে নিয়ে পারমিতা নরম গলায় বলল,— আজ নয় সোনা। তুমি লক্ষ্মী ছেলে হয়ে থাকো, আমি শিগগির শিগগির চলে আসব।

তবু তাতার হাত ছাড়ে না। পারমিতা একটু অসহায় বোধ করছিল এবার। করুণ চোখে তাকাল মানসীর দিকে।

নাতির মুখে এক টুকরো ডিম-পাঁউরুটি গুঁজে দিয়ে মানসী বলল,— তুমি রওনা দাও তো। ও তোমাকে সামনে দেখলে একটু বেশি ঘ্যানঘ্যান করে। চোখের আড়াল হলে তো তখন দিব্যি থাকে। এই তো এক্ষুনি টিভি চালিয়ে দেব...

শুভেন্দু সোফায়। চুপচাপ দেখছিল দৃশ্যটা। হঠাৎই বলে উঠল,— হ্যাঁ, হ্যাঁ, তুমি বেরিয়ে পড়ো। আমি তাতারবাবুর সঙ্গে লুডো খেলব। এখনই বসছি।

কৃতজ্ঞ চোখে শ্বশুর-শাশুড়িকে একবার দেখল পারমিতা। তারপর জুতোর র‍্যাকের সামনে গিয়ে চটি গলাচ্ছে।

শুভেন্দুর কী যেন মনে পড়েছে। পারমিতাকে জিজ্ঞেস করল,— তুমি কি ও বেলা যাদবপুর ঘুরে আসবে?

হ্যাঁ...মানে না...ক'দিন তো যাওয়া হয়নি...যদি সম্ভব হয়...

গেলে একটা কাজ কোরো। তোমার মা'র সার্ভিস বুকের ডুপ্লিকেট কপি আর পেনশান অর্ডারটা নিয়ে এসো তো। বেয়ান আমাকে বলছিলেন, অ্যাকচুয়াল পেনশানটা কত হওয়া উচিত তার একটা হিসেব করে দিতে। কথাবার্তা শুনে যা মনে হল, উনি অনেকটাই লস করছেন।

ঠিক আছে বাবা। যদি যাই তা হলে...

ভুলো না যেন। গভর্নমেন্টের ঘরে টাকা ফেলে রাখা মোটেই কাজের কথা নয়। একটু উদ্যোগী হতে হবে, বুঝলে। দ্যাখো না, পেনশান-গ্র্যাচুইটি ঠিকঠাক ক্লিয়ার হয়ে যাক, তারপর অ্যাইসান উকিল ফিট করে দেব, গভর্নমেন্টের কান মুলে ইন্টারেস্টটা পর্যন্ত আদায় করে আনবে। হকের টাকা যদ্দিন ইচ্ছে আটকে রাখবে, এ কি মামদোবাজি নাকি? গুঁতো না দিলে...

তাড়াহুড়োর সময়ে এসব বকবকানি পোষায়? গটগটিয়ে বেরিয়ে যাওয়াও তো অশোভন। বাবা-মা হলে তাও বলা যেত, এখন খ্যামা দাও। কিন্তু শ্বশুরকে কি তা বলা সম্ভব?

তবু মরিয়া হয়ে ইচ্ছে করে একবার ঘড়ি দেখল পারমিতা। ফল হয়েছে, খেয়াল করেছে শুভেন্দু। থমকে তাকিয়ে বলল,— খুব তাড়া আছে বুঝি?

হ্যাঁ বাবা। এগারোটার মধ্যে কলেজে ঢুকতে হবে।

কেন, তোমাদের তো অফিসবাবুদের মতো ঘড়ি ধরে হাজিরা দেওয়ার বালাই নেই।

তা ঠিক। তবে...প্রথমেই আজ ফার্স্ট ইয়ার অনার্সের প্র্যাক্টিক্যাল... সবে ভরতি হয়েছে তো ছেলেমেয়েগুলো, ল্যাবে গিয়ে স্যার ম্যাডাম কারওকে না পেলে কেমন দিশেহারা মতন হয়ে যায়।

অ। তা হলে আর কী, ছোটো।

ছোট্ট বাক্যবন্ধটিতে কি কোনও ব্যঙ্গের আভাস? হয়তো নেই, হয়তো কল্পনা, তবু বলার ভঙ্গিতে ওইরকমটাই লাগে যেন। বাড়ির মেয়ে-বউরা, বিশেষত বউ, যে চাকরিই করুক, যত উঁচু পদেই থাকুক, তার কাজটাকে কি যথোচিত মর্যাদা দেওয়া হয় আজও? রিকশায় স্টেশন যেতে যেতে কথাটা ঘুরপাক খাচ্ছিল পারমিতার মাথায়। এ কি এক ধরনের অবুঝপনা? না সংস্কার? নাকি দুটোই? আর এই বিষয়ে শ্বশুর-শাশুড়ির সঙ্গে বাবা-মা'র কী-ই বা এমন প্রভেদ? পারমিতার মা'র চোখেও কি জামাইয়ের কর্মজগৎ বেশি গুরুত্বপূর্ণ নয়? সেই মা, যে কিনা নিজেও চাকরি করেছে এতকাল! নাহ্, আদ্যিকালের ধ্যানধারণাগুলো এখনও ঘুচল না। মনের কোন গভীরে যে গেড়ে আছে শিকড়টা? আরও কত বছর যে লাগবে পুরোপুরি উপড়োতে?

রিকশাভাড়া মিটিয়ে ছুটতে ছুটতে প্ল্যাটফর্মে উঠল পারমিতা। ন'টা দশের ট্রেন নিখুঁত সময়ে বেরিয়ে গেছে এবং পরবর্তী গাড়ি ঝোলাচ্ছে যথারীতি। শেষে এল টইটম্বুর হয়ে। লেডিজ কামরাতেও প্রায় ছুঁচ গলার ঠাঁই নেই। তারই মধ্যে ঠেসেঠুসে ওঠা, গলদঘর্ম হয়ে নামা, ফের হাঁপাতে হাঁপাতে আর একটা প্ল্যাটফর্মে দৌড়...। কপালজোরে ব্যারাকপুর লোকালটা কান ঘেঁষে মিলেছে, এটুকুই যা স্বস্তি অবশেষে।

কলেজ পৌঁছে আজ স্টাফরুম নয়, সরাসরি নিজেদের ডিপার্টমেন্ট। প্রথম বর্ষের ছাত্রছাত্রীরা করিডরে জটলা করছিল, তাদের পারমিতা ডেকে নিল পরীক্ষাগারে। প্র্যাক্টিক্যাল করার পদ্ধতি নিয়ে আগে কিছু নির্দেশ দেওয়ার ছিল, ব্ল্যাকবোর্ডে লিখছে একে একে। ধৈর্য ধরে বুঝিয়েও দিচ্ছে কোন সলিউশান কতক্ষণ গরম করলে কী রং আসবে, অ্যাসিড ব্যবহারে কী কী সতর্কতা প্রয়োজন, মূল দ্রবণ থেকে অধঃক্ষেপ কেমন ভাবে পৃথক করবে, বিক্রিয়ার প্রতিটি ধাপ কী করে মিলিয়ে মিলিয়ে দেখতে হয়...। পরীক্ষা নিরীক্ষার খুঁটিনাটি বর্ণনা করতে বেশ লাগে পারমিতার। যেন অধীত বিদ্যা ঝালাই করছে। অথবা নিজেই যেন নতুন করে শেখাচ্ছে নিজেকে। যখন ছাত্রছাত্রীরা আলটপকা প্রশ্ন জোড়ে, মগজ হাতড়ে সঠিক উত্তর খুঁজে পাওয়ায় তখন কী যে রোমাঞ্চ। এই অনুভূতির বুঝি কোনও সংজ্ঞা নেই।

কাজ শুরু করিয়ে দিয়ে পারমিতা বসল চেয়ারে। ছেলেমেয়েরা এখন যে যার টেবিলে। ল্যাব অ্যাসিস্ট্যান্ট সজল ঘোষ আর বিমলেন্দু নস্করের নজরদারিতে চলছে তাদের কাজকর্ম। পারমিতা চারদিকে চোখ চালিয়ে নিয়ে প্র্যাক্টিক্যাল বই খুলল। মিনিট পনেরোও কাটেনি, প্রিন্সিপালের পিয়ন রমেশ হালদার হাজির। এত্তেলা নিয়ে। ইন্টারভিউয়ের কাল সমাগত, প্রস্তুতি সারতে পারমিতাকে এখনই যেতে হবে সেমিনার কক্ষে।

বিমলেন্দুর জিম্মায় ছাত্রছাত্রীদের সঁপে দিয়ে পারমিতা উঠল। বড়সড় হলঘরটায় এসে দেখল পরিচালন সমিতির প্রতিনিধিটি পৌঁছে গেছে। ভদ্রলোককে চেনে পারমিতা। নাম রাখাল নাথ। বয়স বছর পঞ্চাশ। নোয়াপাড়া কলেজের কমার্সের টিচার। ব্যারাকপুরেরই বাসিন্দা, মাঝে সাঝেই অধ্যক্ষ স্বপন বিশ্বাসের ঘরে দেখা যায় তাকে। একই রাজনৈতিক দলের লোক তো, তাই দু'জনে গুজুর গুজুর চলে খুব। এবং পারমিতারা কেউ স্বপনের চেম্বারে ঢুকলে কুলুপ আঁটে ঠোঁটে।

পারমিতাকে দেখে একগাল হাসল রাখাল,— ও, আপনি আজ টিম লিডার? খুব ভাল, খুব ভাল।

পারমিতা ঈষৎ কুণ্ঠিত মুখে বলল,— আসলে অনিমেষ স্যার এখন নিয়মিত আসছেন না তো, তাই আমি...

আরে, আপনিই তো এখন কেমিস্ট্রির মাথা। রাখালের হাসি চওড়া হল,— একদম ঘাবড়াবেন না। ডক্টর বিশ্বাস ঠিক আপনাকে গাইড করে করে ডিপার্টমেন্ট চালিয়ে নেবেন।

একটু যেন আঁতে লাগল পারমিতার। সে কি এতই অযোগ্য, যে প্রতি পদে অধ্যক্ষের ওপর তাকে নির্ভর করতে হবে? নাকি পারমিতা মেয়ে বলেই এমন একটা ধারণা পোষণ করে রাখাল নাথ?

বাড়তি কথায় না গিয়ে পারমিতা ফাইল খুলল। পরপর আবেদনপত্রগুলো সাজাচ্ছে। রাখাল খানিক উসখুস করছে। জিজ্ঞেস করল,— মোট ক'টা অ্যাপ্লিকেশান এল?

সাতটা।

এই কলেজের এক্স স্টুডেন্ট আছে কেউ?

পাঁচটা মেয়ে দরখাস্ত দিয়েছে। পাঁচজনই আমাদের কলেজের। ছেলে দুটো শুধু বাইরের।

পারলে মেয়েদেরই নেবেন, বুঝলেন। পড়ানোর কাজটাই প্রমীলাকুলের আসে ভাল। ঘরে বাইরে সর্বত্রই তো আপনারা দিদিমণি, ঠিক কি না? নিজের গ্রাম্য রসিকতায় নিজেই হ্যা হ্যা হাসছে রাখাল। হঠাৎই হাসি থামিয়ে বলল,— আচ্ছা দেখুন তো, বিদিশা চৌধুরী বলে কোনও ক্যান্ডিডেট আছে কিনা?

পারমিতা নীরস স্বরে বলল,— আছে।

মেয়েটা খুব ভাল, বুঝলেন। একটা ফ্যামিলি প্রবলেমে পড়ে এম-এসসির রেজাল্টটা খারাপ হয়ে গেছে।...একটু দেখবেন তো। ও কিন্তু খুব সিরিয়াসলি পড়াবে।

অনুরোধ? সুপারিশ? নাকি নির্দেশ? পারমিতা ঠিক বুঝতে পারল না। ঠান্ডা গলাতেই বলল,— সিলেকশান তো শুধু আমার একলার ওপর নির্ভর করবে না। ইউনিভার্সিটির এক্সপার্ট আছেন, তারপর আপনি, সবাই মিলে তো...

কথা শেষ হল না, নাম করতে না করতেই রাজাবাজার সায়েন্স কলেজের জয়ন্ত মজুমদার উপস্থিত। বয়স চল্লিশের আশেপাশে, রোগাসোগা চেহারা, মাথাভরা কোঁকড়া চুল। সঙ্গে অধ্যক্ষ স্বপন বিশ্বাস। মাস্টার ডিগ্রি করার সময়ে জয়ন্ত মজুমদারকে দেখেনি পারমিতা, পরে জয়েন করেছে বোধহয়।

চা-জলখাবারের ব্যবস্থা করে বেরিয়ে গেল স্বপন বিশ্বাস। কালাতিপাত না করে শুরু হল ইন্টারভিউ। নির্বাচন পর্ব চুকতে প্রায় ঘণ্টাখানেক লাগল। কোনও প্রার্থীই তেমন জুতের ছিল না, তবু তার মধ্যেই ঝাড়াই বাছাই। কলেজের প্রাক্তনীদেরই শীর্ষে রেখে তৈরি হল তালিকা। চেষ্টা করেও বিদিশাকে তিন নম্বরে তুলতে পারল না পারমিতা। একটু যেন ক্ষুণ্ণ হয়েছে রাখাল, তবে সোজাসুজি বলল না কিছু, সই করে দিল চুপচাপ। জয়ন্তরও স্বাক্ষর দান শেষ, এবার অধ্যক্ষের হাতে লিস্ট তুলে দিলে পারমিতার দায়িত্ব সম্পূর্ণ হয়।

ফাইলটা নিয়ে স্বপন বিশ্বাসের কাছেই যাচ্ছিল পারমিতা, করিডরে থামল হঠাৎ। পৌনে দুটো বাজে, শাশুড়িকে তো এখনও ফোন করা হল না? তাতারটা বেশি জ্বালাতন করছে কিনা কে জানে! বেরোনোর সময় এমন একটা সিন করল...!

কথাটা মনে হওয়ামাত্রই ব্যাগ থেকে মোবাইল তুলেছে পারমিতা। সঙ্গে সঙ্গে চমক। মনিটরে তিন-তিনটে মিস্‌ড কল। মা। এত কী দরকার পড়ল হঠাৎ? কোনও খারাপ খবর নয় তো?

দুরুদুরু বুকে মা'র নম্বরটাই আগে টিপল পারমিতা। বাজছে, বাজছে, বেজেই যাচ্ছে। অবশেষে সুমিতার ঘুম ঘুম কণ্ঠ। অর্থাৎ তেমন কিছু ঘটেনি।

পারমিতা একটু বিরক্তই হল,— কী ব্যাপার? এতবার কল কেন?

তুই কি ক্লাস নিচ্ছিলি? বারবার বেজে যাচ্ছিল...

ফোন সাইলেন্ট মোডে ছিল মা। আমি কাজ করছিলাম।...বলো কী বলবে?

না মানে...আসলে মনটা কেমন কেমন করছিল। ভাবলাম তাতারের একটা খবর নিই...

তার জন্য আমায় ডাকাডাকির দরকার হল? পারমিতার স্বরে অসন্তোষ বাড়ল, বাড়িতে ফোন করলেই তো জানা যায়।

রেগে যাচ্ছিস কেন?

কাজের সময়ে খাজুরা ভাল লাগে না মা।

সুমিতা চুপ। বুঝি আহত হয়েছে। ক্ষণ পরে ভার ভার গলায় বলল,— অন্য আলোচনাও ছিল কিছু। শোনার সময় হবে কি তোর?

বলো। শুনছি।

তুই তো ক'দিন আসতে পারছিস না...তাতারকে নিয়ে আতান্তরে ছিলি বলে প্রসঙ্গটা তুলিওনি... গত রোববার নীলু এসেছিল।

হঠাৎ?

সন্তোষপুরে কোনও এক কলিগের মা'র শ্রাদ্ধ ছিল...

ও। তাই খেয়েদেয়ে ফেরার পথে মামা-মামিকে একবার দর্শন দিয়ে গেল, তাই তো?

অনেকটা সেরকমই। তবে নীলু একটা কথা বলছিল। তোর বাবার নাকি এবার একটা ব্রেন স্ক্যান করানো উচিত।

কেন? বাবা তো দিব্যি ইমপ্রুভ করছে।

সেই জন্যই নাকি দরকার। বলছিল, মামার যখন এত উন্নতি হচ্ছে, তা হলে হয়তো মাথায় আর কোনও ক্লট টট নেই। যদি স্ক্যান করে ব্যাপারটা

৮৫

শিয়োর হওয়া যায়, তা হলে হয়তো ট্রিটমেন্টের ধারাটাও বদলে যেতে পারে।

কেন ফালতু কথায় কান দাও মা? ডক্টর মুখার্জি তো কবেই বলেছেন, কোথাও রক্ত আর জমাট বেঁধে নেই। থাকলে প্যারালিটিক কন্ডিশান দিনকে দিন বাড়ত। দেখেছ তো, বাবার ওষুধও কত কম এখন। শুধু ফিজিয়োথেরাপিতেই...

কী জানি, আমি তো অত বুঝি টুঝি না। নীলু বলল...আমারও মনে হল একবার পরীক্ষা করাতে তো দোষের কিছু নেই...বরং মনে মনে নিশ্চিন্ত হওয়া...

ঠিক আছে। ডাক্তারবাবুকে জিজ্ঞেস করব। পারমিতা এক সেকেন্ড ভাবল, মাকে সার্ভিস বুকের কথাটা এক্ষুনি বলবে কিনা। পরক্ষণে মত বদলেছে। এমন কিছু সাংঘাতিক জরুরি নয়, সামনাসামনি গিয়ে বললেও চলে। পারমিতা গলা ঝাড়ল, তা হলে এখন ছাড়ি?

এক সেকেন্ড। ওপারে সুমিতার দ্বিধামাখা স্বর,— আর একটা কথা...
কী?

তোর বাবাকে তো তাতারের অসুখের কথাটা জানাইনি...সে রোজ ইশারায় তোর আর তাতারের খোঁজ করছে। ফোনে ফের নীরবতা। ফের সুমিতা বলল,— তুই কি আজ একবার...আসবি?

দেখছি। না পারলে কাল যাবই।

ঠিক আছে, ঠিক আছে। তোর সুবিধেমতোই আয়।

ফোন অফ করে পারমিতা ঈষৎ বিমনা। নীলুদার নাম দিয়ে চালাল বটে, তবে বাবার ব্রেন স্ক্যান করানোর বাসনাটা সম্ভবত মা'র নিজেরই। একটু যেন দুঃখ পেল পারমিতা। বাবাকে নিয়ে তার কি দুশ্চিন্তা কম? কেন যে মা বোঝে না, ফের স্ক্যানিং-এর প্রয়োজন বোধ করলে পারমিতা কবেই তা করিয়ে নিত। অবশ্য মা'র দৃষ্টিকোণ দিয়ে ভাবলে তার এই অভিমান একান্তই অর্থহীন। কার মনের উচাটন কীসে কমে, তা কি অন্য কেউ স্থির করে দিতে পারে?

ঘণ্টা বাজছে। ফোর্থ পিরিয়ড শেষ। এতক্ষণ কলেজ ছিল ভরা হাট, এবার ছাত্রছাত্রীদের কেটে পড়ার পালা শুরু হবে। ক্লাসরুম থেকে বেরোচ্ছে টিচাররা, বেরোচ্ছে ছেলেমেয়ের দল। কোলাহল অনেকটাই

নিচু গ্রামে ছিল, হঠাৎই পরদা চড়ে চতুর্দিক গমগম। দু'-চারটে ঝাঁক কিচিরমিচির করতে করতে চলে গেল গেট পেরিয়ে। কেউ বা প্রাইভেট টিউটরের ঠেকে, কেউ বা স্রেফ বাঙ্ক। সামনের মাঠে থোকা থোকা জটলা। ছোটবড় আড্ডায় হাহা-হিহি চলছে জোর। কিছু কিছু পড়ুয়া মুখও দেখা যায় এদিক ওদিক। হন্তদন্ত পায়ে চলেছে লাইব্রেরিতে অথবা স্টাফরুমের আশেপাশে ঘুরঘুর করছে।

পারমিতা দ্রুত পা চালাল। এখন থার্ড ইয়ার অনার্সের ক্লাস, টানা দু'পিরিয়ড। প্রিন্সিপালকে ফাইলটা দিয়েই ছুটতে হবে দোতলায়। প্র্যাক্টিক্যাল ক্লাসটা আধাখেঁচড়া হল আজ, থিয়োরির সময়টা নষ্ট করা উচিত হবে না।

টেলিফোনে যেন কার সঙ্গে কথা বলছিল স্বপন বিশ্বাস, ইশারায় বসতে বলল পারমিতাকে। আরও মিনিট কয়েক বাক্যালাপ সেরে ফাইল হাতে নিয়ে বলল,— ঠিকঠাক বানিয়েছ তো প্যানেলটা?

হ্যাঁ স্যার। তবে ফিজিকাল কেমিস্ট্রির তেমন ক্যান্ডিডেট তো পেলাম না।

তাই বুঝি? ফাইল খুলে লিস্টে চোখ বোলাল স্বপন। দৃষ্টি না তুলেই বলল,— বিদিশা চৌধুরী ফিজিকালের মেয়ে নয়?

হ্যাঁ। ওকে রেখেছি প্যানেলে, তবে...

আর একটু ওপরে উঠিয়ে দিতে পারতে। তোমারই সমস্যার লাঘব হত। স্বপন ক্ষণকাল ভেবে নিয়ে বলল,— অল রাইট, আমি টপ ফাইভকেই নিয়ে নিচ্ছি।

তা হলে তো ভালই হয় স্যার। অনিমেষ স্যার চলে গেলে আবার তো নতুন করে লোক নিতে হত, এতে কাজটা বরং এগিয়েই রইল।

মুখে বলল বটে পারমিতা, তবে মনে মনে বুঝে গেল, যে-কোনও ভাবেই হোক বিদিশা চৌধুরীকে নেওয়া হবে। মেয়েটি কলেজের প্রাক্তনী হলেও পারমিতার অচেনা। সে আসার আগেই পাশ করেছে। ইন্টারভিউ বোর্ডে একটু যেন উদ্ধত লাগছিল মেয়েটিকে, সম্ভবত খুঁটির কারণেই। পরেও ভোগাবে নির্ঘাত। আগে একবার প্রেসিডেন্টের ভাইপোকে নেওয়া হয়েছিল। যথেষ্ট ঢেঁটিয়া ছিল ছেলেটা। অনিমেষ দত্তর মতো মানুষ তাকে বাগে আনতে হিমশিম। শেষে ছোকরা স্কুলে চাকরি পেয়ে যেতে হাঁফ

ছেড়ে বেঁচেছিল। তবে অনিমেষ দত্ত আর পারমিতা মজুমদারকে তো এক মাপকাঠিতে দেখা হবে না, মেয়েটিকে সামলাতে না পারলে সেটা হয়তো পারমিতার মহিলা সুলভ অক্ষমতা বা মেয়েদের পারস্পরিক রেষারেষি বলে ধরা হবে। কী মুশকিল! কী যে জ্বালা!

চোয়াল সামান্য শক্ত করে পারমিতা উঠে যাচ্ছিল, স্বপন হাত নেড়ে বলল,— দাঁড়াও, দাঁড়াও। আরও কিছু কথা আছে।

বলুন?

তোমার ডিপার্টমেন্টের ব্যাপারে একটা স্কিম দিতে হবে তো। তাড়াতাড়ি রেডি করে ফেলো।

কীসের স্কিম স্যার?

অ, তুমি তো সেদিন মিটিং-এ ছিলে না। ছেলের অসুখ না কী যেন অজুহাতে ওই দিন ডুব মারলে। স্বপন সামান্য ঝুঁকল,— শুনেছ নিশ্চয়ই, নেক্সট ফেব্রুয়ারিতে কলেজে ইউ জি সি-র টিম আসছে?

হ্যাঁ। ন্যাকের পক্ষ থেকে...

কারেক্ট। তারই প্রস্তুতির জন্য ডিটেল আলোচনা হল সেদিন। টিচার্স কাউন্সিলে। সেখানে ডিশিসান হয়েছে, প্রত্যেকটি ডিপার্টমেন্ট ডিসেম্বরের মধ্যে অন্তত তিনটে স্পেশাল লেকচার অ্যারেঞ্জ করবে। যে যার ফিল্ডের বিশিষ্ট অধ্যাপকদের আমন্ত্রণ করে এনে। প্লাস, প্রতিটি ডিপার্টমেন্টের নিজস্ব ম্যাগাজিন চাই। নিজেরাও তাতে কন্ট্রিবিউট করবে, স্টুডেন্টদের দিয়েও লেখাবে। গোটা ব্যাপারটা মিলিয়ে আমায় একটা কম্প্রিহেনসিভ প্ল্যান বানিয়ে দাও। এক মাসের মধ্যে।

কিন্তু স্যার...আমি তো সেপ্টেম্বরের গোড়ায় রিফ্রেশার কোর্সে যাচ্ছি। তিন সপ্তাহ থাকব না।

সে কী? এরকম একটা ভাইটাল সময়ে রিফ্রেশার কোর্স করতে চলে যাবে? স্বপন জোরে জোরে মাথা নাড়ল,— ইম্পসিবল। হতেই পারে না।

আপনিই তো স্যার অনুমতি দিয়েছিলেন। সামনের বছর আমার প্রোমোশান, তার আগে যদি কোর্সটা না করি তো...

উপায় নেই। সেপ্টেম্বরে আমি ছাড়তে পারব না। অনিমেষবাবু চলে গেলে রিকুইজিশান পাঠাচ্ছি, ডিসেম্বরের মধ্যে পার্মানেন্ট টিচার একজন আমি আনবই, তারপর তুমি যেতে পারো।

কিন্তু স্যার...আমার প্রোমোশান...

সব হবে। তা বলে ডিপার্টমেন্ট ফাঁকা করে যেতে আমি দেব না। অ্যান্ড দিস ইজ ফাইনাল।

পারমিতার মাথা দপদপ করে উঠল। ছকে রাখা কত প্ল্যান যে কতভাবে আপসেট হয়! শুকনো মুখে বেরিয়ে এল ঘর থেকে। তিতকুটে মেজাজ নিয়ে গেল ক্লাসে। কী যে পড়াল কে জানে, মনই বসছে না আজ। শ্রোয়েডিংজারের সমীকরণ আজ যেন জটিল ধাঁধার মতো লাগছে। বস্তু আর তরঙ্গ মগজে মিলেমিশে একাকার। এরপর আবার সেকেন্ড ইয়ারের ক্লাস টানতে হবে, ভাবলেই গলা শুকিয়ে আসে...

দুপুরের দিকে শাশুড়িকে ফোন করার বাঁধা রুটিনটাও আজ বিলকুল মুছে গেল মস্তিষ্ক থেকে। এই প্রথম।

সাত

কী ম্যাডাম, খুব গড়িয়ে গড়িয়ে কাটাচ্ছ তো শনিবারের সকালটা?

আজ্ঞে না স্যার। কবে আমি অফ ডে-তে শুয়ে-বসে থাকি?

সরি, সরি। করছটা কী?

তোমার ছেলের ফরমাশ খাটছি।

আজ তার কী বায়না?

ধোসা চাই। অবিকল দোকানের মতো। পাতলা পাতলা। মুচমুচে। সঙ্গে সম্বর, নারকোলের চাটনি...। আজ বাড়িতে ওটাই ব্রেকফাস্ট।

বাবাও সাউথ ইন্ডিয়ান খাবে? এ তো প্রায় বিপ্লব!

ইয়েস স্যার। আশা করছি খুব একটা অপছন্দও করবেন না।

দ্যাটস গুড। হাতটা পাকিয়ে ফেলো। তারপর যদি কপালে থাকে, তোমার তৈরি ধোসা আমারও কোনও না কোনও দিন জুটবে নিশ্চয়ই।

একটু আক্ষেপোক্তির মতো শোনাল কি? নাকি নিছকই ঠাট্টা? রাজা এখন অফিসের পথে। গাড়িতে এই সময়টুকু গল্পগাছার জন্য বরাদ্দ রাখে রাজা। বিশেষত পারমিতার অফ ডে-র সকালটায়। পারমিতা জানে।

ডেকচিতে সম্বরডাল ফুটছে। কানে মোবাইল চেপে গ্যাসের আঁচ কমাল পারমিতা। তরল সুরে বলল,— তুমি এত ধোসাভক্ত জানা ছিল না তো!

ধরো, হয়েছি। ধোসার দেশে আছি যে।

তোমার কলাবতীকে তা হলে বলো, মাঝেসাঝে বানিয়ে দেবে।

উঁহু। জলখাবার বানানো ওর ডিউটি লিস্টে নেই। যা হোক দুটো রেঁধে যায়, এই না কত।

কলাবতীকে জোগাড় করে দিয়েছে রাজার আবাসনেরই এক নিরাপত্তাকর্মী। কন্নড় মেয়েটি নাকি আশেপাশেই থাকে, এদিক ওদিক

আরও কয়েকটা ফ্ল্যাটে কাজ করে, হিন্দিও জানে মোটামুটি। এবং নাকি বিশ্বাসী। সিকিউরিটি রুমে একটা চাবি রেখে যায় রাজা, মেয়েটি সময় মতো এসে কাজকর্ম সারে। ঘনঘন কামাই করে বলে কলাবতীকে নিয়ে প্রায়শই গজগজ করে রাজা, তবু ওই কলাবতীই আপাতত রাজার ভরসা।

পারমিতা রঙ্গ করে বলল,— আহা, একদিন বলেই দেখো না। মাছ-ডিম-মাংস ভাল না রাঁধুক, ধোসা ওর হাতে চমৎকার খুলবে।

সরি। রাজার স্বর যেন সহসা গম্ভীর,— আমি কারও কাছ থেকে আনডিউ অ্যাডভান্টেজ নিই না।

'আনডিউ' শব্দটায় কি বাড়তি জোর দিল রাজা? প্রাপ্য সুবিধেটুকু তার জুটছে না, এটাই কি বোঝাল ঠারেঠোরে?

একটু বুঝি গুটিয়েই গেল পারমিতা। তবু স্বর যথাসম্ভব লঘুই রাখল,— কী জলখাবার খেলে আজ?

কাল যা খেয়েছি। কিংবা পরশু। বা তার আগের দিন। পাঁউরুটি-কলা-ডিমসেদ্ধ। সঙ্গে ফ্রুট জুশ।

এক-আধদিন পিৎজা ট্রাই করতে পারো। আগের দিন কিনে রাখবে, খাওয়ার সময়ে মাইক্রোতে গরম করে নেবে।

আই হেট বাসি পিৎজা। ছাড়ো, ভাল্লাগে না। ...তাতার আছে সামনে?

হ্যাঁ। এই তো...ছিল...

দাও, ওর সঙ্গে একটু কথা বলি।

ডাক পেয়েই তাতার লাফাতে লাফাতে হাজির। ভারী বিজ্ঞ ভঙ্গিতে শুরু করল আলাপচারিতা। বাড়িময় ঘুরে ঘুরে ফোনালাপ চলছে। একটুক্ষণ সেদিকে স্থির তাকিয়ে থেকে পারমিতা কাজে হাত লাগাল। ধোসা-ঘোল পাত্রে ঢেলে ফেটিয়ে নিচ্ছে। ননস্টিক তাওয়ায় হাতাভরতি মিশ্রণ ছড়িয়ে ভেজে ফেলছে ধোসা, একের পর এক। সর্ষে-কারিপাতার ফোড়ন দিয়ে নারকোল-চাটনি আগেই প্রস্তুত। এবার প্লেট-বাটিতে সাজিয়ে ডাইনিং টেবিলে রেখে এলেই হয়।

শুরু হয়েছে প্রাতরাশ। শুভেন্দু ভাবলেশহীন মুখে ধোসা ছিঁড়ছিল। ছোট একটা টুকরো সম্বরে ডুবিয়ে মুখে পুরে বলল,— রাজা আজ অনেকক্ষণ ছেলের সঙ্গে গল্প করল তো!

মানসী যথারীতি তাতারকে খাওয়ানোয় ব্যস্ত। ঈষৎ উদাস মুখে বলল,— ছেলে ছেড়ে থাকে, মন কেমন তো করে।

কথাগুলোর একটা নিঃশব্দ ব্যঞ্জনা আছে। পারমিতা কেমন যেন অস্বচ্ছন্দ বোধ করছিল। ফস করে প্রশ্ন জুড়ল, খাবারটা কেমন লাগছে বাবা? খুব খারাপ?

চলতা হ্যায়।

আপনার ছেলে কিন্তু বলছিল আপনি ধোসা ছোঁবেনই না।

তা কেন, তুমি যত্ন নিয়ে বানালে...একটু মুখবদলও হল। শুভেন্দু তিলেক থামল। চোখ তুলে বলল,— রাজাকে কাজের কথাটা বলেছ?

কী বাবা?

কাল গাড়িখানা সারানো হয়েছে...

এমা, একদম মনে ছিল না। পারমিতা জিভ কাটল,— রাতে ফোন করলে জানিয়ে দেব।

হ্যাঁ, বোলো কিন্তু। ...আর একটা কথা। গাড়িতে আর আওয়াজ হচ্ছে কি না সেটাও তো পরখ করা দরকার।

আপনিই তো দেখে নিয়েছেন।

তাও...বেশ খানিকক্ষণ না চললে হাল পুরোপুরি মালুম হয় না। তুমি বরং ড্রাইভার ডেকে বিকেলে একটা চরকি মেরে এসো। যদি দেখো আওয়াজটা আছে, তবে ফের নিমাইকে ডাকছি। ব্যাটাকে এখনও পুরো পয়সা দিইনি...

পারমিতা একবার ভাবল, আজ ও বাড়ি ঘুরে এলে হয়। পরপর তিন দিন যেতে পারেনি, মনটা খচখচ করছে। বুধবার গেল অনিমেষ স্যারের ফেয়ারওয়েল, অনুষ্ঠান চুকতে প্রায় সন্ধে। জনে জনে গলা কাঁপিয়ে বক্তৃতা, তারপর বিদায়লগ্নে হঠাৎ আবেগে আপ্লুত হয়ে অনিমেষ দত্তর স্মৃতিরোমন্থন, শেষে কলেজের রীতিমাফিক গাড়ি করে তাকে বাড়ি পৌঁছে দিয়ে আসা, সেখানেও সৌজন্য দেখিয়ে থাকতে হল একটুক্ষণ...বাড়ি পৌঁছোতে কত রাত সেদিন। কাল আর পরশু তো কাটল নতুন অতিথি অধ্যাপকদের নিয়ে। ছুটির পর মেয়েগুলোর সঙ্গে বসে পাঠক্রম বণ্টন, প্রত্যেকের সময় সুবিধা অনুযায়ী রুটিনটাকে খানিক বদলানো—সাজানো, বিভাগীয় পত্রিকা প্রকাশের বিষয়ে আলোচনা...। এত কিছুর পর যাদবপুর

নামার আর দম থাকে? কিংবা সময়? আজ ও বাড়ি গেলে তাতারের সঙ্গেও মোলাকাত হয় বাবা-মা'র। গত রবিবার অবশ্য তাতারকে নিয়ে গিয়েছিল, তবু...। নাতিকে পেলে বাবা-মা যা পুলকিত হয়। বিশেষত বাবা। দস্যিটার দর্শনে বাবার মস্তিষ্ক যেন অনেক বেশি সচল হয়ে ওঠে আজকাল।

কিন্তু এদিকে কাজটার কী হবে? আগামী বছরের বিশ্ববিদ্যালয়ের পরীক্ষার একটা অনার্স পেপারের প্রশ্নপত্র তৈরির দায়িত্ব পেয়েছে পারমিতা। এই প্রথম। হাতে আর সময় নেই, সামনের মঙ্গলবার জমা দেওয়ার শেষ দিন। আজই বসতে হবে কাজটা নিয়ে, কালকের জন্য ফেলে রাখাটা ঠিক নয়। কাল কী ঘটবে, কে বলতে পারে? হয়তো দুম করে কোনও আত্মীয়স্বজন এসে পড়ল...।

অতএব না বেরোনোটাই শ্রেয়। মুখে একটা হাসি হাসি ভাব ফুটিয়ে পারমিতা বলল,— আজ আমার নড়ার উপায় নেই বাবা। দুপুর থেকে এমন এক ঝঞ্ঝাটিয়া ডিউটিতে বসতে হবে...

কীরকম?

পেপার সেটিং। এখন নিয়ম হয়েছে, কোয়েশ্চেনের সঙ্গে মডেল আনসারও চাই। অতএব বুঝতেই পারছেন একগাদা সময়ের ব্যাপার।

ও। শুভেন্দু আড়চোখে এবার মানসীকে দেখল,— তা হলে তোমার শাশুড়িকেই বলো। উনি যদি দয়া করে কোথাও একটা ট্রায়াল রান দিয়ে আসেন...

হ্যাঁ হ্যাঁ, মা তো যেতেই পারেন। পারমিতা শাশুড়িকে উসকোল,— তাতারকে নিয়ে ভবানীপুর টুঁ মেরে আসুন না মা। ওরও বিকেলে একটু বেড়ানো হয়।

আর তুমিও তা হলে নিরিবিলিতে কাজ সারতে পারো, তাই তো?

স্মিত মুখে বলল মানসী, তবু একটা যেন কাঁটা মিশে আছে বাক্যে। যেন ধরে ফেলেছে, নিজের সুবিধে হবে বলেই তাতারকে তার ট্যাঁকে গুঁজে দিতে চাইছে পারমিতা।

অপ্রস্তুত মুখে পারমিতা বলল,— না না, তেমন কোনও ব্যাপার নেই মা। তাতার থাকলেই বা আমার কী প্রবলেম? চাইলে আপনি একাও বেরোতে পারেন।

নাহ্, তাতারকে নিয়েই যাব। মানসীর তেরচা চোখ এবার শুভেন্দুতে,— তবে তোমার ছেলের গাড়ির আওয়াজ টাওয়াজ বোঝা কিন্তু আমার কম্মো নয়।

শাশুড়ি-বউয়ের গোপন খেলাটুকু শুভেন্দু খেয়াল করেনি। আহ্লাদিত মুখে বলল,— আরে দূর, ওটা বোঝার জন্য তো ড্রাইভার আছে। তুমি শুধু গ্যাঁটসে বসে থাকবে।

বেশ, তোমরা যখন বলছ...। চারটে নাগাদ বেরোব।

তা হলে প্রবলেম সলভড। এবার জম্পেশ করে এক কাপ কফি হয়ে যাক।

খুব আহ্লাদ, অ্যাঁ? একেবারে কফি?

ধোসার সঙ্গে কফিপানই বিধেয়। শাস্ত্রে লেখা আছে।

মানসী মুখ বেঁকাল। পারমিতা ঠোঁট টিপে হেসে সিধে রান্নাঘরে। মেপে মেপে কেটলিতে জল চড়াচ্ছে। রানার জন্যও নেবে কি? থাক। কাল রানাবাবুর নাইট ছিল, এগারোটার আগে থোড়াই সে গাত্রোত্থান করবে।

কাপে দুধ-চিনি-কফি দিল পারমিতা। প্রতীক্ষা করছে জল ফোটার। আচমকা রাজাকে মনে পড়ল। হঠাৎ কেমন অভিমান হল বাবুর, পারমিতার সঙ্গে আর কথাই বলল না। যুক্তিগ্রাহ্য কোনও কারণ আছে কি? একা একা থাকতে হবে, খেতে হবে, শুতে হবে...এসব কি বেঙ্গালুরু যাওয়ার আগে বোঝেনি রাজা? এখন তবে গোঁসা কেন? জানে না, এতে পারমিতার ওপর একটা বাড়তি চাপ তৈরি হয়?

শ্বশুর-শাশুড়ির টুকরো টাকরা সংলাপ উড়ে আসছে। পারমিতার ভাবনা ছিঁড়ে গেল। তাকে নিয়েই আলাপ চলছে যেন? হ্যাঁ তো। দুজনেরই স্বর অনুচ্চ, তবে কান পাতলে শোনা যায় দিব্যি।

শুভেন্দু বলল,— যতই যা বলো, তোমার বউভাগ্য কিন্তু যথেষ্ট ভাল।

মানসী বলল,— তা তো বটেই। কত গুণের মেয়ে...

অবশ্যই। কী পরিমাণ খাটতেও পারে, ভাবো তো? সপ্তাহভর ছুটছে, সেই সকাল থেকে রাত্তির। হাজার দায়িত্ব মাথায়। তারপরও কেমন আগ বাড়িয়ে এটা ওটা রাঁধছে... আজ কেমন একা হাতে জলখাবারটা বানিয়ে ফেলল...

হুম। শৌখিন মজদুরিগুলোই মানুষের চোখে পড়ে। আর যে কিনা

সারাটা জীবন সংসারটা বইল, এখনও বোঝাটা টেনে চলেছে, তার শ্রমের তো কোনও মূল্য নেই।

তুলনা করো কেন? সে তার মতো। তুমি তোমার মতো।

বুঝলাম। আদিখ্যেতায় দোষ নেই, তুলনাতেই দোষ!

পারমিতার একটা শ্বাস পড়ল। তার যেচে সংসারের কাজে অংশগ্রহণ কি নিছক দেখানেপনা? হাত গুটিয়ে থাকলেই কি খুশি হত শাশুড়িমা? সে তো কর্তব্যবোধ থেকেই করে, তবু কী যে তার ব্যাখ্যা হয়!

নাহ্, মানুষের মন বোঝা বড় কঠিন। মন পাওয়াও।

পরবর্তী শ্বাসটা গোপন রেখে কফির ট্রে হাতে ফিরল পারমিতা। শ্বশুর-শাশুড়িকে পেয়ালা বাড়িয়ে দিয়ে বসল চেয়ারে। নিঃশব্দে।

শুভেন্দু চুমুক দিচ্ছে কফিতে। সামনে পড়ে থাকা খবরের কাগজটা তুলতে গিয়েও রেখে দিল। মানসীকে পলক দেখে নিয়ে পারমিতাকে বলল,— ও হ্যাঁ, একটা কথা তোমায় বলা হয়নি। তোমার মা'র সার্ভিসবুকের প্রবলেমটা কিন্তু ধরে ফেলেছি।

হয়ে গেল? গত সপ্তাহেই তো পারমিতা ডুপ্লিকেট কপিটা এনে দিল, এর মধ্যেই...? কাজপাগল লোক বটে! এ কি পরোপকারের নেশা? নাকি নেহাতই হিসেব কষার আকর্ষণ?

পারমিতা মৃদু গলায় জিজ্ঞেস করল,— কী ভুল ছিল?

সে ভারী ভজকট ব্যাপার। আঠারো বছর আগে একটা ফিক্সেশানে গড়বড়। তারপর থেকে গলতিটা চক্রবৃদ্ধি হারে বেড়েছে। এত দিন বাদে পুরোটা নির্ভুলভাবে শুধরোনো...। যাই হোক, মোটামুটি একটা দাঁড় করিয়েছি। এবার একটা চিঠি লিখে দেব, এজি বেঙ্গলে আমার এক পরিচিতের হাতে দিয়ে আসতে হবে। বেয়ান কি পারবেন?

না পারার কী আছে? বাবাকে আয়ার জিম্মায় রেখে মাকে তো বেরোতে হয়ই মাঝে মাঝে। তেমন দরকার হলে আমিই না হয়...

ঘরে মোবাইলের ঝংকার। শুনেই খাবার ফেলে ছুট্টে ফোন আনতে যাচ্ছিল তাতার, ছেলেকে চোখ পাকিয়ে পারমিতা নিজেই উঠল। মনিটরে অচেনা নম্বর। কে রে বাবা?

ফোন কানে চাপতেই ওপারে চেনা চেনা গলা,— কেমন আছ গো দিদি?

পারমিতা যন্ত্রের মতো বলল,— ভাল।

আমি কে বলো তো?

পারমিতা থতমত। স্মৃতি হাতড়াচ্ছে।

বুঝেছি। আমার নাম্বার সেভ করা নেই। ওপারের স্বর ঈষৎ আহত,— আমি রঞ্জা। রঞ্জাবতী। মনে নেই?

এবার বেশ অস্বস্তিতে পড়ল পারমিতা। নম্বরটা রাখা উচিত ছিল বই কী। মাথাতেই আসেনি। স্বয়ং হিরোই আর প্রেমিকার প্রসঙ্গ তোলে না যে! সেই কবে বলেছিল এক মাসের মধ্যে রেজিস্ট্রি করছে, তারপর তো আর নো উচ্চবাচ্য। যেচে জিজ্ঞেস করতেও কেমন কেমন লাগে। হয়তো বা নিজেই এড়াতে চায়। হয়তো রাজার নিষেধবাণী মনে পড়ে।

আত্মরক্ষার সুরে পারমিতা বলল,— তুমিও তো আমায় ফোন করতে পারতে। তা হলেই নাম্বারটা...। যাক গে, আছ কেমন?

মোটামুটি গো। অফিস গলায় দড়ি বেঁধে খাটাচ্ছে। সারাক্ষণ টার্গেট, মার্কেট, আর নইলে বাস্কেট।

প্রথম দুটো তো বুঝলাম। শেষেরটা কী?

কাজে ফেল করলে যেখানে পাঠানো হয়। বাতিলের ঝুড়ি।... তোমার কলেজের কী নিউজ?

চলছে। যেমন চলে।

তোমাকে একটা কথা বলার ছিল গো দিদি। এখন কি ফ্রি আছ?

স্বরটা যেন এবার অন্যরকম ঠেকল পারমিতার। একেবারেই রঞ্জাবতী সুলভ নয় যেন। তবে চট করে কোনও অনুমানে গেল না। সতর্ক স্বরে বলল,— হ্যাঁ, খানিকটা সময় আছে এখন। কী বলবে?

দেবের কেসটা কী বলো তো? আমায় অ্যাভয়েড করছে কেন?

করছে নাকি? আমি তো কিছুই জানি না। কোনও ঝগড়া হয়েছিল নাকি তোমাদের?

তেমন কিছু তো নয়। নিজেই বলেছিল অগস্টের গোড়ায় রেজিস্ট্রি করবে, আমি বাবা-মাকে জানিয়েও দিলাম, তারপর নিজেই হঠাৎ ডেট পিছিয়ে দিল। তারপর থেকে শুধুই গড়িমসি। একবার খালি বলেছিলাম, এভাবে ঝোলাচ্ছ কেন, বাড়িতে তো আমি অকোয়ার্ড সিচুয়েশানে পড়ে

যাচ্ছি...ব্যস, সেদিন থেকে ও ট্রেসলেস। যোগাযোগ করছে না, ফোন করলেও ধরছে না, এস-এম-এসেরও নো রিপ্লাই।

ও। স্ট্রেঞ্জ তো!

তুমি দেবকে একবার জিজ্ঞেস করবে, প্লিজ? যা বলার খোলাখুলি বলুক। আমি ইনডিসিসিভ ছেলে পছন্দ করি না।

ঠিক আছে, দেখছি।

বলতে আমার খারাপ লাগছে...তবু তুমি তো মেয়ে, তুমি বুঝবে এই ধরনের ব্যবহার মেয়েদের কতটা হার্ট করে।

পারমিতা চুপ। ফোন ছাড়ার পরেও ঝুম বসে আছে বিছানায়। রানা ভারী আজব তো! মেয়েটার সামনে সেদিন অত গদগদ ভাব, হঠাৎই প্রেম উবে ফরসা? নাকি ওই মেয়েকে বিয়ে করতে ভয় পাচ্ছে এখন? তা দ্বিধাই যদি জাগে, আগেভাগে বিয়ের সিদ্ধান্ত নেওয়া কেন?

তুৎ, পারমিতা কেন ভাবছে বসে বসে? যাদের ব্যাপার তারাই বুঝুক গে যাক। রানাকেও কিছু বলার দরকার নেই।

কিন্তু রঞ্জাবতী যদি আবার ফোন করে? একটা কোনও উত্তর তো দিতে হবে তখন। তা ছাড়া মেয়েটা যেমন ধারারই হোক, মেয়ে তো। চুপচাপ তাকে অপমানিত হতে দেখাটা কি সংগত?

খানিক দোনামোনা ভাব নিয়েই রানাকে ধরল পারমিতা। সরাসরি নয়, সামান্য ঘুরিয়ে। রানা তখন সবে শয্যা ছেড়ে চায়ের পেয়ালা নিয়ে বসেছে সোফায়। টিভি খোলা, কালকের কোনও এক ক্রিকেটম্যাচের পুনঃপ্রচার চলছে। মানসী ধারে কাছে নেই, অণিমাকে রান্না বুঝিয়ে সে এখন স্নানে।

রানার পাশে বসে পারমিতা নিরীহ মুখে জিজ্ঞেস করল,— তোমার সেই রঞ্জাবতীর কী সমাচার গো?

রানার নির্লিপ্ত জবাব,— আছে।

আর তার কথা কিছু বলো না তো?

তুমি তো জানতে চাও না।

এই তো, আজ চাইছি।... তোমাদের সেই রেজিস্ট্রির কী হল?

হচ্ছে না।

সে কী? কেন?

জেনে কী করবে ম্যাডাম?

রঞ্জাবতীকে জানাব। সে আমাকে ফোন করেছিল কিনা। বলেই রানার প্রতিক্রিয়াটা নিরীক্ষণ করল পারমিতা। কেটে কেটে বলল,— তুমি নাকি তার কাছ থেকে পালিয়ে পালিয়ে বেড়াচ্ছ?

ধুস্ পালাব কেন? পারমিতাকে চমকে দিয়ে রানা হঠাৎ হাহা হেসে উঠেছে। হাসি থামিয়ে বলল,— শোনো, ওকে আমার টার্মসে চলতে হবে, আমি ওর ইচ্ছেয় চলব না। এ কথা তো সাফ জানিয়ে দিয়েছি। সে এগ্রি করেনি, সুতরাং কাট্টি। এবং তার পরেও যদি ঘ্যানঘ্যান করে, আমি নাচার।

তোমার টার্মসটা কী? রঞ্জাই বা কী চায়?

তার বহুৎ ফ্যাচাং। আলাদা গিয়ে তার সঙ্গে থাকতে হবে, তার লাইফ স্টাইলে ইনট্রুড করা চলবে না...

অযৌক্তিক দাবি তো নয়। তাকে একদিন দেখে যা মনে হয়েছে, এরকমটা সে চাইতেই পারে। তা ছাড়া এ বাড়িতে বউ হয়ে থাকলে, বাবা-মা'র সঙ্গে তার পটবে কি?

ওকে নিয়ে আলাদা থাকা আমার পক্ষে সম্ভব নয়।

কেন?

আছে সমস্যা। ওটা ছেলেদের ব্যাপার, তুমি বুঝবে না।

বোঝাও।

ওর এত চাকরির গরম, সর্বক্ষণ হাইফাই টক...একসঙ্গে থাকলে দু' দিনে আমার লাইফ হেল হয়ে যাবে।

প্রেমে পড়ার সময়ে কথাটা মনে আসেনি? নাকি আদৌ প্রেমেই পড়োনি?

কী জানি। তাই হবে হয়তো। ফ্র্যাঙ্কলি স্পিকিং, ওকে আমি সেভাবে মিসও করি না।

বুঝলাম। আর তোমার টার্মস কী ছিল?

খুবই মিনিমাম। আমি ফ্যামিলির সঙ্গে থাকব। ওকে মানিয়ে গুনিয়ে চলতে হবে।

কী অবলীলায় বলছে রানা। পারমিতা ভেতরে ভেতরে তেতে গেল। বাঁকা সুরে বলল,— পরিবারের ওপর তোমার এত টান, টের পাইনি

তো? বাড়ির কোন ব্যাপারে থাকো তুমি? আর মেয়েটা তো তার নেচার গোপন করে তোমার সঙ্গে মেশেনি। বরং তুমি সব জেনেবুঝেও তাকে বিয়ে করার কথা ভেবেছিলে!

তো?

তারপর এভাবে ব্যাক আউট করা যায়? মেয়েটার খারাপ লাগবে না?

কিন্তু বিয়েটা করলে যে আমার খারাপ লাগবে। তার চেয়ে এটাই তো ভাল। ক'দিন মেলামেশা হল, দেন বাই বাই।

তা হলে রঞ্জাবতীকে অন্তত সেটুকুও জানিয়ে দাও।

আমার নীরবতাই কি যথেষ্ট মেসেজ নয়? রঞ্জার তো মগজে গ্রে ম্যাটার খানিকটা আছে, এত দিনে আমার মনোভাব বুঝে ফেলা উচিত ছিল। রানা সেন্টারটেবিলে পা তুলে দিল। টিভির আওয়াজ অল্প বাড়িয়ে বলল,— টপিকটা এবার বন্ধ করা যায় না? খাবার দাবার আছে কিছু? পাব?

পারমিতা স্তম্ভিত। রঞ্জাবতীকে তার এ বাড়ির পক্ষে মানানসই মনে হয়নি, রানা ওই মেয়েকে বিয়ে করলে অনেক জটিল পরিস্থিতির উদ্ভব হত, তবু রানার এমন আচরণ হজম করা কঠিন। একটা সম্পর্ক গড়ে উঠেও ভেঙে গেল, অথচ তার জন্য রানার কণামাত্র বিচলন নেই? এত আবেগশূন্য হওয়া কি মানসিক সুস্থতার লক্ষণ? রানার ভালবাসাটা ঠিক কী ধরনের ছিল? শুধুই জৈবিক আকর্ষণ? শুধু ফস্টিনস্টি? নাকি সাময়িক বোধবুদ্ধি লোপ পাওয়া এক বিভ্রান্তি? রঞ্জাবতীর সঙ্গে আলাপের দিন পারমিতা ভেবেছিল, কী এক ভয়ংকরীর পাল্লাতেই না পড়েছে রানা! আজ মনে হচ্ছে, মেয়েটাই বুঝি বেঁচে গেল।

একটা ধোসা ভেজে, পারমিতা আর এল না, অণিমাকে দিয়ে পাঠিয়ে দিয়েছে। চোখ চালিয়ে দেখছিল রান্নার আয়োজন। ইলিশমাছ হচ্ছে। কালোজিরে, কাঁচালঙ্কা দিয়ে পাতলা ঝোল আর কাঁটাচচ্চড়ি। ইস, দই ইলিশ হলে বেশ হত। শাশুড়িকে জিজ্ঞেস করে বানিয়ে ফেলবে নাকি? ধুস, কী দরকার? কোন কাজের কী মানে দাঁড়াবে তার ঠিক আছে? নিজের পছন্দ অপছন্দ না হয় না-ই জাহির করল।

ঘরে ফিরে এবার একটু ঝাড়াঝুড়িতে মন দিল পারমিতা। সারা সপ্তাহ

সময় কই, শনিবার-রবিবারটাই পড়তে হয় ঘরদোর নিয়ে। আসবাবপত্র ঝাড়ো রে, তাতারের খেলনাপত্র স্বস্থানে সাজিয়ে রাখো রে, নিজের আলমারি গোছাও, ক'টা জামাকাপড় ইস্ত্রি করো...। হাতের কাজ সারতে সারতেই একটা ফোন করে নিল যাদবপুরে। মা যথারীতি অনুযোগের ঝাঁপি খুলেছে। দিন দশেক হল বিমলা আসছে না, দেশগাঁয়ে তার শাশুড়ির নাকি এখন-তখন অবস্থা, তাকে যেতেই হয়েছে। বদলি আয়াটি বেশ মুখরা, আজ সকালেই নাকি ছ্যারছ্যার ঝেড়েছে মাকে। পারমিতা আলগাভাবে শুনে গেল কথাগুলো, খুব একটা গায়ে মাখল না। যাদের দিয়ে কাজ চালাতে হয়, তারা প্রত্যেকেই যে মনোমতো হবে এমন আশা করাও তো বাতুলতা। তা ছাড়া মা'র পিটপিটানিটাও বেড়েছে। বিমলাতেই অভ্যস্ত হয়ে গিয়েছে তো, এখন রমা মেয়েটির কোনও কাজই পছন্দ হয় না। অবশ্য এটাও ঠিক, যে-কোনও অভ্যেসেরই বদল হলে মনের ওপর একটা চাপ পড়ে। পড়বেই। এই যে রাজা, নয় নয় করে প্রায় তিন মাস পাশে নেই, এখনও তার অনুপস্থিতি কি পুরোপুরি মেনে নিতে পারে পারমিতা? চোরা একটা অস্থিরতা কি অনুভব করে না হঠাৎ হঠাৎ? কিন্তু কিছু তো করারও নেই। এই সব চাপ নিয়েই তো জীবন।

দুপুরে খাওয়া দাওয়ার পর বইপত্র কাগজকলম নিয়ে বসল পারমিতা। ভাদ্র মাসের ভ্যাপসা গরম, পাখার হাওয়া যেন গায়ে লাগে না, চালিয়ে দিল এসি মেশিন। পড়াশোনার সময়ে অন্তত ঘাম থেকে মুক্তি মিলুক। ছেলেকেও এনে চেপেচুপে শুইয়েছিল বিছানায়, পারমিতা কাজে ডুবতেই সে কখন হাওয়া। আর তাকে ধরা দায়।

অনেক লড়ালড়ির পর একটা খসড়া খাড়া করল পারমিতা। পড়ল এক-দু'বার। মোটামুটি ঠিক আছে, তবে অজস্র কাটাকুটি। ফেয়ার করতে হবে। অতঃপর বাংলায় অনুবাদ আর উত্তরপত্র তৈরির পালা।

পারমিতা প্রশ্নপত্রের অঙ্ক দুটো কষে দেখে নিচ্ছিল, চা-সহ মানসীর প্রবেশ। হাসিমাখা মুখে বলল,— ড্রাইভার গাড়ি বার করছে। আমি তা হলে আসি?

বুকে বালিশ চেপে বিছানায় উপুড় ছিল পারমিতা, ধড়মড়িয়ে উঠে বসেছে। কাপটা নিয়ে ঝলক দেখল শাশুড়িকে। দিব্যি মাঞ্জা দিয়েছে তো!

হাজার বুটি তাঁত, স্লিভলেস ব্লাউজ, ঘাড়ে গোল খোঁপা, কানে গত বিবাহবার্ষিকীতে রাজা-পারমিতার দেওয়া হিরের দুল, কপালে খয়েরি টিপ, গালে পাউডারের প্রলেপ, গলায় লম্বা চেন...। এবং পারফিউমের সুঘ্রাণ। মাতৃগৃহে যাওয়ার মৌতাতই আলাদা!

মুচকি হেসে পারমিতা বলল,— আপনাকে খুব সুন্দর লাগছে মা।

দূর, এই বয়সে আবার সুন্দর অসুন্দর! মানসী লজ্জা পেয়েছে। বুঝি কথা ঘোরাতেই বলল,— তোমার শ্বশুরমশাই সাড়ে পাঁচটায় ক্লাবে ছুটবে, তার আগে একটু চা দিয়ো।

ও আপনাকে ভাবতে হবে না। পারমিতা কাপে চুমুক দিল,— তাতার কোথায়? সে ড্রেস করবে না?

আমাদের ঘরে এক সেট ভাল জামাপ্যান্ট ছিল, পরিয়ে দিয়েছি।...ও হ্যাঁ, সরস্বতী তো এখনও বাসন মাজতে এল না...ওকে বোলো তো থালাগুলো যেন দুবার করে ধোয়। দাগ থেকে যাচ্ছে।

হ্যাঁ হ্যাঁ, করিয়ে নেবখ'ন। আপনি নিশ্চিন্তে বেরিয়ে পড়ুন।

মানসী রওনা দেওয়ার পর পারমিতা ফের ঝুঁকেছে কাগজপত্রে। টানা কাজ করার জো নেই, বারবার এত বাধা! সরস্বতী এল; খানিক দুঃখের কাহিনি গিলতে হল। শুভেন্দুকে চা দিল; তার সঙ্গে বকবক করতে হল একটুক্ষণ। অণিমা রুটি করতে হাজির, সেখানেও সময় গেল কিছুটা। রানা বেরিয়েছিল চরকি খেতে, ফিরল সন্ধের মুখে মুখে, তাকেও এক প্রস্থ চা বানিয়ে দাও, তার নৈশাহারের বন্দোবস্ত করো...। তা এত কিছু সামলে শেষে আটটা নাগাদ সমাপ্ত হল প্রশ্নপত্র রচনা। এতক্ষণ মাথাটা যেন ভার হয়ে ছিল পারমিতার, ল্যাটা চুকতেই আচমকা ফুরফুরে। আনন্দে একখানা ফোন লাগাল রাজাকে। বাবুর মন ভাল হল কিনা কে জানে! দুৎ, লাইন এনগেজড। আবার ফোন। আবার এনগেজড। এবার তা হলে কী করা যায়? টিভি? ফেসবুক? নাকি চিতপাত হয়ে শুয়ে থাকা?

হঠাৎই মোবাইলে ঝংকার। মনিটরে শুধুই নম্বর। পারমিতার বুকটা ছ্যাঁৎ করে উঠল। আবার রঞ্জাবতী নয় তো?

বোতাম টিপে সাবধানী গলায় হ্যালো বলতেই ওপারে নারীকণ্ঠ,— কী রে মিতু, কেমন আছিস? আমি এণাক্ষীদি বলছি রে।

মগজ হাতড়ে নামটাকে চিনতে দু'-এক পল সময় লাগল পারমিতার।

স্কুলের বন্ধু মীনাক্ষীর দিদি? তাদের চেয়ে চার বছরের সিনিয়র ছিল এণাক্ষীদি। নাকি পাঁচ?

সামান্য উচ্ছল স্বরে পারমিতা বলল,— ওমা, তুমি? আমার নাম্বার পেলে কোত্থেকে?

মীনুই দিল। তোর সঙ্গে নাকি ফেসবুকে ওর যোগাযোগ আছে...

হ্যাঁ তো। কিন্তু মীনাক্ষী তো এখন দুবাইতে!

তো? নম্বর দিতে তো অসুবিধে নেই। যাক গে, যে কারণে তোকে আজ ধরা...। আমাদের স্কুলের এবারে প্ল্যাটিনাম জুবিলি, জানিস নিশ্চয়ই?

শুনেছি।

শুধু শুনলে হবে না। পার্টিসিপেট করতে হবে। আমরা প্রাক্তনীরা একটা গ্যালা কালচারাল পারফর্মেন্স করব ভেবেছি। তুইও তাতে থাকবি।

এ বাবা, আমি কী করব?

ঢং করিস না। তুই ভাল গান গাইতিস, আমার মনে আছে। এগজ্যাক্টলি কী রোলে তোকে লাগাব, কাল ঠিক হবে। কাল আমরা অনেকে মিট করছি। বিকেলে পাঁচটায়। স্কুলেই। ইউ মাস্ট কাম।

শুনেই যেন প্রাণ নেচে ওঠে! আবার সেই স্কুল, সবাই মিলে নাচ গান হইহল্লা...! কিন্তু কাল তো বিকেলে তাতারকে নিয়ে যাদবপুরে যাওয়ার কথা। মাকে তখন জানিয়ে দিল। বাবা নিশ্চয়ই আশা করে থাকবে...। কাল না পারলে সেই পরের শনি-রবি। তা ছাড়া টুটানরাও কাল যাদবপুরে আসবে...

আমতা আমতা করে পারমিতা বলল,— দেখি, যদি পারি...

অ্যাই, ভাও বাড়াস না তো। কলেজে পড়াস বলে কি হাতির পাঁচ-পা দেখেছিস? কাল এলে মালুম পাবি আমাদের স্কুলের কত মেয়ে কতভাবে শাইন করেছে।

জানি গো, জানি। অনেকেই ফেসবুকে আসে। পারমিতা সামান্য তোষামোদের সুরে বলল,— তোমার খবরও রাখি। তুমি ডাক্তার, তোমার বর ডাক্তার...

আমার বর বেশি ডাক্তার। আমি কম কম।

মানে?

মানে সে খুব বিজি। আমি হিজিবিজি।

বুঝলাম না। তুমি তো এম-বি-বি-এসে ফাটাফাটি রেজাল্ট করেছিলে!

ইয়েস। বরের চেয়ে বেশি নম্বর পেয়েছিলাম।

তা হলে?

সব ফক্কা পারমিতারানি। সংসারের পরীক্ষা বড় কঠিন। সেখানে বেশি মার্কস পেতে গেলে বরের চেয়ে একটু পিছিয়ে পিছিয়ে থাকতে হয়। বলেই কেমন যেন কৃত্রিম হাসছে এণাক্ষী,— দু'জনেই সমান তালে হসপিটাল-নার্সিংহোম করে বেড়ালে চলবে? সংসার কে দেখবে? ছেলেমেয়ে?

বা রে, মা বাইরের জগতে বেরোলে কি ছেলেমেয়েরা মানুষ হয় না?

তা নয়। তবে এখনও ফ্যামিলি কোড অনুযায়ী মায়েরই তো দায়িত্ব বেশি। ছেলেরা বউ-বাচ্চা ভুলে কাজে ডুবে থাকতে পারে। সেটা তাদের গুণ। আর মেয়েরা তেমনটা করলে তারা হয় সৃষ্টিছাড়া। অতএব কেরিয়ারটা মেয়েদেরই স্যাক্রিফাইস করতে হবে। এণাক্ষী আবার যেন জোর করে হাসল,— এতে আর একটা সুবিধে। বউয়ের হাইট বরের চেয়ে সর্বদা খানিকটা কম থাকে। সমান হয়ে গেলেই তো মুশকিল, তাই না?

যাহ্, কী যে তুমি বলো না!

খাঁটি কথাটাই বলছি রে। আপ্ত বাক্যটা জানিস তো, সংসার সুখের হয় রমণীর গুণে! তাই একটু কম কম ডাক্তারি করছি। আর বেশি বেশি সংসার। এণাক্ষী গলা ঝাড়ল,— তোর বর যেন কী করে?

কম্পিউটার ইঞ্জিনিয়ার। এখন বাঙ্গালোরে।

তোর তো একটাই ছেলে?

হ্যাঁ, এবার তিন পুরে চারে পড়ল।

কোন স্কুলে দিলি?

এখনও তো প্লে হোমে যায়। সামনের সেশান থেকে কোথাও একটা...

খোঁজ শুরু কর। খোঁজ শুরু কর। পুজোর আগেই কিন্তু অনেক স্কুল ফর্ম দিয়ে দেয়।... কাল তা হলে আসছিস তো?

খুব চেষ্টা করব গো।

একবার অন্তত মুখ দেখিয়ে যাস লক্ষ্মীটি। তোদের ভরসাতেই তো ফাংশনটা করা।

ফোন ছাড়ার পর পারমিতার মনে হল, এণাক্ষীদি বেশ মনোকষ্টে আছে। হয়তো সেই জন্যই মেতেছে স্কুল টুল নিয়ে। কিন্তু তাতারের ভরতির চিন্তাটাও মাথায় ঢুকিয়ে দিল যে। নামী স্কুলগুলোর ওয়েবসাইট একবার ঘেঁটে দেখবে নাকি এক্ষুনি?

সঙ্গে সঙ্গে কম্পিউটার চালু। নেটে ঢুকে অনুসন্ধান চালাল ঝটাঝট। নাহ্, আশঙ্কার কারণ নেই, নভেম্বরের আগে কেউ ফর্ম দিচ্ছে না। এখনও সময় আছে, বন্ধুবান্ধবদের সঙ্গে আলোচনা করে ধীরেসুস্থে এগোতে হবে।

এবার তা হলে নিশ্চিন্তে ফেসবুক। কিন্তু রিফ্রেশার কোর্সের ব্যাপারটা কী হবে? সেপ্টেম্বরের যাওয়াটা তো প্রিন্সিপাল চটকে দিল। পরে আবার কবে কোথায় কোর্সটা জয়েন করা সম্ভব, ইন্টারনেটে দেখে নেবে নাকি?

মাউস ক্লিক করে পারমিতা হানা দিল সাইটে। বিষয় ধরে বিভিন্ন কোর্সের দিনক্ষণ দেওয়া আছে। হঠাৎই চোখ আটকাল। কী কাণ্ড, যাদবপুরেই তো রয়েছে একটা! এবং এই অক্টোবরেই! লক্ষ্মীপুজোর পর থেকে আরম্ভ হয়ে তিন সপ্তাহ! শেষের ক'দিন বাদ দিলে গোটাটাই তো কলেজ ছুটি। স্বপন বিশ্বাস মোটেই এটাতে বাগড়া দিতে পারবে না। সোমবারই অ্যাপ্লিকেশান ঠুকে দেবে?

সঙ্গে সঙ্গে আর একটা চিন্তাও টোকা দিয়েছে মস্তিষ্কে। কোর্স তো করা হল না, সেপ্টেম্বর মাসটা বৃথা যাবে? একবার তো...দু-তিন দিনের জন্য...!

চেয়ার ছেড়ে উঠে দাঁড়াল পারমিতা। পায়চারি করছে। ক্রমশ চোখমুখ উজ্জ্বল। ফের বসেছে কম্পিউটারে। ক্রেডিট কার্ড বার করে সামনে রাখল। টিকিট কাটছে প্লেনের।

আট

উড়ান ছিল সওয়া চারটেয়। পারমিতা কলেজ থেকেই সরাসরি পাড়ি জমিয়েছিল দমদম। শেষ বিকেলে বেঙ্গালুরুতে পা রেখে পারমিতা টের পেল, এবারও না এলে সে দারুণ কিছু হারাত।

কী খুশিই যে হয়েছে রাজা! এমন করছে যেন কত যুগ পর পেল পারমিতাকে! যেন তার এই আগমনের প্রতীক্ষাতেই দিন গুনছিল!

এয়ারপোর্টেই উচ্ছ্বাসের শুরু। প্রথমেই এক দফা আপ্যায়ন। বাইরের প্রশস্ত চত্বরে এসে ক্যাপুচিনা কফি, পকোড়া। পারমিতা যত বলে ফ্লাইটে স্যান্ডুইচ খেয়েছে, কে শোনে কার কথা! রাজার জয়নগরের আবাসনটি নাকি নতুন বিমানবন্দর থেকে বিস্তর দূরে, পথে পারমিতার খিদে পেয়ে যেতে পারে! তারপর হিমশীতল গাড়িতে পাশাপাশি বসে রাজার মুখে যেন খই ফুটছে অবিশ্রান্ত। তার নাকি আজ অফিস থেকে জলদি ছাড়া পাওয়ার কথাই নেই, কী এক জরুরি মিটিং চলছে, তার মাঝেই কেমন সুড়ুৎ বেরিয়ে পড়েছে। শুধু পারমিতারই জন্য। কম্পিউট্রনিক্সে কেমন জটিল রাজনীতি চলছে, সহকর্মীরা কে তার প্রতি কত ঈর্ষাকাতর, তাও শোনাল সাগ্রহে। যেন অফিসের ওই সব সমাচার পারমিতাকে শোনাবে বলেই জমিয়ে রেখেছিল। যেন পারমিতাও শুনে ভারী আমোদিত হবে। কথার ফাঁকে টুক করে গড়িয়ায় একটা ফোন করে দিল। ফের অফিসের ঘোঁট চালু।

গাড়ি মূল শহরে ঢুকতে প্রসঙ্গ পালটাল রাজা। এবার শুধুই বেঙ্গালুরু উপাখ্যান। কীভাবে শহরটা রোজ বদলাচ্ছে, ক'খানা ফ্লাইওভার তৈরি হল, কতগুলো নতুন শপিং মল গজিয়েছে, ট্রাফিক কেমন বাড়ছে নিত্যদিন, দামি দামি বিদেশি গাড়িতে ছেয়ে যাচ্ছে পথঘাট, নতুন কোন কোন রেস্টুরেন্টের চেন এল বেঙ্গালুরুতে...। বেচারার খেয়ালই নেই, এসব গল্প ফোনে হয়ে গেছে বহুবার।

পারমিতা অবশ্য বাধা দিচ্ছিল না। ইচ্ছে করেই। রাজার চোখে ওই আনন্দের বিচ্ছুরণ তারও ভাল লাগছিল যে।

ফ্ল্যাটে ঢুকেও চনমন করছে রাজা। বাদশাহি মেজাজে খাবারের অর্ডার দিল টেলিফোনে। আধা ঘণ্টায় খানা হাজির। বাটার নান, রোগনজুশ, চিকেন রেশমি কাবাব, আর স্যালাড। শিস দিতে দিতে ঝটাপট টেবিল সাজিয়ে ফেলল রাজা। শসা চিবোতে চিবোতে হাঁক পাড়ল,— আ যা পারো, ডিনার তৈয়ার।

পারমিতা তখন বাথরুমে। সেই কোন সকাল ন'টায় বেরিয়েছে বাড়ি থেকে, তারপর সারাদিন ছোটাছুটি, গা-হাত-পা কেমন কিচকিচ করছিল, গিজার চালিয়ে স্নান সেরে নিচ্ছিল ছোট একটা। রাতপোশাক গলিয়ে এসেছে ডাইনিং টেবিলে। বসতে বসতে বলল,— আহ্, এতক্ষণে একটু আরাম লাগছে।

রাজা নান্ তুলে দিল পারমিতার প্লেটে। হালকা উপদেশের সুরে বলল,— যতই যা হোক, জার্নির তো একটা ধকল আছে। কলেজটা আজ বাঙ্ক করলেই পারতে।

উপায় ছিল না গো। থার্ড ইয়ারের ছেলেমেয়েগুলো ক'টা মাসই বা ক্লাস পায়...এত প্রকাণ্ড সিলেবাস...ভাবলাম দুটো পিরিয়ড করেই বেরোই...

ছাড়ো তো। ওরা তোমার আশায় থাকে নাকি? সবাই এখন প্রাইভেট টিউটরের নোট গেলে।

না গো। দু'-চারজন ক্লাস-লেকচারের ওপর ডিপেন্ড করে বই কী। অ্যালুমিনিয়াম ফয়েলের পাত্র থেকে কাবাব নিল পারমিতা, রাজাকেও দিল। হেসে বলল,— যারা পড়তে চায় তাদের পড়িয়ে খুব তৃপ্তি আসে গো মশাই।

যাক, দিদিমণিগিরিতেও স্যাটিসফ্যাকশান আছে তা হলে! রাজা ঠোঁট উলটোল। চোখ নাচিয়ে বলল,— তা আমার ফ্ল্যাটটা কেমন দেখছ বললে না তো?

পারমিতা বলতে যাচ্ছিল, ছবিতে যত জমকালো লাগে ততটা নয়। বলল না। আজকের সুন্দর সুরটা যদি কেটে যায়! দু'আঙুলে একটা তারিফের মুদ্রা ফোটাল শুধু।

ওমনি রাজা কলার ওঠাচ্ছে,— আমার চয়েস সর্বদা এ ক্লাস হয় ম্যাডাম।

বটে?

নিজেকে দিয়ে বুঝতে পারো না?

থাক। নো মস্কা। পারমিতার চোখে ছদ্ম উষ্মা,— পছন্দটুকুই করতে জানো, তবে যত্নের বালাই নেই। ফার্নিচারে কত ধুলো জমেছে, হাত বুলিয়ে দেখেছ কি?

কাজের মেয়েটা ফাঁকি মারলে আমি কী করব!

নিজে হাত লাগাবে। এমন কিছু হাতিঘোড়া কাজ তো নয়। কিচেনটাও তো ছ্যাতাপ্যাতা। স্ল্যাবে বাসন ছড়ানো, ফ্রিজের মাথায় প্যাকেটের স্তূপ...

অফিসে হাড়ভাঙা খাটুনি যায় ডিয়ার। বহুৎ টায়ার্ড থাকি। কোনও দিকে তাকাতে পারি না।

আমরা কিন্তু পারি।

তোমাদের সঙ্গে আমাদের তুলনা? তোমরা হলে গিয়ে শক্তির আধার। ঘরগৃহস্থালি তো তোমাদের রক্তে...।

আর তোমাদের রক্তে কী? খালি হুকুম জারি? আর বিছানায় গড়াগড়ি?

তাই বা হচ্ছে কোথায়! হুকুমটা ঝাড়ব কাকে? একা একা গড়াগড়িই বা কত খাব? রাজা চোখ টিপে একটা চটুল ইশারা করল,— ওতে কি মজা আসে?

পারমিতা হেসে ফেলল। পালটা ইঙ্গিত হেনে বলল,— দাঁড়াও, কাল তোমার কলাবতীকে ধরছি। বাবুর দেখভাল করছে না, এ তো ভাল কথা নয়!

হাসিমশকরা চালাতে চালাতেই আহার সারা। প্লেট সিঙ্কে নামিয়ে উদ্বৃত্ত খাবার ফ্রিজে ঢোকাল পারমিতা। ভেতরে কী যেন একটা রান্না করা আছে, দেখল ঢাকনা খুলে। আলুর দম। কুচকুচে কালো। সভয়ে ফের ঢাকা দিয়ে ফ্রিজের দরজা বন্ধ করল। নাহ্, রাজার সত্যিই বড় করুণ দশা, কাল পরশু বেশি করে রেঁধে রাখতে হবে।

লঘু হাতে রান্নাঘরখানাও একটু গুছিয়ে ফেলল পারমিতা। জৈবিক

অভ্যাসের মতো। রান্নাঘর থেকেই শুনতে পেল ড্রয়িং হলে তার মোবাইলটা বাজছে। তাতার কি? এখনও ঘুমোয়নি? মা'র সঙ্গে কথা বলবে বলে বায়না জুড়েছে নাকি?

পারমিতা গিয়ে ধরার আগেই রাজা এনে দিয়েছে সেলফোনটা। চাপা গলায় বলল,— ম্যাডামকে চাইছে। বোধহয় তোমার কোনও স্টুডেন্ট।

ভুরু কুঁচকে পারমিতা ফোন কানে চাপল,— কে বলছেন?

ম্যাডাম, আমি অরিজিৎ। সেকেন্ড ইয়ার অনার্স। রোল নাম্বার ফাইভ।

ও, সেই পাগলাটে ছেলেটা। যার মাথায় আজব আজব প্রশ্নের ভূত চাপে হঠাৎ হঠাৎ।

পারমিতা গম্ভীর গলায় বলল,— এখন ফোন? কী ব্যাপার?

কলেজে আপনাকে খুঁজছিলাম ম্যাডাম। শুনলাম আপনি চলে গেছেন...

হ্যাঁ। একটা কাজ ছিল।

কাল আপনি আসছেন তো ম্যাডাম?

না। কাল আমার অফ-ডে। সোমবার যাব।

ও। একটা জিনিস জানার ছিল। বিদিশা ম্যাডামকে বললাম, উনি আপনাকে জিজ্ঞেস করতে বললেন...

কী?

থার্মোডায়নামিক্সের প্রবলেম। পারপেচুয়াল মোশানকে দু'ভাগে ভাগ করা হয়েছে কেন, ঠিক বুঝতে পারছি না।

এভাবে প্রশ্নটা তো কোনওদিন মনে আসেনি! বাঁধা গতেই তো পড়ে আর পড়িয়ে এসেছে চিরকাল। পারমিতা একটু চিন্তা করে উত্তরটা বলার চেষ্টা করল। ওদিক থেকে অরিজিৎও মতামত দিয়ে চলেছে টুকটাক। নিজের মতো করে। আলোচনা করতে করতে একটা সমাধান পাওয়া গেল যেন। তবু পারমিতা বুঝি সন্তুষ্ট হতে পারল না। মাথা ঝাঁকিয়ে বলল,— ফোনে তো এত বোঝানো যায় না, সোমবার যাই, তখন ব্যাপারটা নিয়ে বসর।

আমার দু'খানা প্র্যাক্টিকাল সই করানোর ছিল ম্যাডাম। সোমবার করে দেবেন তো?

না। প্র্যাক্টিকাল ক্লাসেই শুধু প্র্যাক্টিকাল সই হবে। এখন তা হলে রাখছি।

কথা বলতে বলতে কখন যেন লিভিং হলে চলে এসেছিল পারমিতা। মোবাইল অফ করে দেখল সোফায় বাবু হয়ে বসে মিটিমিটি হাসছে রাজা।

বোকা বোকা মুখে পারমিতা বলল,— বড্ড জ্বালায়। সময় অসময় জ্ঞান নেই।

বুঝেছি। স্টুডেন্টরা ম্যাডামকে চোখে হারায়।

না গো। আসলে ডিপার্টমেন্টে আমি এখন একাই তো ফুলটাইমার, আর গেস্ট লেকচারারদের ওপর ছেলেমেয়েদের আস্থা কম, তাই যার যা জিজ্ঞাস্য সব আমাকেই...। আমি তো ইনঅরগ্যানিকের, অথচ অরগ্যানিক, ফিজিকাল, সব আমায় দেখতে হবে। এদিকে আনসার খুঁজতে আমার তো প্রাণ জেরবার।

বাড়তি লোড নাও বলেই ঘাড়ে চাপে। সাফ বলে দিতে পারো না, ইনঅরগ্যানিকের বাইরে কিছু জিজ্ঞেস করা যাবে না?

যাহ্, তা হয় নাকি?

কেন হয় না?

টিচারদের কাছে স্টুডেন্টদের একটা আলাদা এক্সপেক্টেশান থাকে স্যার। ওদের ধারণা আমরা সর্বজ্ঞ, বুঝলে।

তা হলে আর কী, খাও খাও গ্যাস খাও। হাত বাড়িয়ে খপ করে পারমিতাকে ধরল রাজা। এক টানে বসিয়ে নিয়েছে কোলে। কাঁধে মুখ ঘষছে। ঘড়ঘড়ে গলায় বলল,— অ্যাই, আর নো কলেজ, নো স্টুডেন্ট। এখন শুধু আমি। আমারও তো একটা এক্সপেক্টেশান আছে, না কি?

জানি তো। পারমিতা বরের গলা বেড় দিয়ে আদুরে স্বরে বলল,— আমিও কি এখানে এমনি এমনি এসেছি?

ব্যস, আর সংলাপের কী প্রয়োজন! উন্মত্ত চুম্বনে নারী-পুরুষ তপ্ত ক্রমশ। পারমিতা যেন পালকের মতো হালকা হয়ে গেছে, রাজা তাকে পাঁজকোলা করে নিয়ে গেল শয্যায়। খসে পড়ল আবরণ। মেতে উঠল শরীর।

রতিক্রিয়া সাঙ্গ করে পাশাপাশি শুয়ে আছে দু'জনে। পরস্পরকে ছুঁয়ে।

অসম্ভব এক ভাল লাগা যেন ছেয়ে যাচ্ছিল পারমিতাকে। মন ফুরফুরে, আশ্বিনের আকাশের মতো।

হঠাৎ আপন মনে বলে উঠল,— এমা, একটা ভুল হয়ে গেল তো!

রাজা অলস গলায় বলল,— কী?

মাকে একটা ফোন করা উচিত ছিল।

কেন? কোনও দরকার ছিল বুঝি?

না, তা নয়... জাস্ট বাবার একটা খবর নেওয়া...

চিন্তা করছ কেন? উনি তো এখন ভাল আছেন।

তবু...এত দূরে চলে এলাম...টেনশান হয় গো।

দূর পাগলি! কাল বাদে পরশু তো ফিরে যাবে, এর মধ্যে কারও কিচ্ছু হবে না। রাজা পারমিতার চুলে বিলি কেটে দিল,— সকালে উঠেই যাদবপুরে ফোন কোরো। আমি কথা বলব।

রাজার আশ্বাসে পারমিতার চিত্তচাঞ্চল্য কমল কি? হয়তো বা। তবু একটু কাঁটা যেন রয়েই যায়। বরের কাছে আসার উল্লাসে বাবার খবর নিতে বেমালুম ভুলে যাওয়াটা কি অবহেলারই নামান্তর নয়? যাদবপুরে না গেলেও ফোন একটা তো করেই!

রাজা পাশ ফিরেছে। কনুইয়ে ভর দিয়ে মাথা ওঠাল সামান্য। প্রায় ফিসফিস করে বলল,— অ্যাই পাগলি, কী ভাবছ?

কিচ্ছু না।

একটা কথা জানতে খুব ইচ্ছে করছে।

কী?

একটুক্ষণ ভেবে রাজা বলল,— নাহ্, থাক।

আহা, থাকবে কেন? বলো না?

মিথ্যে মন রাখা জবাব দেবে না তো?

ভণিতা করছ কেন?

না ভাবছিলাম...আমরা তো প্রায় পার্মানেন্টলি দূরে দূরে আছি...এতদিন পরপর মিট হয়...তোমার খারাপ লাগে না? অসুবিধে হয় না?

পারমিতা একটু যেন কেঁপে উঠল। রাজার বিরহে তার দেহ কি অভ্যস্ত হয়েছে? বেশির ভাগ দিন এতই ক্লান্ত থাকে, বিছানায় গিয়ে কিছু মনেই পড়ে না। তখন তো শরীরের একটাই চাহিদা। বিশ্রাম। নির্ভেজাল ঘুম।

কিন্তু কোনও কোনও রাতে কষ্টও তো হয়। চেনা পুরুষের স্পর্শ পেতে আকুল হয় দেহমন। দুটো অনুভূতিই তো সত্যি। দুটোই বলবে রাজাকে? জবাবটা কীভাবে নেবে রাজা?

সত্যিমিথ্যে এড়িয়ে পারমিতা আলগোছে বলল,— মিছিমিছি ওসব ভেবে লাভ কী বলো? জীবন যখন যেভাবে চলে...তাকে মেনে নিতে হয়।

কিন্তু জীবনের চলার অনেকটাই তো তোমার আমার হাতে। নয় কি?

কী জানি। আমি আর অত ভাবতে পারি না। মাথা ঝিমঝিম করে।

রাজা কেমন যেন কাঠ কাঠ মতন হয়ে গেল। একটুক্ষণ স্থির পারমিতাকে দেখে আবার শুয়েছে চিত হয়ে। মাথার ওপর ফ্যান চলছে ধীর লয়ে। বেশ ঠান্ডা হয়ে গেছে ঘরের বাতাস। পারমিতার শীত শীত করছিল।

উঠে পাখাটা বন্ধ করবে কিনা ভাবছিল পারমিতা, তখনই ফের রাজার স্বর। প্রায় অস্ফুটে বলল,— একটা প্ল্যান মাথায় খুব ঘুরছে...

কী?

দেওয়ালির সময়টায় কয়েকটা দিন ছুটি নিতে পারব। তোমরা তো পুজোয় আসছই... মা-বাবারও বাঙ্গালোর দেখার খুব ইচ্ছে...ওরাও যদি আসে...সবাই মিলে উটি বেড়িয়ে এলে কেমন হয়?

এমন লোভনীয় প্রস্তাবটা যেন সেলের মতো বিঁধল পারমিতাকে। রাজার তরফ থেকে ভ্রমণের প্রস্তাব কদাচিৎ আসে। অফিস নাকি তাকে ছাড়েই না। সত্যি, রাজা চমকে দিচ্ছে বটে! আজ একটাও কনফারেন্স কল হল না এখনও, এটাও কি কম বিস্ময়ের? নিশ্চয়ই পারমিতার খাতিরেই যাবতীয় কাজ রাজা আজ মুলতুবি রেখেছে। এবং অবশ্যই পারমিতার ভাল লাগবে বলেই ওই বেড়ানোর পরিকল্পনা!

পারমিতা কাঁপা কাঁপা গলায় বলেই ফেলল,— আমি তো প্রোগ্রামটায় জয়েন করতে পারব না রাজা। তখন যে আমায় কলকাতায় থাকতেই হবে।

সে কী? কেন?

লক্ষ্মীপুজোর পরদিন থেকে আমার রিফ্রেশার কোর্স। যাদবপুরে। টানা একুশ দিন।

অ। রাজা খানিকক্ষণ নিশ্চুপ থেকে বলল,— পুজোর ছুটিতেই করতে হবে? পরে করলে হয় না?

উপায় নেই গো, বিশ্বাস করো। সামনের ফেব্রুয়ারিতে আমার প্রোমোশান ডিউ। এর মধ্যে সেকেন্ড রিফ্রেশার কোর্সটা না করতে পারলে সব আটকে যাবে। এদিকে এই অ্যাকাডেমিক সেশানে যাদবপুর ইউনিভার্সিটি ছাড়া কোথাও কোর্সটা নেই। পারমিতা পাশ ফিরে রাজার বুকে হাত রাখল,— জানো, তন্নতন্ন করে নেট ঘেঁটেছি। ভেবেছিলাম যদি, ইন দা মিন টাইম, বাঙ্গালোরেই কোর্সটা পেয়ে যাই, তা হলে তো সোনায় সোহাগা। তিনটে সপ্তাহ টানা এখানে থাকতে পারব। কপাল খারাপ, এখানেও কিছু নেই।

হাহ্, কার যে কপাল খারাপ...! রাজার গলায় প্রচ্ছন্ন বিদ্রূপ। গোমড়া স্বরে বলল,— যা তোমার মর্জি, করো। আই হ্যাভ নাথিং টু সে।

অ্যাই, রাগ কোরো না প্লিজ। পারমিতা পলক ভেবে নিয়ে কিঞ্চিৎ উদ্দীপিত ভাবে বলল,— একটা ব্যবস্থা কিন্তু হয়ে যায়। উটির প্রোগ্রামটা যদি এগিয়ে আনো...এনি টাইম বিটুইন ষষ্ঠী আর লক্ষ্মীপুজো...আমি বেড়িয়ে ফিরে যাব, বাবা-মা নয় তাতারকে নিয়ে আরও কিছুদিন রয়ে গেলেন!

সরি। আমার অফিস তো তোমার সুবিধে মেপে আমায় ছুটি দেবে না। দুর্গাপুজোর টাইমে ইউ-এস থেকে একটা ডেলিগেশান আসছে, আমি তখন ভীষণ বিজি।

কেন যে দু'জনের তার একই ছন্দে বাজে না? সন্ধে থেকে বেশ তো একটা সুরে বাঁধা ছিল, এখন বারবার কেটে যাচ্ছে। রাজাকে যে কী করে আবার সমে ফেরায় পারমিতা?

নিজেকে খানিক বিন্যস্ত করে পারমিতা বাথরুম ঘুরে এল। কাচের দরজা ঠেলে পায়ে পায়ে এসে দাঁড়িয়েছে লাগোয়া ব্যালকনিতে। অন্দরের চেয়ে বাইরেটা এখন অনেক বেশি শীতল। মিহি বাতাস বইছে একটা, সামান্য এলোমেলো। হাওয়াটা যেন কাঁপন ধরায়।

পারমিতা কুঁকড়ে গেল সামান্য। বুকের কাছে দু'হাত জড়ো করে দৃষ্টি মেলে দিয়েছে। আটতলার এই বারান্দা থেকে বহু দূর অবধি দৃশ্যমান। গাছগাছালির অন্ধকার, উঁচু উঁচু বাড়ি, নাগরিক দীপমালা...। আলোর

দ্যুতি যেন আকাশ ছোঁয়ার স্পর্ধা দেখাচ্ছে। গড়ানে আকাশের গাঢ় নীল কেমন ফ্যাকাশে ফ্যাকাশে। তারা ফুটে আছে, তবে নগরের প্রভায় তাদেরও কেমন মলিন দেখায়। পারমিতার ঠিক নীচের পৃথিবীটাও যেন আবছায়া মাখা। আধ চেনা বাস্তবের মতো।

মনটা আরও খারাপ হয়ে যাচ্ছিল পারমিতার। বেশ তো গড়াচ্ছিল জীবনটা। কলকাতাতে তারা দু'জন তো দিব্যি সুখে ছিল। কেন যে রাজা প্রোমোশানটা পেল? মাঝখান থেকে যত সব টুকরো টাকরা সমস্যা, ভুল বোঝাবুঝি, অহেতুক টেনশান...কোনও মানে হয়? আবার রাজাও চিরকাল একটা গণ্ডিতে আটকে থাকবে, এও তো এক স্বার্থপর চিন্তা। কী যে হবে...?

ছোট একটা শ্বাস ফেলে পারমিতা ঘরে ফিরল। রাজার মুখ দেওয়ালের দিকে। ঘুমিয়ে পড়ল কি? নাকি জেগে শুয়ে সেও মন খারাপ করছে? পারমিতা বুঝতে পারল না। তবে আর ডাকল না রাজাকে। গুটিসুটি মেরে পাশে শুয়ে পড়েছে।

পরদিন সকালে অবশ্য মেঘের চিহ্নমাত্র নেই। রাজা একদম স্বাভাবিক। একটু দেরি করে তার ঘুম ভাঙল, বিছানাতেই চা পেয়ে ভীষণ খুশি, পরমুহূর্তে ঘড়ি দেখে হুটোপাটি শুরু। কাঁটায় কাঁটায় সাড়ে আটটায় সে অফিস বেরোবে, তার আগে দাড়ি কামানো, স্নান, ফিটফাট হওয়া, প্রাতরাশ...এ যেন কলকাতার সেই চেনা রাজা, সকালে যে ঘোড়ায় জিন লাগিয়ে ছোটে।

পারমিতাও নির্ভার। ঢুকেছে রান্নাঘরে। ডিপ ফ্রিজে বোনলেস মুরগি ছিল, সেদ্ধ করে স্যান্ডউইচ বানাল চটপট। গরম গরম কফিও রেডি। দুধ বেশি দিয়ে। ঠিক যেমনটা রাজা ভালবাসে।

রাজা গপাগপ খাচ্ছিল। একদৃষ্টে তাকে দেখছিল পারমিতা। জিজ্ঞেস করল,— কী গো, ব্রেকফাস্ট মনোমতো হয়েছে?

ফার্স্ট ক্লাস। অনেক দিন পর বাড়িতে গ্রিলড স্যান্ডউইচ খাচ্ছি।

রাত্তিরে কী খাবে? আমি রেঁধে রাখব।

কী করে? বাড়িতে তো কিছু আনা নেই?

দেখেছি। শুধু ডিম আলু পেঁয়াজ...। পারমিতা হাসল,— চিন্তা কোরো না, বাজার করে আনছি।

পারবে?

একেবারে গাঁওয়ার তো নই। পারমিতা চোখ ঘোরাল,— এই শহরে ঘোরাফেরার প্রসেস আমি জানি স্যার। ভুলে যেয়ো না, বাঙ্গালোরে আমি আগেও এসেছি।

সে তো বহুকাল...। তখন তাতার হয়নি। রাজা কফিতে লম্বা চুমুক দিল,— যাক গে, আজ রাতের রান্না নিয়ে নো টেনশান। ও বেলায় আমাদের নেমন্তন্ন।

কোথায়?

সৌম্যদের বাড়ি।

সৌম্য নামটা পারমিতার হাজারো বার শোনা। রাজার ইঞ্জিনিয়ারিং কলেজের সহপাঠী, স্টেটস-এ বছর তিনেক কাটিয়ে সেও এখন বেঙ্গালুরুবাসী। কলকাতায় থাকার সময়ে তেমন যোগাযোগ ছিল না, হালফিল স্বামী-স্ত্রী দু'জনেই রাজার বিশেষ বন্ধু।

পারমিতা জিজ্ঞেস করল,— তুমি বুঝি জানিয়েছ আমি এসেছি?

এরকম একটা মেগা ইভেন্ট গোপন রাখা যায়! পরে শুনলে ওরা গাল মেরে গুষ্টি উদ্ধার করে দেবে না! রাজা ন্যাপকিনে মুখ মুছল,— তানিয়া তো তোমার জন্য উদগ্রীব হয়ে আছে। দেখো, সন্ধেটা হেব্বি কাটবে।

উৎসাহভরে বলল রাজা, কিন্তু পারমিতা তেমন পুলকিত বোধ করল কি? বাড়তি কয়েকটা ঘণ্টা শুধু রাজার সান্নিধ্য পেলেই বুঝি তার বেশি আনন্দ হত।

ড্রাইভার এসে গেছে। তাড়াতাড়ি জুতো-মোজা পরে বেরিয়ে পড়ল রাজা। সে চোখের আড়াল হতেই পারমিতার স্মরণে এল, মা'র সঙ্গে রাজার কথা বলানো হল না তো! সকালে রাজাকে ফের খোসমেজাজে পেয়ে এত বেভুল হয়ে গেল?

দ্রুত যাদবপুরে ফোনটা সেরে নিল পারমিতা। কোনও সমস্যা নেই। ফিজিয়োথেরাপিস্ট, আয়া, সবাই এসেছে। এবং কেউ না ধরতেই বাবা নাকি একা উঠে বসেছিল কাল! গড়িয়াতেও পারমিতা ফোন করল একটা। তাতারের সঙ্গে একটু কথা বলল, ছেলে খানিক ম্যা ম্যা করল বটে, তবে মা'র অভাবে অতিশয় কাতর বলে মনে হল না। স্বাভাবিক, দাদু-ঠাকুমা যেভাবে সারাক্ষণ ঘিরে থাকে!

তা এবার তো পারমিতাকে কাজে নামতে হয়। কলাবতী নাকি বেলায় আসে, তার আগে বাজারটা সেরে ফেলবে? পুচকে ট্রলিব্যাগখানা খুলে এক সেট সালোয়ার-কামিজ বার করল পারমিতা। পাঁচ মিনিটেই রেডি, লিফ্‌ট ধরে একতলায়। আবাসনের গেটে অটো মজুত, চেপে সপ্রতিভ নির্দেশ, জয়নগর মার্কেট চলো...

তিন রকমের মাছ, একটা বড়সড় মুরগি, আর কিছু আনাজপাতি কিনে পারমিতা ফিরল সাড়ে দশটা নাগাদ। টুকুন জিরিয়ে নিয়ে রান্না স্টার্ট। মিক্সিতে মশলা বেটে সবে ভেটকি মাছটা বসিয়েছে, কলাবতী দরজায়। শ্যামলা বরণ যুবতী, পরনে সালোয়ার-কামিজ, বেণিতে ফুলের মালা, হাত ভরতি কাচের চুড়ি, পায়ে ঝুমুর ঝুমুর রুপোর মল।

পারমিতাকে দেখে দু'গাল ছড়িয়ে হাসল কলাবতী। ভাঙা ভাঙা হিন্দিতে বলল,— আপ বিবিজি? সাবনে বোলা থা...

সরল হাস্যমুখ কলাবতীকে মনে ধরে গেল পারমিতার। বেশ তুরতুরে আছে মেয়েটা, তুরন্ত্‌ নেমে পড়ল সহকারীর ভূমিকায়। এটা ওটা কেটেকুটে দিচ্ছে, সঙ্গে মুখও চলছে অবিরাম। সরস্বতী-কলাবতীদের সর্বত্রই এক হাল। কলাবতীর বরও মদ খায়, জুয়া খেলে, আর নিয়ম করে বউ পেটায়। রাজাকে কী কী রেঁধে দেয় কলাবতী, কেমন তার রন্ধনপ্রণালী, ওই বিষকালো আলুর দমটায় কোন মশলা দিয়েছিল, পারমিতা জানল খুঁটিয়ে খুঁটিয়ে। কলাবতীর হিন্দি পারমিতার চেয়েও খারাপ, দক্ষিণী টানে যা বলে তার মর্মোদ্ধার দুঃসাধ্য। তা ছাড়া জবাব দেবে কী, মেয়েটা এত হাসে কথায় কথায়। তাও ভাববিনিময় তো হচ্ছিল একটা!

কলাবতীকে দিয়ে গোটা ফ্ল্যাট ঝাড়পোঁছও করিয়ে নিল পারমিতা। মোছাল প্রতিটি আসবাব, ধোয়াল রান্নাঘর-বাথরুম। এবার থেকে আর যেন ফাঁকি না মারে, সেই অনুরোধও জানাল বারবার।

রান্নাবান্না শেষ। কলাবতী বিদায় নিয়েছে বহুক্ষণ। স্নান-খাওয়া সেরে পারমিতা টিভি চালিয়ে বসল একটু। ইংরিজি চ্যানেল করা আছে, রাজা বোধহয় সিনেমা টিনেমা দেখে। রিমোট টিপে পারমিতা একটা বাংলা চ্যানেলে গেল। খবর হচ্ছে। দু'-চার মিনিট শুনে অন্য চ্যানেল। মেগা সিরিয়াল। শাশুড়ি-বউয়ের কূটকচালির কাহিনি। এখানেও ধৈর্য রইল না, ধ্যাৎতেরি বলে উঠে পড়েছে। ঘুরছে এ ঘর, ও ঘর।

তখনই এক বিচিত্র অনুভূতি। হোক না ভাড়ার ফ্ল্যাট, এটা তো এখন রাজার অধিকারে। সেই সূত্রেই পারমিতারও। কিন্তু মোটেই নিজের ডেরা বলে মনে হচ্ছে না কেন? কেমন হোটেল হোটেল লাগে! কিংবা গেস্ট হাউস। একেবারেই অস্থায়ী আগমন পারমিতার, তাই কি আত্মিক যোগ তৈরি হচ্ছে না?

অ্যাই, খবরদার! নিজেকে শাসন করল পারমিতা। মুখ ফসকেও যেন ভাবনাটা রাজার সামনে প্রকাশ না পায়। বেচারা খুব দুঃখ পাবে।

রাজা এল সন্ধের মুখে মুখে। দিব্যি ফুর্তির মেজাজে আছে। ঢুকেই এক প্রস্থ আদর, তারপর গিয়ে অভ্যাস মতো ঠান্ডা জল খেতে ফ্রিজ খুলেছে। তাকে তাকে সাজানো পাত্র দেখে পলকে চোখ বড় বড়। দুটো-চারটে ঢাকা খুলে উচ্ছ্বসিত হয়ে বলল, — অ্যাই, কী করেছ এসব?

পারমিতা ঠোঁট টিপে হাসছে, — বা রে, খরচাপাতি করে এক-দু'দিনের জন্য এলাম, বাবুকে একটু সার্ভিস না দিয়ে গেলে চলে?

এটা বুঝি একটু? এ তো আমার মাসখানেকের খোরাক!

আজ্ঞে না স্যার। প্রত্যেকটি তোমার ফেভারিট আইটেম। তিন দিনে উড়ে যাবে।

কিন্তু তার পর? ফ্রিজ ভেজিয়ে রাজা কাছে এল। পারমিতার কাঁধে হাত রেখে গাঢ় চোখে বলল, — হ্যাবিট নষ্ট করে দিয়ে যাচ্ছ কেন? এরপর তো কলাবতীর রান্না খেতে কান্না পাবে।

কথাটায় বুঝি শুধু স্তুতি নয়, গোপন অনুযোগও আছে। সঙ্গে একটা অব্যক্ত অনুরোধ। মুখে হাসি টেনে রেখে পারমিতা বলল, — থাক থাক। অত ফ্ল্যাটারি আমার সইবে না। এবার চলো তো... কোথায় যাবে...

হ্যাঁ। রাজা সংবিতে ফিরেছে। কাঁধ ঝাঁকিয়ে বলল, — ড্রেস করে নাও। আমি ততক্ষণ একটা স্নান মেরে আসি।

আধ ঘণ্টার মধ্যে বেরিয়ে পড়েছে দু'জনে। বাইরে এক মনোরম সন্ধে। দিনের তাপ মরে শিরশিরে বাতাস বইছে। কাঁপছে গাছের পাতারা। শীতাতপনিয়ন্ত্রিত গাড়িতে বসে অবশ্য ওসব টের পাওয়ার উপায় নেই, চেয়ে চেয়ে আলোকিত পথঘাট দেখাই সার।

সৌম্যদের ইন্দিরা নগরের বাড়িতে পৌঁছোতে খানিক সময় লাগল। দূর

তো একটু আছেই, তার ওপর ট্রাফিক জ্যাম। শনিবারের সন্ধেটা উপভোগ করতে বেঙ্গালুরুর পথঘাট গাড়িতে গাড়িতে ছয়লাপ।

সৌম্য আর তানিয়া রাজাদের অপেক্ষাতেই ছিল। দরজা খুলে কোরাসে আহ্বান জানাল,— ওয়েলকাম, ওয়েলকাম।

এগারো তলার ফ্ল্যাটখানায় ঢুকে পারমিতার চোখ ধাঁধিয়ে গেল। মেঝেতে কাঠের প্যানেলিং, সুদৃশ্য ঝাড়বাতি ঝুলছে সিলিং থেকে, দেওয়ালে দামি দামি পেন্টিং, আফ্রিকান মুখোশ... কত সুন্দর সুন্দর শো-পিসও যে রয়েছে ছড়ানো ছেটানো। সোফা-ডিভানে বিদেশি বাহার।

সৌম্যই আতিথেয়তা শুরু করেছে। পারমিতাকে জিজ্ঞেস করল,— কী নেবে বলো? হার্ড ড্রিঙ্কস? না সফ্‌ট?

সুরাতে যে সাংঘাতিক ছুঁৎমার্গ আছে পারমিতার, তা নয়। তবে খায় না বড় একটা। ক্বচিৎ কখনও বন্ধুদের পাল্লায় পড়ে হয়তো চাখল একটু আধটু। তা বলে এই অচেনা পরিবেশে সদ্য পরিচিত দম্পতির সামনে...!

স্মিত মুখে পারমিতা বলল,— আমি সফ্‌টই নিই? জাস্ট ঠান্ডা একটা কিছু...?

অ্যাজ ইউ উইশ।

সঙ্গে সঙ্গে তানিয়াও বলে উঠেছে,— আমিও পারমিতার দলে। তোমরা বসে বসে হুইস্কি গেলো।

শিয়োর। সুরাই তো সন্ধেকে রঙিন করে।

লিভিংরুমের একপাশে সাজানো ছোট্ট সেলার থেকে শিভাস রিগালের বোতল নিয়ে এল সৌম্য। তানিয়া এনেছে কোল্ড ড্রিঙ্কস, জলের বোতল, পাতলা পাতলা কাচের গ্লাস। আর ট্রে উপচোনো চিংড়িভাজা, চিকেন ভাজা।

ব্যস, গুলতানি শুরু। বেঙ্গালুরুর আবহাওয়া, কলকাতার হালচাল, এখানকার জীবন কত গতিময়, কলকাতা কীভাবে স্থবির হয়ে পড়ছে দিনদিন, তানিয়ার চাকরি, পারমিতার কলেজ, তানিয়ার ছেলে গোগোল, পারমিতার তাতার, তাদের দুরন্তপনা, সৌম্য-তানিয়ার আমেরিকা বাস...সবই আসছে ঘুরেফিরে। ফাঁক বুঝে রাজা আর সৌম্য যে যার অফিস নিয়ে বকল খানিক। তাদের গ্লাস শূন্য হচ্ছে দ্রুত, ভরেও যাচ্ছে।

পারমিতার বাবার খবরও তানিয়াদের অজানা নয়। প্রণব এখন কতটা সুস্থ, সৌম্য জানতে চাইল তার পুঙ্খানুপুঙ্খ।

এরই মাঝে হঠাৎ গোগোলের উদয়। নীচের তলার ফ্ল্যাটে বন্ধুর জন্মদিনে গিয়েছিল, ফিরেছে লাফাতে লাফাতে। রিটার্ন গিফ্‌ট দেখাচ্ছে বাবাকে।

তানিয়া ছেলেকে বলল,— এই আন্টিটাকে চেনো?

গোগোল ঘাড় নাড়ল দু'দিকে। ঠোঁট উলটোচ্ছে।

পারমিতা আন্টি। স্কুলটুল নয়, আরও উঁচুতে পড়ায়। কলেজে। কেমিস্ট্রি।

গোগোলের কোনও প্রতিক্রিয়া নেই। সে সদ্য ঘুরে আসা অনুষ্ঠানের বর্ণনা শোনাতে বেশি ব্যাকুল।

তানিয়া লঘু ধমকের সুরে বলল,— বোর কোরো না গোগোল। বুঝেছি, তুমি আজ খুব এনজয় করেছ। এবার যাও, নাইট ড্রেস পরে শুয়ে পড়ো।

এখন তো সবে নাইন থার্টি। কাল তো স্কুল নেই, একটু গেমস খেলি না...

ফিফটিন মিনিটস। তারপর কিন্তু বন্ধ করবে। নিজে থেকে। আমাকে যেন উঠতে না হয়।

নাচতে নাচতে গোগোল নিজের ঘরে। পারমিতা হেসে বলল,— সব বাচ্চার আজকাল গেমস খেলার নেশা। তাতার তো চান্স পেলেই আমার মোবাইলটা নিয়ে বসে পড়ে।

তোমার ছেলে গোগোলের চেয়ে একটু ছোট, তাই না? গোগোল তো পাঁচ...

তাতার থ্রি প্লাস। এখনও প্লে হোমে যাচ্ছে। এবার স্কুলে দেব।

সৌম্য তারিয়ে তারিয়ে চুমুক দিচ্ছিল গ্লাসে। বলল,— এমন একটা স্কুলে দিয়ো, যেখান থেকে টানা পাশ করে বেরিয়ে যেতে পারবে।

আমারও তাই ইচ্ছে। পুজোর পরে কয়েকটা ভাল স্কুল থেকে ফর্ম তুলব।

দেখো, ওয়েস্ট বেঙ্গল বোর্ডের আন্ডারে যেয়ো না কিন্তু। পরে বাঙ্গালোরে এলে অ্যাডজাস্ট করতে অসুবিধে হবে। সৌম্য রাজাকে সালিশি মানল,— কী রে, ঠিক বলেছি তো?

আমি জানি না রে ভাই। রাজা ঢকাস করে অনেকটা তরল ঢেলে নিল গলায়। কিঞ্চিৎ জড়ানো স্বরে বলল,— আমার ছেলের ভরতির যে তোড়জোড় চলছে, সেটাই তো এই প্রথম শুনলাম।

বলিনি বুঝি তোমায়? পারমিতা জিভ কাটল,— সরি, সরি।

হোয়াই সরি ডিয়ার? তাতারের ফিউচার তো তুমিই ডিসাইড করবে! আমি হ্যাঁ না বলার কে?

পারমিতার কপালে পল্কা ভাঁজ। রাজার নেশা হয়ে গেল নাকি? বড্ড তাড়াতাড়ি শেষ করছে গ্লাস। এবারেরটা তো জল ছাড়াই নিল!

চোখ কুঁচকে পারমিতা বলল,— এভাবে বলছ কেন?

তো কীভাবে বলব?...যদি বলি, আমি যখন এখানে থাকছি, তাতার এখানেই পড়াশোনা করবে, তুমি মেনে নেবে?

আপত্তি কেন করব? পাঠিয়ে দিতেই পারি। অফিস টফিস ছেড়ে ছেলে সামলাও।

অ। আর তুমি কলকাতাতেই পড়ে থাকবে, তাই তো?

পারমিতা ধক করে একটা ধাক্কা খেল। স্থান-কাল-পাত্র ভুলে একটু তীক্ষ্ণ স্বরেই বলল,— তুমি কী চাইছ বলো তো? সব ছেড়েছুড়ে এখানে চলে আসি?

কিছুই বলছি না। আমার ইচ্ছের যখন ভ্যালুই নেই, তখন আমার মতামতেই বা কী আসে যায়?

অ্যাই, অ্যাই, তোরা হঠাৎ ঝগড়া বাধালি কেন? কুল। কুল। সৌম্য রাজার পিঠে আলগা চাপড় মারল। তানিয়াকে বলল,— এবার ডিনার লাগিয়ে ফেলো তো। ব্যাটা হাই হয়ে গেছে।

না রে, তোরা জানিস না, ও আমার কথা ভাবেই না।

পারমিতা স্তম্ভিত। সবে আজই আলাপ হল সৌম্যদের সঙ্গে...সেখানে এরকম একটা অপ্রীতিকর পরিস্থিতি...! এ তো পারমিতাকে ছোট করা! রাজা কি জেনেবুঝে করছে?

টেবিল সাজিয়ে ডাকল তানিয়া। আড়ষ্ট পায়ে পারমিতা চেয়ারে গিয়ে বসেছে। উলটো দিকে সৌম্য আর রাজা। পাশে তানিয়া।

খেতে হাত উঠছিল না পারমিতার। তানিয়া প্লেটে পোলাও তুলে দিল। সঙ্গে ফিশফ্রাই। নিজেও নিয়েছে। রাজাকে একবার দেখে নিয়ে বলল—

মাল খেলে অনেকেই ভাট বকে। একদম পাত্তা দিয়ো না। সৌম্যই যা করে এক একদিন...

পারমিতা ফ্যাকাশে হাসল।

তানিয়া ঝুঁকল একটু। গলা খাদে নামিয়ে জিজ্ঞেস করল,— তুমি কি সত্যিই বাঙ্গালোরে আসতে চাও না?

কী করে সম্ভব বলো? বাবার ওই সিচুয়েশান...। প্লাস, চাকরিও একটা ফ্যাক্টর...

হ্যাঁ, মেসোমশাইয়ের ব্যাপারটা তো খুবই প্র্যাক্টিকাল প্রবলেম। তার ওপর তুমি যখন একটামাত্র মেয়ে...। কিন্তু তোমাদেরও তো একটা লাইফ আছে। কথাটাকে খারাপ সেন্সে নিয়ো না...ধরো মেসোমশাই যদি ওভাবে দশ বছর বাঁচেন, কি পনেরো বছর... আজকাল মেডিকেল সায়েন্স যা ইমপ্রুভ করছে, কিছুই অসম্ভব নয়... তখন তুমি কী করবে? কনজুগাল লাইফটাকে ভুলে জীবনের প্রাইম টাইম এভাবে স্টাক-আপ হয়ে কাটিয়ে দেবে?

দুর্ভাবনাটা তো পারমিতাকেও কুরে কুরে খায়। কিন্তু এর কি সমাধান আছে কোনও? যুক্তির দিক দিয়ে তানিয়া হয়তো সঠিক, কিন্তু পারমিতার হৃদয় কী বলে? হৃদয়? না আবেগ? হৃদয়? না বিবেক? পারমিতা জানে না।

তানিয়া ফের নিচু স্বরে বলল,— একটা অল্টারনেট কিছু ভাবো। এখানে থেকেও কনট্যাক্ট রাখতে তো কোনও প্রবলেম নেই। মাসে দু'মাসে ঘুরেও আসতে পারো। মাসিমা ওখানে রয়েছেন, সমস্যা হলে তোমায় ডাকবেন... যেতে কতক্ষণই বা লাগে, বলো? ট্রেনে দুর্গাপুর-আসানসোল থেকে আসাও বোধহয় এর চেয়ে বেশি টাইম নেয়।...আর চাকরি তো তুমি এখানেও করতে পারো। স্কুল টুলে তো পাবেই। তুমি যা ব্রিলিয়ান্ট, ইজিলি রিসার্চে চান্স মিলবে। হয়তো আরও ব্রাইট প্রসপেক্ট...

কাকে কী বোঝাচ্ছ তানিয়া? হঠাৎই রাজার নেশাতুর স্বর ধেয়ে এসেছে,— শি ইজ ভেরি অ্যাডামেন্ট। নিজে যা চায়, সেখান থেকে একচুল নড়বে না।...কলেজ দেখায় আমায়? কলেজ? হুঁহ। ওই কলেজের মাইনেটা আমি ওকে হাতখরচা দিতে পারি।

ঘরের বাতাস সহসা স্থির। তানিয়া অপ্রস্তুত। সৌম্য নিশ্চুপ।

পারমিতার মাটিতে মিশে যেতে ইচ্ছে করছিল।

ফেরার পথে গাড়িতে গুম হয়ে বসে ছিল পারমিতা। মনে এত গরল পুষে রেখেছে, ঘুণাক্ষরেও টের পেতে দেয়নি রাজা? রোজ এত ফোন, হাসি, গল্প, পারমিতাকে দেখে গদগদ ভাব, মৌখিক ঔদার্য...অথচ তারই আড়ালে ক্ষোভের এই প্রমত্ত তুফান? মদের ঘোরে উঠে এল কি? নাকি নেশার অছিলায় মনটাকে বেআবরু করল রাজা?

ঊরুতে রাজার হাত। হঠাৎই।

পারমিতা সচকিত। নীরস স্বরে বলল,— কী হল?

তুমি কী খুব হার্ট হয়েছ? সরি। ভেরি সরি।

থাক। তোমার ভেতরটা তো জানা গেল...

বিলিভ মি, ওভাবে বলতে চাইনি। আমি কি তোমার সমস্যাটা বুঝি না? তবু... কেমন যেন গড়বড় হয়ে গেল। সব্বাই শালা কেমন বউ-বাচ্চা নিয়ে ঘরসংসার করছে...সৌম্যদেরই তো কী চমৎকার হ্যাপি ফ্যামিলি...। একা আমিই শুধু...। রাজার গলাটা ভেজা ভেজা শোনাল,— আমারও কি ইচ্ছে করে না, বলো?

পাঁজরটা চিনচিন করছিল পারমিতার। কী অসহায় আর্তি! প্রতিটি শব্দ যেন পেরেক ঠুকছে হৃৎপিণ্ডে। এই মানুষের ওপর রেগে থাকতেও তো কষ্ট হয়।

পরদিন কলকাতা ফিরছিল পারমিতা। বিকেলবেলায়। রাজা পৌঁছে দিয়ে গেছে এয়ারপোর্টে। একটু আগে আকাশে উড়ল বিমান। পড়ন্ত সূর্য দর্শন দিয়েছিল ক্ষণিকের জন্য, তারপর কোথায় যে হারিয়ে গেছে। জানলার ওপারে এখন শুধুই পুঞ্জীভূত মেঘ।

পারমিতা আলতো ভাবে চোখের কোলটা মুছল। মাত্র আটচল্লিশ ঘণ্টা আগে ভেবেছিল না এলে বুঝি মহামূল্য কিছু হারাত। হায় রে, এলেও যে কত কী হারায়!

নয়

বৃষ্টি পড়ছিল ঝিরঝির। ক্যালেন্ডারের হিসেবে এখন পূর্ণ শরৎ, আশ্বিন পড়ে গেছে, তবে আকাশ দেখে তা বোঝা কঠিন। নীলের দেখা প্রায় মেলেই না। রোজই রাশি রাশি মেঘ, রোজ বর্ষণ। আজও সকাল থেকে মুখ ভার ছিল আকাশের, তারপর ঘণ্টাখানেক ধরে এই চলছে। একটানা।

পারমিতা ইউনিট টেস্টের খাতা দেখছিল। একটু আগে থার্ড ইয়ারের প্র্যাক্টিকাল শেষ হল, আজ আর থিয়োরির ক্লাস নেই, তাই বসেছে উত্তরপত্রের বান্ডিল নিয়ে। বয়ে নিয়ে যাওয়া পোষায় না, কলেজের কাজ যথাসম্ভব কলেজেই সেরে ফেলে। বাড়িতে তা হলে বইটই ঘাঁটার বাড়তি সময় মেলে খানিক।

কী রে, কী এত রাজকার্য করছিস?

পরিচিত কণ্ঠস্বরে পারমিতা ঘুরে তাকাল। দরজায় শর্বরীদি।

পারমিতা হেসে বলল,— ওমা, তুমি না লিভে ছিলে? কবে জয়েন করলে?

এই তো আজই। বলতে বলতে পারমিতার পাশের চেয়ারটিতে এসে বসল প্রাণীবিদ্যার শর্বরী। ব্যাগ টেবিলে রেখে বলল,— ক'দিন জোর ভুগলাম রে।

কী হয়েছিল গো? ভাইরাল ফিভার?

না রে, লাং কনজেশান। আমার ধাত আছে তো। অ্যান্টিবায়োটিকের লম্বা কোর্স করতে হল। এখনও শরীর বেশ দুর্বল।

আর ক'দিন রেস্ট নিলে পারতে।

মেডিকেল লিভ আর বেশি নেই রে হাতে। এখনও চার বছর চাকরি বাকি, কিছু জমিয়ে না রাখলে চলে! শর্বরী চেয়ারে হেলান দিল,— তোর কী খবর?

চলছে।

বাবা কেমন?

বলতে নেই... মাচ বেটার। ডান সাইডের সেন্সেশানটা ফিরছে। ডাক্তারবাবু তো ফিজিয়োথেরাপি এখন একবেলা করে দিলেন।

খুব ভাল। বিছানায় পড়ে থাকার চেয়ে বড় শাস্তি আর কিছু নেই।... আর তোর বরের কী সমাচার?

সে আছে তার মতো। আমি গেলাম, সেও গত শনি-রবি ঘুরে গেল...

তোর বরটা কিন্তু ভাল। আজকালকার ছেলে তো... অনেক বুঝদার। আমাদের বরদের মতো ট্যাঁটা নয়। তারা তো সব এক একটা ইগোর ট্যাবলেট।

রাজা কি সত্যিই আলাদা রকম? অত সরি টরি বলার পরেও তো মনে ক্ষোভটা ধিকিধিকি জ্বলছে। আর কেউ না বুঝুক, যতই তার সঙ্গে রাজা স্বাভাবিক ব্যবহার করুক, পারমিতা ঠিক টের পায়। চকিত আগুনের ফুলকি, হঠাৎ হঠাৎ গোমড়া হয়ে যাওয়া, রাজাকে কি চিনিয়ে দেয় না?

শ্বাস গোপন রেখে পারমিতা বলল,— সত্যিই কি ছেলেরা বদলেছে শর্বরীদি? নাকি বদলে যাওয়ার ভান করে? আচার-আচরণে জাস্ট একটা পালিশ পড়েছে?

তোর মুখে হঠাৎ এ হেন কমেন্ট? উঁহু, এ তো ভাল কথা নয়। বিস্মিত শর্বরীর চোখ সরু হয়েছে,— কী ব্যাপার, অ্যাঁ?

না না, তেমন কিছু নয়।

বললেই হবে? তোর মুখ দেখে বুঝতে পারছি...। শর্বরীর দৃষ্টি তীক্ষ্ণতর,— রাজর্ষি কি কোনও প্রবলেম করছে?

না গো। সে তো কখনই মুখে কিছু বলে না...। বাক্যটা উচ্চারণ করেও বেঙ্গালুরুতে সৌম্যদের ফ্ল্যাটের সেই রাতটা মনে পড়ে গেল পারমিতার। ঢোক গিলে বলল,— তবে কী জানো, একটা চাপ তো থাকেই।

কীসের চাপ? তোর বাবার এই অবস্থায়...

রাজর্ষির সেই ফিলিংটা আছে। পারমিতা সামান্য দ্বিধা নিয়ে বলল,— তবে ... মাঝে মাঝে শোনায়, একা একা থাকতে হচ্ছে, খুব লোনলি লাগে... কনজুগাল লাইফ নেই...

হুম। সাইলেন্ট প্রেশার। এটাও একটা ট্যাকটিক্স। ইনিয়ে বিনিয়ে এমন করবে, যাতে তাদের মর্জিটাই স্ট্যান্ড করে। আর তাতেই তো বেশির ভাগ মেয়ে গলে যায়। শর্বরী হঠাৎ যেন জ্বলে উঠল,— তোরা এখনকার মেয়েরাও যদি একটু শক্ত হতে না পারিস...

কী করব বলো? কী করা উচিত?

সেটা তো তোমাকেই স্থির করতে হবে বাছা। নিজের গেমটা নিজেকেই খেলতে হয়। খেলার পদ্ধতিটাও অন্য কেউ বাতলাতে পারে না। শর্বরী শুকনো হাসল,— আমি শুধু বলতে পারি, আমাকে প্রচুর সাফার করতে হয়েছে, তবু আমি নিজের প্রিন্সিপলে স্টিক করে থেকেছি।

শর্বরীর অতীত মোটামুটি জানে পারমিতা। বনিবনা হয়নি বলে মেয়ে নিয়ে শ্বশুরবাড়ি থেকে চলে এসেছিল। ব্যারাকপুরে ঘরভাড়া নিয়ে বাস করছে বহুকাল। মেয়ের বিয়ে হয়ে গেছে, এখন শর্বরী একেবারেই একা। বর নাকি আসে মাঝে মাঝে, শর্বরীও কালেভদ্রে যায় শ্বশুরবাড়ি, কিন্তু এখনও দু'পক্ষে নাকি তেমন সদ্ভাব নেই।

পারমিতা অনুচ্চস্বরে বলল,— তোমাকে তো শ্বশুরবাড়ির টরচারে...

তারা তো নিমিত্তমাত্র। আসলে তো আমার বরই...। শর্বরীর ঠোঁট সামান্য বেঁকে গেল। একটু যেন দূরমনস্ক ভাবে বলল,— আমি আর আমার হাজব্যান্ড, দু'জনেই স্কুলে পড়াতাম। সে ইংরিজি, আমি বায়োসায়েন্স। কলেজ সার্ভিস কমিশানে অ্যাপ্লাই করে, পরীক্ষা টরিক্ষা দিয়ে এই চাকরিটা আমি পেয়ে গেলাম। প্রথমে কিছু বলেনি, কিন্তু লেকচারারশিপ পেতেই গোঁ ধরল, বেশ তো সংসার সামলে ঘরের দুয়ারে স্কুল করছ, ক'টা বাড়তি টাকার জন্যে বসিরহাট থেকে ব্যারাকপুর ছুটবে কেন! বোঝো আবদার, কলেজে চান্স পেয়েও স্কুলেই পড়ে থাকব! বারণ শুনলাম না, জয়েন করে গেলাম। তবে প্রতিদিন বসিরহাট ব্যারাকপুর... বছরখানেক পর আর ধকলটা সইছিল না। ব্রঙ্কিয়াল প্রবলেমটাও তখন থেকে শুরু। অগত্যা বরকে বললাম, চলো না বারাসতে গিয়ে থাকি। তোমার স্কুল আমার কলেজ দুটোই রিচের মধ্যে পড়বে। সে কিছুতেই রাজি হল না।

কেন? সলিউশানটা তো ভালই ছিল।

বললেই হবে? একেই স্কুলটিচারের অধ্যাপিকা বউ, তাতেই তার মান

খোওয়া গেছে। তার ওপর সেই বউয়েরই সুবিধার্থে বাড়ি ছাড়তে হবে? মুখে অবশ্য যুক্তি দিল, বাড়িতে মা অসুস্থ, মাকে ফেলে যেতে পারব না। তা তার মা'র কী অসুখ? আর্থ্রারাইটিস। তিনি কিন্তু সেই রোগব্যাধি সমেত আশি পেরিয়ে এখনও বহাল তবিয়তে বর্তমান। তা ছাড়া বাড়িতে আমার বরের ভাই রয়েছে, বোনেরও শ্বশুরবাড়ি বসিরহাট টাউনে, সপ্তাহে না হোক তিনবার তখন যাতায়াত করত বাপের বাড়ি...। তাও আমার হাজব্যান্ড ওই অছিলাতেই অনড়। অটল। বুঝলাম, ভীষণভাবে চাইছে আমি যেন কলেজটা ছাড়তে বাধ্য হই।... আমিও তখন দিলাম টাইট। মাম্পিকে নিয়ে সোজা হাঁটা দিলাম ব্যারাকপুর। থাকো তুমি তোমার মা-ভাই নিয়ে।

তারপর?

পরে সে বহুবার সাধ্যসাধনা করেছে, আমি আর ব্যাক করিনি। করবও না। তুই ভাবতে পারবি না পারমিতা, যে শাশুড়ি একদিন আমার পিছনে আদাজল খেয়ে লেগেছিল... কলেজ থেকে ফিরে দেখতাম আমাকে দিয়ে মাজাবে বলেই বাসনকোসন ফেলে রেখেছে... পয়সা দিয়ে লোক রাখলেও ছাড়িয়ে দিত... এখন সেই মহিলাই কী মধুরভাষিণী! গেলে কী আদর, পাড়াপড়শিদের কাছে কত প্রশংসা...! বাড়ির দোতলা উঠছে, বউ সেখানে টাকা দিচ্ছে...! শর্বরীর বাঁকা হাসি চওড়া হল,— নীতিবাক্যটা বুঝলি?

পারমিতা ধন্দমাখা মুখে বলল,— কী বলো তো?

শেষপর্যন্ত মেয়েরা যদি লড়াই করে করে কোথাও একটা পৌঁছোতে পারে, তখন সবাই তাকে কুর্নিশ করবে। কিন্তু তার আগে পর্যন্ত বাধা দেবে প্রাণপণ। ...মনে আছে, বোধিলাভের আগে বুদ্ধকে কেমন ঘিরে রেখেছিল মারেরা? আমাদের, মেয়েদের, ওই মারের উপদ্রবটা সইতে হয়। খুব যন্ত্রণা হয় রে। আমাকেই তো বর ছাড়া একটা আধাখেচড়া সংসারে জীবনের আসল সময়টা কাটাতে হল। মেয়েটাও সেভাবে তার বাবাকে পেল না। কলেজেও কতরকম রসালো গল্প তৈরি হয়েছে। কোনও পুরুষ কলিগের সঙ্গে একান্তে দু'মিনিট কথা বললেও অন্যরা আড়ে আড়ে তাকাত। খারাপ লাগত, তবে ঝেড়েও ফেলেছি। আমি তো জানি আমি কী, সো হোয়াই শুড আই বদার?

কিন্তু...। পারমিতা না বলে পারল না,— ওই জেদ দেখিয়ে তুমি পেলেটা কী?

মেটিরিয়ালি দেখতে গেলে প্রায় কিছুই না। তবে হ্যাঁ, জীবনটা তো নিজের টার্মসে কাটাতে পেরেছি। একটা মেয়ের পক্ষে এই পারাটা কি একটা অ্যাচিভমেন্ট নয়?

তার জন্য ঝুঁকিও কম নাওনি। বরের সঙ্গে সম্পর্কটা তোমার ভেঙেও যেতে পারত।

হ্যাঁ, সেটাই তো স্বাভাবিক ছিল। তবু কী করে যেন রয়ে গেল। হয়তো আমার ওপর তার টান আছে। হয়তো আমিও তাকে ভালবাসি। নইলে তার অসুখ বিসুখের খবরে ছুটে ছুটে গেছি কেন? সেই বা কেন চলে এসেছে হঠাৎ হঠাৎ? নিজের অহং সেও জয় করতে পারেনি। আমিও না। বলেই ফিকফিক হাসছে শর্বরী,— তাতেই বোধহয় কাটাকুটি হয়ে গেছে।

অর্থাৎ তোমরা বেশ কাঠে কাঠে?

বলতে পারিস। কেউ আমরা কারওকে জমি ছাড়িনি, বুঝলি। ব্যাগ থেকে ইনহেলার বার করে ফসফস স্প্রে নিল শর্বরী। দু'-এক সেকেন্ড চোখ বুজে থেকে বাইরে তাকিয়েছে। বিড়বিড় করে বলল,— বৃষ্টিটা মনে হচ্ছে ধরল...। তুই কি উঠবি এখন?

বসে থেকেই বা কী করব? পারমিতা হাসছে,— খাতা দেখা তো আজকের মতো চৌপাট। চলো বেরিয়েই পড়ি।

ব্যারাকপুর লোকালে ফিরতে ফিরতে শর্বরীকে নিয়েই ভাবছিল পারমিতা। ওভাবেও তো জীবন কাটে স্বামী-স্ত্রীর। কিন্তু সেটা কি খুব সুখের? কেমন অস্বাভাবিক লাগে না? পারমিতা হলে কি এভাবে থাকতে পারত? আবার ধরাবাঁধা গার্হস্থ্য জীবনেও যে স্বামী-স্ত্রী সর্বদা সুখের সাগরে ভাসে, তেমনটাও তো নয়। এই তো, দিদিশাশুড়িই সেদিন বলছিল, সংসারের মূল রসায়ন হল বোঝাপড়া। আর সেটা হয় সমানে সমানে। সেখানে দু'পক্ষকেই কিছুটা করে ছাড়তে হয়। তা না হলে সম্পর্কটাই তো এবড়োখেবড়ো। দিদার নিজের বেলাতে নাকি এমনটাই ঘটেছিল। বরকে ব্যক্তিত্বে কাবু করে কলেজে পড়তে গিয়েছিল দিদা, পাঁচ বছরে তিন বার গর্ভধারণ করিয়ে প্রতিশোধ নিয়েছিল সেই বর। এক

ছাদের নীচে, এক বিছানায় শুয়েও, তাদের নাকি নীরব যুদ্ধ চলেছে আজীবন। সংসারের প্রতিটি কর্তব্যই করেছে দিদা, কিন্তু স্বামীকে কখনও মনেপ্রাণে ভালবাসতে পারেনি। এভাবেও তো চলে জীবন, নয় কি?

এতাল বেতাল চিন্তার মাঝেই ট্রেন শেয়ালদা ঢুকেছে। মহিলা কামরাতেও রক্ষা নেই, নামতে প্রাণান্ত। বাড়ি ফেরার জন্য মরিয়া মেয়েরা এমন কুৎসিত ধাক্কাধাক্কি করছে! প্ল্যাটফর্মটাও জলকাদায় প্যাচপেচে, জোরে পা চালাতে গেলেই আছাড় খাওয়ার সম্ভাবনা। শাড়ি সামান্য তুলে সন্তর্পণে হাঁটছিল পারমিতা। ব্যাগ-ছাতা সামলে। জনস্রোত কাটিয়ে কাটিয়ে। সাউথ স্টেশনে ক্যানিং লোকালের সিগনাল হয়ে গেছে, দৌড়ে গিয়ে কোনওক্রমে পা রাখল শেষ বগিতে। পুজোর কেনাকাটা সেরে ফিরছে অনেকে, ঠেসাঠেসি যেন তাই আরও বেশি, ঠেলেঠুলেও অন্দরে ঢোকা মুশকিল। তার ওপর এত নোংরা কীটপতঙ্গ কিলবিল করছে গায়ের কাছে... ওফ, নরকযন্ত্রণা! একটা গাড়ি ছেড়ে পরবর্তী ট্রেনের লেডিজ কম্পার্টমেন্টে চাপলেই ভাল হত।

যাদবপুরে নেমে পারমিতা বুক ভরে শ্বাস নিল। এদিকে বৃষ্টি বুঝি তেমন হয়নি, পথঘাট প্রায় শুকনো। রিকশায় যেতে যেতে পারমিতা দেখছিল দোকানপাট। এদিকেও পুরোদমে চলছে শারদীয় বিকিকিনি। মহালয়া এসে গেল, এবার পারমিতাকেও সেরে ফেলতে হবে পুজোর বাজার।

মোড়ের দোকান থেকে এক ভাঁড় রসমালাই কিনে নিল পারমিতা। এই মিষ্টিটা বাবা বেশি পছন্দ করছে ইদানীং। চপ-শিঙাড়াও নিল অল্প, মা'র জন্যে। মুখে যতই না না করুক, ভাজাভুজিটাই মা'র প্রিয় আইটেম।

দোতলার ফ্ল্যাটে বেল বাজাতেই ছোট্ট খুশির ঝলক। দরজা খুলেছে টুটান।

পারমিতা হরষিত মুখে বলল,— কী রে, তুই? কতক্ষণ?

এই তো, একটু আগে। এ-জি বেঙ্গলের খবরটা দিতে এসেছিলাম।

শুভেন্দুর প্রাক্তন সহকর্মীর কাছে গিয়েছিল সুমিতা। কয়েক দিন পর খোঁজ নিতে বলেছিল ভদ্রলোক। তা সুমিতার পক্ষে তো বারবার ছোটাছুটি সম্ভব নয়, টুটানই নিয়েছে দায়িত্বটা। ডালহাউসিতে টুটানের অফিস, টুপ করে সে হানা দিতে পারে।

চটি ছাড়তে ছাড়তে পারমিতা জিজ্ঞেস করল,— কী অবস্থা দেখলি রে? ক'ইঞ্চি এগোল?

তোর শ্বশুরের সুপারিশের ওজন আছে রে মিতুদি। ফাইল নেচে নেচে অফিসারের ঘরে ঢুকেছে। মনে হচ্ছে মালটা এবার নেমে যাবে।

গুড। ভেরি গুড। এমন একটা নিউজের জন্য তোকে তো মিষ্টিমুখ করাতে হয়। পারমিতা অনাবিল হাসল,— রসমালাই চলবে? সঙ্গে যৎকিঞ্চিৎ নোনতা?

পারমিতার হাতের প্লাস্টিক ঝোলাটায় নজর আটকেছে টুটানের। চোখ বড় বড় করে বলল,— এনেছিস বুঝি?

সামান্য কিছু। পারমিতা গলা ওঠাল,— মা, ঠোঙা থেকে এগুলো ঢালো তো।

সুমিতা রান্নাঘর থেকে বেরিয়েছে। বলল,— এ হে হে, আমি তো টুটানের জন্য টোস্ট-ওমলেট বানিয়ে ফেলেছি!

তো কী? দু'রকমই হোক। ফেজ বাই ফেজ। প্রথমে মিতুদিরটাই আসুক।

প্লেটে চপ-শিঙাড়া সাজাচ্ছিল সুমিতা। ব্যাগ নামিয়ে পারমিতা বাবার কাছে এল। এ ঘরটায় একটু যেন অসুখ অসুখ গন্ধ থাকে সারাক্ষণ, তবু এখানে পা রাখলেই কেমন অন্যরকম হয়ে যায় মন। সারাদিনের খাটাখাটুনি, কলেজের খুচরোখাচরা টেনশান, নিজস্ব দুর্ভাবনা, পথশ্রমের ক্লান্তি, সব যেন পলকে উধাও। বাবাকে দেখামাত্র কী যে ভাললাগায় বুকটা ভরে ওঠে!

প্রণব আজ বালিশে ঠেসান দিয়ে বসে। চোখ দরজায়, যেন শোনার চেষ্টা করছিল বাইরের কথাবার্তা। খাটের পাশে গিয়ে পারমিতা বলল,— কী গো, আজ কেমন?

লাগোয়া বাথরুমে কী যেন ধুচ্ছিল বিমলা। মুখ বাড়িয়ে বলল,— বাবুর আজ খুব আনন্দ।

শুধু বিমলাকে নয়, যেন প্রণবকেও জিজ্ঞেস করল পারমিতা,— কেন গো? ভাইপো এসেছে বলে?

সে তো আছেই। বাড়িতে যে কেউ এলেই বাবু বড্ড খুশি হয়। তার ওপর ওই দাদা আজ বাবুর জন্য নতুন পাঞ্জাবি এনেছে...

ওমা, তাই? পারমিতা বিছানায় বসল,— পুজোর জামা? তোমার পছন্দ হয়েছে?

শিশুর মতো ঘাড় হেলাল প্রণব। কী যেন বলারও চেষ্টা করল, পারল না। ধ্বনিটুকু বেরোল মাত্র।

পারমিতা বাবার হাতে হাত রাখল,— পাঞ্জাবিটা পুজোয় পরবে তো?

আবার ঢক করে নড়ল ঘাড়। উচ্ছ্বাসে খানিকটা লালা গড়িয়ে পড়ল কষ বেয়ে। খাটের বাজুতে রাখা তোয়ালে দিয়ে মুখটা মুছিয়ে পারমিতা বলল,— আমি কিন্তু পুজোয় তোমায় একটা অন্য জিনিস দেব। হুইল চেয়ার। তাতে চড়ে, নতুন পাজামা-পাঞ্জাবি পরে, তুমি এবার ঠাকুর দেখতে যাবে।

প্রস্তাবটায় প্রণব বুঝি ভারী উত্তেজিত। মুখমণ্ডল লাল হয়ে উঠেছে। চিত্তচাঞ্চল্যের কারণে শ্বাস চলছে জোরে জোরে।

পারমিতা বাবার বুকটা আলতো ঘষে দিতে দিতে বলল,— ঠিক আছে, ঠিক আছে, শান্ত হও। ...তোমার ফেভারিট মিষ্টি এনেছি, খাবে এখন?

দু'দিকে মাথা দুলছে প্রণবের। চোখ কী যেন ইশারা করছে। পারমিতা বলল,— বুঝেছি। এখন পেটভরতি, রাত্তিরে খাবে, তাই তো?

গলা বেয়ে ফের দুর্বোধ্য আওয়াজ। পারমিতা ঘুরে বিমলাকে জিজ্ঞেস করল,— বাবাকে বিকেলে কী দেওয়া হয়েছে?

দুধমুড়ি। অনেকটা খেয়েছেন।

গ্যাস ট্যাস হচ্ছে না তো?

না বোধহয়।

খেয়াল রেখো। ...ডান হাতের ব্যায়ামটা করাচ্ছ তো রোজ?

হ্যাঁ গো দিদি, হ্যাঁ। আমার কাজে কখনও ফাঁকি দেখেছ?

হেসে ফেলতে গিয়েও সামলে নিল পারমিতা। চা-খাবার নিয়ে সুমিতা ডাকাডাকি করছে, বাবাকে ছেড়ে বাইরে এল।

টুটানের চপ-শিঙাড়া পর্ব শেষ। জমিয়ে টোস্ট-ওমলেট সাঁটাচ্ছে। চোখ নাচিয়ে পারমিতাকে বলল,— খা রে মিতুদি। তোর শিঙাড়া তো আধমরা হয়ে গেল।

হুঁ। পারমিতা সোফায় বসল,— বাবাকে কেমন দেখছিস?

ফাইন। শুধু কাকার স্পিচটা যদি এসে যেত...

হ্যাঁ রে, ওটাই তো ভাবাচ্ছে। সব অঙ্গেরই তো সাড় ফিরছে, শুধু ওটারই কোনও...

একটা মুষ্টিযোগ ট্রাই করতে পারিস। হিন্দি ফিল্মে দেখায় না... বছরের পর বছর বাক্‌রোধ হয়ে আছে, হঠাৎ একটা জোর শক খেল, ওমনি ঝটাকসে...

যাহ্, ফাজলামি করিস না। কী করলে সত্যি সত্যি চাঙা করা যায়, সাজেশান দে তো।

কাকা তো ধরে ধরে হাঁটে। ডাক্তারবাবুর অ্যাডভাইস নিয়ে একটা ওয়াকার ট্রাই কর। ওতে পেশেন্টেরও নিজের ওপর কনফিডেন্স বাড়ে।

ওতে নয় দেহের বল বাড়ল। কিন্তু মস্তিষ্ক...? স্পিচ...?

আমি তো তোকে বললাম, একটা স্ক্যান দরকার। সুমিতা ফস করে বলে উঠেছে,— একবার ডাক্তারবাবুকে বলে দ্যাখ না।

হবে, হবে। এর মধ্যেই হবে। হয়েছে কথা ডাক্তারবাবুর সঙ্গে। পারমিতা চা টানল। টুটানকে বলল,— হ্যাঁরে, তুই একদিন ছুটি নিতে পারবি?

স্ক্যানিং-এর দিন?

হুঁ। এমনি গাড়িতে নিতে না পারলে হয়তো অ্যাম্বুল্যান্স ডাকতে হবে। যদি কেউ একজন সঙ্গে থাকে...

নো প্রবলেম। জাস্ট একদিন আগে জানিয়ে দিস।

বেশ।

আরও একটুক্ষণ গল্প করে, বাবাকে আর একবার দেখে, বেরিয়ে পড়ল পারমিতা। টুটানের সঙ্গে। বাইরে আকাশ গাঢ় লাল, এদিকে বুঝি ঢালবে এবার। হাওয়া নেই এতটুকু, গরম লাগছে রীতিমতো। পারমিতা শঙ্কিতবোধ করল, গড়িয়া পৌঁছোনর আগেই না ঝমঝম নেমে যায়।

রাস্তায় এসে টুটান সিগারেট ধরিয়েছে। ধোঁয়া ছেড়ে বলল,— পুজোতে তুই নাকি কলকাতাতেই থাকছিস?

হ্যাঁ রে। একটা ঝামেলার কাজ পড়ে গেল।

কাকি বলছিল কী একটা কোর্স করবি বলে তুই নাকি রাজাদার কাছে যাচ্ছিস না?

ও, এসব গল্পো করা হয়ে গেছে মা'র! পারমিতা বিরক্তি চেপে বলল,— খুবই জরুরি ব্যাপার রে। না করলেই নয়।

রাজাদা কাঁইকাঁই জোড়েনি?

না তো। পারমিতা স্বর অচঞ্চল রেখে বলল,— সে নিশ্চয়ই সিচুয়েশানটা বোঝে।

বহুৎ কনসিডারেট কিন্তু তোর বর। আমি হলে চিল্লিয়ে ফাটিয়ে দিতাম। টুটান হ্যা হ্যা হাসছে,— আমার বউ অবশ্য খুব বাধ্য। বিয়ের আগেই বেড়াল মেরে রেখেছি কিনা। সাফ বলে দিয়েছিলাম, চাকরি টাকরি যা ইচ্ছে করো, তবে আমায় অবহেলা আমি বরদাস্ত করব না।

তুই তো দেখছি মহা এম-সি-পি?

যা খুশি বলতে পারিস। তবে সংসার একজনেরই কন্ট্রোলে থাকা উচিত। সেটা হাজব্যান্ডরাই বেটার পারে। চোখের কোণ দিয়ে টুটান দেখল পারমিতাকে। তারপর তরল সুরে বলল,— যাক গে, ফালতু বাত ছোড়। তোদের স্কুলের তো সেদিন বড় অ্যাড দেখলাম রে পেপারে!

হুম। পঁচাত্তর বছর হচ্ছে তো... তাই একটু ঘটা করে...

তোকে ডাকেনি?

গিয়েছিলাম একদিন। দেখলাম, বহুৎ দলাদলি। কেটে এসেছি।

বেশ করেছিস। ঝুটঝঞ্ঝাটে না থাকাই ভাল। সিগারেট শেষ করে পায়ে চেপে নেভাল টুটান। বাসস্টপে এসে দাঁড়িয়ে পড়েছে। ঘড়ি দেখে বলল,— চলি রে। স্ক্যান করার ডেটটা পেলে আমায় জানিয়ে দিস।

রাস্তা পেরিয়ে উলটো পারে এল পারমিতা। বরাত ভাল, মিনিট দুয়েকের মধ্যে একটা অটোয় জায়গা মিলেছে। সামনে অল্প অল্প জ্যাম, হোঁচট খেতে খেতে চলেছে তেচাকা। বাঘাযতীনের মোড়ে পৌঁছে আর নো নড়নচড়ন। চারদিকে শুধু প্যাঁপো, ক্যাচোরম্যাচোর... কানে তালা লাগার জোগাড়। তারই মধ্যে আবছা ভাবে টের পেল ব্যাগে ফোন বাজছে। রাজার জন্য সংরক্ষিত বিশেষ রিংটোন। চটপট মোবাইল বার করল পারমিতা, কিন্তু ততক্ষণে কল শেষ। সেলফোনখানা পারমিতা হাতেই রাখল, ফের যদি বাজে...!

বাজল না। গড়িয়ায় নেমে নিজেই ফোন করল রাজাকে। নাহ, ব্যস্ত নয়, রিং হচ্ছে। রাজার গলা শোনা গেল,— ট্রেনে ছিলে বুঝি?

নাহ। যাদবপুর থেকে ফিরছি।

অ। কাজের কথা শোনো। বাবা মা আর তাতারের টিকিট তোমায় মেল করে দিয়েছি। ডাউনলোড করে নিয়ো।

সেই অপ্রিয় প্রসঙ্গ!

পারমিতা স্বর সহজ রেখে জিজ্ঞেস করল,— কবেকার টিকিট হল?

কলকাতা থেকে দ্বাদশীর দিন। ব্যাক, নভেম্বরের টেন্থ।

পারমিতা ঝটপট হিসেব করে দেখল। নভেম্বরের ছ' তারিখ দেওয়ালি... অর্থাৎ উটির প্রোগ্রামটা হচ্ছেই! তাও কেন যে মুখ দিয়ে বেরিয়ে গেল,— বাবা-মা'র সঙ্গে কথা বলে নিয়েছ?

কী ব্যাপারে?

ওই সময়ে ভাইফোঁটা... মা তো প্রতি বছর...

এবার মা ভাইফোঁটা দেবে না। আমার রিকোয়েস্টটা রেখেছে মা।

ও।

ছাড়ছি তা হলে?

কী অদ্ভুত ভাবলেশহীন কণ্ঠস্বর! রাজার বলে চেনাই যায় না। একটুক্ষণ ঝুম হয়ে দাঁড়িয়ে রইল পারমিতা। তারপর হাঁটছে ধীর পায়ে। নিজের জেদটাই তা হলে বজায় রাখল রাজা? এবার যখন রাজা এল, পারমিতা কত করে বলেছিল উটিভ্রমণ স্থগিত থাক এখন, বড়দিনে যাবে সবাই মিলে...। রাজা অনুরোধটা গ্রাহ্যই করল না? যেন তর্জনী তুলে বুঝিয়ে দিল পারমিতার খাতিরে সে কখনই সিদ্ধান্ত বদলাবে না! কী করা যাবে, রাজা যদি জেনেবুঝে অবুঝ হয়, পারমিতাও নিরুপায়!

নাহ্, বদলে যাচ্ছে রাজা, বদলে যাচ্ছে। রাতেও তো আজকাল ফোন করে না রোজ। যদি বা করে, যেন রুটিনের মতো। বাঁধা গতের সংক্ষিপ্ত আলাপচারিতা। পারমিতাই বরং উপযাচক হয়ে প্রশ্ন করে নানারকম। রাজার অফিস নিয়ে, রাজার বন্ধুবান্ধবদের নিয়ে, রাজার খাওয়া দাওয়া নিয়ে...। কখনই রূঢ়ভাবে কথা বলে না রাজা, তবে জবাব কাঠকাঠই থাকে।

বুকটা ভার হয়ে যাচ্ছিল পারমিতার। বাড়ি ফিরে নিজের ঘরে চুপচাপ বসে রইল খানিকক্ষণ। কী যে করে এখন? কী করবে? রিফ্রেশার কোর্সটা ছেড়ে দিলে কি প্রশমিত হবে রাজার ক্ষোভ? তারপর? বাবাকে ফেলে

পারমিতাকে বেঙ্গালুরু থাকার জন্য জবরদস্তি করবে, রাজা মোটেই এতটা নিষ্ঠুর নয়। পারমিতা জানে। তার চেয়ে এখন যেমন চলছে... রাজা কখনও এল, সেও গেল নিয়ম করে, ছুটিছাটায় ক'টা দিন বেশি কাটিয়ে এল... এভাবেই যদি তুইয়ে-বুইয়ে চলা যায়... যদি সম্ভব হয়...!

তাতার গুটিগুটি ঘরে ঢুকেছে। পিটপিট চোখে দেখছে মাকে। পারমিতা পাতলা হেসে বলল,— কী রে? বলবি কিছু?

ছুট্টে এসে মাকে জড়িয়ে ধরেছে তাতার। কৌতূহলী গলায় বলল,— তুমি বসে আছ কেন মা?

এমনিই...। ছেলের স্পর্শে একটু বুঝি সঞ্জীবিত হয়েছে পারমিতা। তাতারকে কোলে টেনে বলল,— আজ সারাদিন আমার তাতারসোনা কী কী দুষ্টুমি করেছে?

তাতার ঘটঘট মাথা নাড়ল,— কিচ্ছু না।

বন্ধুদের সঙ্গে মারামারি?

না তো।

দাদুকে নিশ্চয়ই জ্বালিয়েছিস. তাস ঘেঁটেছিস দাদুর?

তাতার প্রবলভাবে মাথা দোলাল,— একবারও না।

ঠাম্মা টিভি দেখতে পেরেছে?

হ্যাঁ অ্যা অ্যা।

তা হলে দিনভর করলিটা কী?

ফুটবল খেলেছি। কার্টুন চ্যানেল দেখেছি। ড্রয়িং-এ কালার করেছি।

ওরে ব্বাবা, এত লক্ষ্মী ছেলে! পারমিতা তাতারের গাল টিপে দিল,— আর রং ভুল করছিস না তো?

উঁহু। ট্রি হল গ্রিন। সান ইয়েলো। স্কাই ব্লু।

ভেরি গুড। আজ তোকে একটা স্টোরি শোনাব।

কোনটা। লালকমল, নীলকমল? না ব্যাঙ্গমা-ব্যাঙ্গমী?

এটা একদম নতুন। তোকে বলিইনি। পারমিতা ছেলের গালে গাল ঘষল। তাতারের উষ্ণ ছোঁয়ায় মন স্থিত হয়েছে খানিক। বুঝি বা এটাও এক ধরনের আশ্রয়। হৃদয়পীড়ার উপশম। মধুর হেসে বলল,— চল, আর দেরি নয়, খেতে খেতে গল্প শুনবি।

এমা, আমার খাওয়া তো হয়ে গেছে!

তাই নাকি? কখন?

এই তো, একটু আগে। ঠাম্মা বলল, তোর মা'র ফেরার কি কোনও ঠিক-ঠিকানা থাকে! রোজ রোজ তার অপেক্ষায় বসে থাকার কোনও প্রয়োজন নেই!

পারমিতা দুম করে তেতে গেল। একটা বাচ্চার সামনে এ কী ধরনের কথাবার্তা? এমন কী রাত করেছে সে আজ? সবে তো আটটা চল্লিশ! এক এক দিন তো তাতার এই সময়ে খেতে বসে!

অভ্যেস মতো রাগটা গিলেও নিল পারমিতা। ঝগড়াঝাঁটি তার ধাতে নেই, শাশুড়িকে গিয়ে বলল না কিছু, তবে তাতারকে আর ছাড়ল না। প্রায় চেপে ধরে শুইয়ে দিয়েছে। চট করে পোশাক বদলে নিজেও এল ছেলের পাশে। শোনাচ্ছে গল্প। হ্যামেলিনের বাঁশিওয়ালার। তাতারকে নিয়ে একটাই সুবিধে, পুরো কাহিনি তাকে বলতে হয় না, তার আগেই সে পৌঁছে যায় ঘুমের দেশে।

নিদ্রিত তাতারের মাথা বালিশে তুলে দিয়ে পারমিতা বিছানা ছেড়ে উঠল। অন্তরের কোন অন্তঃস্থলে এখনও যেন তুষের আগুন জ্বলছে সংগোপনে। চোয়ালে চোয়াল কষে পারমিতা বসল কম্পিউটারে। মেলবক্স খুলে বার করেছে টিকিট। ছেপে নিল প্রিন্টারে। তারপর কাগজখানা হাতে গেছে মানসীদের ঘরে।

মানসী আলমারি খুলে কী যেন করছিল। শুভেন্দু নোটবুকে দিনের হিসেব লিখছে। ঘুরে তাকিয়ে মানসী বলল,— কী গো, কিছু বলবে?

পারমিতা নিরুত্তাপ স্বরে বলল,— মা, এই প্রিন্ট-আউটটা আপনাদের কাছে রাখুন।

কী ওটা?

আপনার, বাবার আর তাতারের প্লেনের টিকিট। কেটে কেটে বলল পারমিতা, রাজা পাঠিয়েছে।

ও। মানসী একবার টেরিয়ে দেখল শুভেন্দুকে। বিরস মুখে পারমিতাকে বলল,— তা হলে আমরা তিনজনই যাচ্ছি শেষপর্যন্ত?

সেইরকমই তো স্থির হয়েছিল।

তোমার গোঁ থেকে তুমি তা হলে নড়লে না?

ও কথা উঠছে কেন? পারমিতার গলায় ঝাঁঝ এসেই গেল,— আপনি

১৩৪

তো জানেন কেন আমি যাচ্ছি না। যেতে পারছি না। আপনার ছেলেকেও সেটা বলেছি। সে মেনেও নিয়েছে।

হুঁহ, না মেনে তার উপায় আছে! তার ইচ্ছে-অনিচ্ছেকে তুমি থোড়াই মান্য করো।

ন্যায্য হলে নিশ্চয়ই করি মা। আমার সুবিধে-অসুবিধেগুলোও তো তাকে বুঝতে হবে।

তুমি তার সুবিধে-অসুবিধে বোঝো? বোঝার চেষ্টা করেছ কখনও? বরং তোমাকেই তো সে শুধু সুতো ছেড়ে যাচ্ছে। সবটাই তো একতরফা।

আমি তর্ক করতে চাই না মা। টিকিটটা রইল, রেখে দিন।

বলে পারমিতা বেরিয়ে আসছিল, ফের মানসীর কণ্ঠ উড়ে এসেছে,— কাজটা কিন্তু ভাল করলে না। চাকরির বাহানা দেখিয়ে মেয়েমানুষের এই ধরনের একগুঁয়েমি শোভা পায় না।

ছাড়ো না মানসী। কেন কথা বাড়াচ্ছ? শুভেন্দু চোখ কুঁচকে তাকিয়েছে,— তার যদি বরের কাছে যেতে ইচ্ছে না করে, তুমি তো ঘেঁটি ধরে নিয়ে যেতে পারো না!

সেটাই উচিত। আমার ছেলেটা নরম সরম বলে পার পেয়ে যাচ্ছে। অন্য কোনও বর হলে...

ছিটকে নিজের ঘরে চলে এল পারমিতা। হাঁপাচ্ছে। শ্বশুর-শাশুড়ির মন্তব্যগুলো যেন চিপে ধরছে ফুসফুস। এক-দু'দিন নয়, প্রায় পাঁচ বছর ধরে পারমিতাকে দেখছে রাজার বাবা-মা, তার পরেও পুত্রবধূ সম্পর্কে এই ধারণা? এত শ্রম দান, মন জুগিয়ে চলা... সবই তা হলে নিষ্ফলা? যুক্তি দিয়ে কেউ কিছু বিচার করবে না? পারমিতার অবস্থাটা ভাববে না?

মোবাইল বাজছে। ওফ, এখনই বাজতে হল? অভ্যস্ত ধ্বনি কী উচ্চকিত হয়ে আঘাত করছে কানের পরদায়!

পারমিতা ঝাং করে সেলফোন তুলল। মনিটরে মা। তীক্ষ্ণ স্বরে পারমিতা বলল,— কী হল? হঠাৎ?

অ্যাই, তখন কথায় কথায় বলতে ভুলে গেলাম... টুটান তো আমাকেও একটা শাড়ি দিয়েছে রে।

তো?

তোর জেঠিমাকেও তো তা হলে একটা শাড়ি দেওয়া উচিত। ঠিক কি না? তাই ভাবছিলাম, আমি যদি বেরিয়ে কিনে আনি, কিংবা তুই...। জানিসই তো, সে লাল বাদে হালকা হালকা রং পরে...

আহ, মা! পারমিতা ঝামটা দিয়ে উঠল,— আলোচনাটা কি এতই জরুরি যে এক্ষুনি করতে হবে? একটু শান্তি দাও না মা। জ্বালিয়ো না তো সব সময়ে।

মোবাইল বিছানায় আছড়ে ফেলল পারমিতা। ফুলছে নাকের পাটা। দপদপ করছে কপালের শিরা। ক্ষণ পরে হুঁশ ফিরেছে। ছি ছি, এ কী আচরণ করল সে মা'র সঙ্গে? নিজের সমস্যার ঝাল মা'র ওপর মেটাচ্ছে? কেন সে বশে রাখতে পারছে না স্নায়ু? খারাপ, খারাপ। খুব খারাপ।

বাইরে বৃষ্টি নেমেছে। মুষলধারে। বারিধারার শব্দটা যেন নিজের ভেতরেও শুনতে পাচ্ছিল পারমিতা।

দশ

সংসার ভারী আজব জায়গা। এ চেরাপুঞ্জি নয়, যে স্যাঁতস্যাঁতে হয়ে থাকবে সর্বক্ষণ। আবার গোবি সাহারাও নয়, যে এখানে মেঘের আবির্ভাব একান্তই অপ্রত্যাশিত। এ মরুপ্রদেশও নয়, নিরক্ষীয় অঞ্চলও নয়। অনন্ত শৈত্য বা ধরাবাঁধা বৃষ্টির আবর্তে আটকে থাকে না চিরকাল। এখানে বুঝি ছয় ঋতুই বাস করে একত্রে। গ্রীষ্ম বর্ষা শীত বসন্ত, কে যে কখন দখল নেবে সংসারের আগাম ঠাহর করা দায়। অবশ্য কোনও ঋতুই সংসারে পাকাপাকি গেঁড়ে বসতে পারে না। তবে প্রত্যেকেরই ছাপ রয়ে যায় সংসারে। কোথাও না কোথাও।

পারমিতার সঙ্গে শ্বশুর-শাশুড়ির মন কষাকষিও টিকল না বেশি দিন। তিন-চার দিন গোমড়া রইল পারমিতা, ভাববাচ্যে কথা বলছে মানসী, প্রয়োজন বিনা শুভেন্দু-পারমিতার বাক্যবিনিময় নেই, তাতারকে দূতের ভূমিকা পালন করতে হচ্ছিল অহরহ। হঠাৎ রাজার এক বালুরঘাটের পিসি এসে পড়ায় ভাঙল বরফ। ঘণ্টা তিন-চার ছিল পিসি, তখন তো তার সামনে খুশি খুশি মুখে অবতীর্ণ হতেই হয়। দেখাতেই হয় একটা সুখী পরিবারের ছবি। অবশেষে পিসি যখন বিদায় নিল, কী করে যেন ফের স্বাভাবিকতার প্রলেপ পড়ে গেছে সংসারে। যা চাপা পড়ল, তা বোধহয় এখনই আর হুট করে বেরিয়ে আসবে না।

তারপর তো পুজোই এসে গেল। মহালয়ার পর থেকেই বাতাসে উৎসব উৎসব ভাব। আর তার ছোঁয়ায় পারমিতার শ্বশুরবাড়ি ফের প্রাণচঞ্চল। রাজার গাড়ি নিয়ে শাশুড়ি-বউ মিলে একদিন বাজার করল গড়িয়াহাটে। অষ্টমীর দিন ঠাকুর দেখল সারারাত। তাতারকে নিয়ে নবমী-দশমী বাপের বাড়িতে কাটাল পারমিতা।

এদিকে শুভেন্দু-মানসীর বেঙ্গালুরু যাত্রার প্রস্তুতিও চলছে পুরোদমে।

শুধু পারমিতার প্রসঙ্গটা ভুলেও উচ্চারণ করছে না কেউ। সংসারের কোনও খাঁজে চোরকাঁটার মতোই নয় লুকিয়ে থাকুক ঘটনাটা, আপাতত তা নিয়ে খোঁচাখুঁচিতে বুঝি প্রত্যেকেই নারাজ।

নির্দিষ্ট দিনে তলপিতলপা গুছিয়ে মানসীরা উড়ে গেল বেঙ্গালুরু। পারমিতা গিয়েছিল তুলে দিতে। তাতারকে পইপই করে শেখাল, যেন সে বাধ্য হয়ে থাকে, একা একা বাবার ফ্ল্যাট ছেড়ে যেন বেরিয়ে না যায়...। তাতার মায়ের উপদেশ শুনবে কী, সে তো প্লেনে চড়ার উত্তেজনায় তিড়িংবিড়িং লাফাচ্ছে। মাকে টা-টা করে তাড়াতাড়ি সে পালাতে পারলে বাঁচে।

গড়িয়ায় ফিরে সেদিন যে কী ভীষণ একা লাগছিল পারমিতার। শুনশান বাড়ি, বাইশ-তেইশ দিনের আগে তাতারকে দেখতে পাবে না... সব মিলিয়ে বুকের ভেতর একটা খাঁ খাঁ ভাব। গোটা সন্ধেটাই মন খারাপ করে শুয়ে রইল বিছানায়। তাতাররা পৌঁছোনোর পর রাজা যখন ফোন করল, একা বাড়িতে নিজেকে কেমন পরিত্যক্ত পরিত্যক্ত লাগছিল তখন। স্বেচ্ছাতেই তো রয়ে গেছে সে, তবুও। শেষে রাতে রানার সঙ্গে দু’-চারটে কথা বলে খানিকটা যেন শান্ত হল মন।

হ্যাঁ, গড়িয়াতেই থেকে গেল পারমিতা। সুমিতা তাকে যাদবপুর চলে আসতে বলেছিল, গেলে পারমিতার সুবিধেই হত, যাদবপুর বিশ্ববিদ্যালয় তো ও বাড়ি থেকে হাঁটা-পথ, তবু পারমিতা রাজি হয়নি। বড়জোর এক-আধদিন এখন বাপের বাড়িতে থাকা সম্ভব, তা বলে গোটা ছুটিটা? বাড়িতে রানা আছে, অণিমা-সরস্বতী সকালে কাজে আসবে... পারমিতা না থাকলে চলে? তা ছাড়া রানার রাতে ফেরার কোনও স্থিরতা নেই, হয়তো এলই না, বাড়ি সম্পূর্ণ অরক্ষিত থাকবে, এও তো কাজের কথা নয়।

আর একটা অদৃশ্য বাধাও আছে বই কী। হয়তো বা সেটাই মোক্ষম। শুধুমাত্র পড়াশোনার কারণেই যে পারমিতা এখন কলকাতায়, বাপের বাড়িতে ছুটি কাটাতে নয়, রাজার কাছে এটাও তো প্রমাণ করা জরুরি। বুঝি বা নিজের কাছেও। নয় কি?

তবে ছুটিটা পারমিতার কাটছে বটে। ঝড়ের গতিতে। কোর্স শুরু হওয়ার পর থেকে তো চোখেমুখে দিশা পাচ্ছে না। সাড়ে দশটায় ক্লাস

শুরু, চলে সেই সাড়ে পাঁচটা পর্যন্ত। মাঝে মিনি ব্রেক। এভাবে রোজ ছ'-সাত ঘণ্টা ক্লাস করা কি মুখের কথা! পড়ানো আর পড়ায় যে আশমান জমিন ফারাক। ছাত্রী হয়ে ঠায় বসে থাকা এখন কী যে কঠিন! তাও এক-দু'দিন নয়, চলবে টানা তিন সপ্তাহ! আগের রিফ্রেশার কোর্সটা পারমিতা করেছিল রাজাবাজার সায়েন্স কলেজে। সেখানে এত কড়াকড়ি ছিল না। যারা পড়াচ্ছে, তারাও অধিকাংশ পরিচিত। দিব্যি একটা সামার ক্যাম্প করার ঢঙে কেটেছিল দিনগুলো। কিন্তু এবার যেন নিংড়ে নিচ্ছে শরীরের শক্তি। শেষের দিকের পিরিয়ডগুলোয় চোখ যেন জড়িয়ে আসে, টনটন করে শিরদাঁড়া। শনিবারের অফ ডে গন, রবিবারেও রেহাই নেই, রাশি রাশি বই উলটোতে হচ্ছে, এই ওয়েবসাইট খোলো, ওই পেপার খোঁজো...। মগজ খানিক টনকো হচ্ছে ঠিকই, পুরোনো অনেক কিছু ফের জানছে নতুন করে, গভীরভাবে, খারাপও লাগে না... তবু এক এক সময়ে পারমিতার মনে হয়, ধুৎতেরি, নিকুচি করেছে প্রোমোশানের, বেঙ্গালুরু পাড়ি জমালেই বুঝি ভাল হত।

কেনই বা মনে হবে না? যা আমোদ-আহ্লাদের গল্প শুনছে রোজ! এই তো সেদিন দাদু-ঠাকুমার সঙ্গে ব্যানেরঘাটা ন্যাশনাল পার্ক ঘুরতে গিয়েছিল তাতার, খোলা মাঠে বাঘ-সিংহ দেখে তাতারের কী উল্লাস! টেলিফোনে মাকে সেই গল্প যে কতবার করে শোনাচ্ছিল! ছেলের ওই উত্তেজনা চাক্ষুষ করতে পারমিতার কি সাধ জাগে না? কিংবা শাশুড়ি যখন জানায়, কীভাবে সে হাল ধরেছে ছেলের অগোছালো সংসারের— বুকটা কি একটু চিনচিন করে না পারমিতার? যতই হোক, সে একটা মানুষ তো, রোবট তো নয়!

পারমিতা তো ফোন করছেই বেঙ্গালুরুতে। সন্ধেবেলা। রোজই দিনান্তে একবার অন্তত তাতারের গলা না শুনলে মন হুহু করে যে। রাজার ফোনও আসে, রাজার সময় মতো। বাবা-মা-ছেলেকে পেয়েই হোক, কিংবা নিজের জেদ বজায় রাখতে পেরে, তার মেজাজ এখন অনেক স্বাভাবিক। অন্তত সেরকমটাই তো মনে হয় পারমিতার। শ্বশুর-শাশুড়ির খবর নেয়, ভাইয়ের খোঁজ করে, পারমিতার ছাত্রী বনে যাওয়া নিয়ে রঙ্গরসিকতা করে টুকটাক। সঙ্গে মা প্রতিদিন কী রান্নাবান্না করছে, তাও জানিয়ে দেয় কথার ছলে। কে জানে, হয়তো বা এটাও রাজার একটা

কৌশল। পারমিতার ওপর পরোক্ষ চাপ তৈরি করার। তা এই সবের মধ্যেই একটা বড় কাজ সেরে ফেলল পারমিতা। একদিন কোর্স ডুব মেরে বাবার ব্রেন স্ক্যানিংটা করিয়ে আনল। টুটানকে পায়নি, সে ছিল অফিসট্যুরে, রানাকেই পটিয়ে পাটিয়ে নিয়ে গেল সঙ্গে। রিপোর্ট ভালই বেরিয়েছে। মস্তিষ্কে হেমারেজের চিহ্নমাত্র নেই। শুধু কোষগুলো একটু শুকিয়েছে, এই যা। তা ডাক্তারবাবু বলল, এমনটা নাকি হতেই পারে। শুনে মা আশ্বস্ত খানিকটা। পারমিতাও নিশ্চিন্ত। করছে কোর্স, যাচ্ছে বাপের বাড়ি, সামলাচ্ছে মানসীর সংসার।

কিন্তু মানুষের স্বস্তির মেয়াদ তো নেহাতই অস্থায়ী। জানে বিশ্বসংসার। জানে পারমিতাও। তবে কতটা ক্ষণস্থায়ী, পারমিতার তা ধারণাতেই ছিল না।

কালীপুজোর দু'দিন আগে একটা ফোন এল সোনালির। তখন সবে পারমিতা বিশ্ববিদ্যালয় থেকে বাপেরবাড়ি হয়ে গড়িয়া ফিরেছে।

বেশ ক্লান্ত ছিল পারমিতা। হাই তুলে বলল,— কী খবর রে তোর? ফোন টোন করিস না কেন?

এই তো করলাম। তুই এখন কোথায়?

বাড়িতে।

শ্বশুরবাড়ি? না বাপের বাড়ি?

অবশ্যই শ্বশুরবাড়ি।

ঢুকে গেছিস?... আমি আর শমীক তা হলে আসছি। উইদিন ফিফটিন মিনিটস।

পারমিতা পোশাক বদলে ভাল করে মুখ-হাত ধোয়ারও সময় পেল না, শমীক-সোনালি মোটরবাইকে হাজির। শমীকের হাতে একজোড়া হেলমেট, সোনালির ট্যাঁকে টুসকি।

গাবলুগুবলু টুসকিকে দেখে পারমিতার শ্রান্তি উবে গেছে। সোনালির কোল থেকে প্রায় ছিনিয়ে নিল বাচ্চাটাকে, চটকাতে চটকাতে বলল,— কী সুইট হয়েছে রে।... অ্যাই, একে হেলমেট পরাসনি কেন?

শমীক কাঁধ ঝাঁকিয়ে বলল,— ওর কী লাগবে? ও তো মধ্যিখানে থাকে।

তো? পারমিতা টুসকির গাল নেড়ে দিল,— অ্যাই মেয়ে, বাবাকে

পুলিশের কবিতাটা শুনিয়ে দে তো। বাবার মাথা বেজায় দামি, তাই বাবার মাথা ঢাকা... মেয়ের কোনও দাম নেই, তাই মেয়ের মাথা ফাঁকা...!

পারমিতার সুর করে করে বলার ধরনে সোনালি হেসে লুটিয়ে পড়েছে। হাসতে হাসতে সোফায় গিয়ে বসল। বসেছে শমীকও। টুসকিকে কোল থেকে নামাল পারমিতা, তাকে হাত ধরে ধরে হাঁটাচ্ছে। পারমিতার হাত ছাড়িয়ে দৌড়ে মা'র কাছে চলে গেল টুসকি। ঘুরে জুলজুল দেখছে মাসিকে।

পারমিতা ভুরু নাচিয়ে বলল,— তোর মেয়ে তো বেশ সাব্যস্ত হয়ে গেছে রে!

সে আর বলতে। এখন একটুও স্থির থাকে না। আয়ামাসিকে সারাদিন নাকে দড়ি দিয়ে ঘোরাচ্ছে।

এবারের মহিলাটি কেমন? ভাল?

ওই আর কী। চলেবল।

তা তোরা এদিকে ছিলি কোথায়? এত ঝটপট চলে এলি?

বাইপাসের মলটায় এসেছিলাম। ভাবলাম, অনেক দিন দিদিটার বাড়ি যাওয়া হয় না... একটা রাউন্ড মেরে আসি।

বেশ করেছিস। বোন-ভগ্নিপতির মুখোমুখি বসল পারমিতা,— তা কী খাবি বল?

সোনালি ভুরু নাচাল,— কী খাওয়াবি?

তেমন কিছু নেই অবশ্য। এখন তো আমার টুটাফুটা সংসার। তবে প্যানকেক ভেজে দিতে পারি।

থাক, ব্যস্ত হোস না। আমরা ফুডকোর্টে হাবিজাবি প্রচুর সাঁটিয়েছি। সোনালি এদিক ওদিক তাকিয়ে গলা নামাল,— তোর পেঁচামুখো দেওরটা কোথায় রে?

গড নোজ। রাত এগারোটার আগে তার তো দর্শন মেলা ভার।

মাঝে দেখেছিলাম এক ছমকছল্লুর সঙ্গে খুব ঘুরছে! মেয়েটা বোধহয় আমাদের অফিসপাড়াতেই চাকরি টাকরি করে। তোর দেওর তো তখন খুব যেত ওদিকটায়!

রঞ্জাবতীকে মনে পড়ল পারমিতার। মেয়েটা আরও বার দুয়েক ফোন করেছিল পারমিতাকে। দেবর্ষি যে তাকে চায় না, এটা যেন সে মানতেই পারছে না। পারমিতা কী করে বোঝায়, অতি আধুনিকাদের দেখে ছেলেরা

যতই পতঙ্গের মতো ধেয়ে যাক, শেষমেশ একটি ঘরোয়া মেয়েকেই গৃহিণী হিসেবে খোঁজে।

এড়িয়ে যাওয়ার ভঙ্গিতে পারমিতা বলল,— কী যে করে বেড়ায় কে জানে!... তোরা তা হলে সত্যিই কিছু খাবি না? বিজয়ার পর এলি, একটু মিষ্টিমুখ অন্তত কর। ফ্রিজে পান্তুয়া আছে...

কেন ফর্মালিটি করছিস মিতুদি? বোস তো চুপ করে। জিন্‌স কুর্তি পরা সোনালি সোফায় হেলান দিয়েছে। শমীকের জিম্মায় মেয়েকে গছিয়ে দিয়ে বলল,— তোর কথা বল। কতটা বোর হচ্ছিস একা একা?

তুৎ, আমার বোর হওয়ার ফুরসত কোথায়!

কেন? শমীক জিজ্ঞেস করল,— কীসের ব্যস্ততা?

কোর্সটা বেজায় খাটাচ্ছে। দেড়েমুশে। এই তো, কালই একটা সেমিনার লেকচার আছে। এখনও তৈরি হইনি। রাতে খেয়েদেয়ে বই-কম্পিউটার নিয়ে বসব।

এই বাম্বুটা কিন্তু তুই যেচে নিয়েছিস মিতুদি। সোনালি ফিকফিক হাসছে,— রাজাদার কাছে পালিয়ে গেলেই ল্যাটা চুকে যেত।

তারপর...? আমার প্রোমোশানটার কী হত?

গুলি মার প্রোমোশানে। ...পারিসও বটে তুই, বর ছেড়ে কী করে যে রয়েছিস?

সাধ করে আছি নাকি? বাবাকে ছেড়ে যাওয়া যায়?

দূর, মেসো তো এখন অনেক ফিট। বিজয়া করতে গিয়ে তো দেখে এলাম... দিব্যি হুইলচেয়ারে ঘুরছে...

চেয়ারটা এখনও কারওকে ঠেলতে হয় রে। নিজে চালাতে পারে না।

তার জন্য তো মাসি আছে। মেসোর এখন যা ফিজিকাল কন্ডিশান... ম্যানেজ করার জন্য মাসিই কাফি। আর মাসিকে তুই মোটেই দুবলা ভাবিস না।

পারমিতা মনে মনে বলল, আসল দুর্বল লোক তো আমি। মা'র হাতে টাকা গুঁজে দিয়ে, দূর থেকে খোঁজখবর নিয়ে, যদি মনকে বুঝ দিতে পারতাম, তা হলে তো অপার শান্তি বিরাজ করত সংসারে। কিন্তু সেটা পারমিতা পারবে না। কেন যে পারবে না, সেটা সোনালিকে বোঝানো যাবে কি? সুতরাং মুখ নষ্ট করে তো লাভ নেই।

স্বরে একটা হালকা ভাব এনে পারমিতা বলল,— আর আমার কলেজের পাকা চাকরিটার কী হবে শুনি? অত খেটেখুটে পরীক্ষা দিয়ে, ইন্টারভিউয়ের বেড়া টপকে, কাজটা পেলাম...

সিম্পলি ছেড়ে দিবি। বর বাচ্চা আগে? না চাকরি?

হঠাৎই এণাক্ষীদির আক্ষেপগুলো মাথায় ঝিলিক দিয়েছে। গলায় ঠাট্টার সুরটা বজায় রেখে পারমিতা বলল,— আর যদি প্রশ্নটা উলটো দিক দিয়ে করি? তোর বরের কাছে কোনটা বেশি ইম্পর্ট্যান্ট? বউ-বাচ্চা? না চাকরি?

অফকোর্স বউ-বাচ্চা। সোনালি শমীকের পানে দৃষ্টি হানল,— কী গো, ঠিক বলিনি?

একশো পারসেন্ট। কারণ বউ-বাচ্চা তো আমার সঙ্গেই থাকবে।

মানে? পারমিতার দৃষ্টি তেরচা হল,— তুমি যদি অন্যত্র যাও, তোমার বউও চাকরি বাকরি ছেড়ে তোমার লেজ হয়ে ঘুরবে?

অ্যাই মিতুদি, ফেমিনিস্টদের মতো বাতেলা দিস না তো। সোনালি ছদ্ম কোপে চোখ পাকাল,— হ্যাঁ, লেজ হয়েই নয় যাব। নিজের বরেরই তো লেজ হব, এতে লজ্জার কী আছে?

বলিহারি ঢং! আত্মমর্যাদার লেশমাত্র নেই! বর ঘাড়ের কাছে ফোঁসফোঁস করে বলে এই মেয়ে নাকি বিরক্ত হয়!

পারমিতা মাথা নেড়ে বলল,— বাদ দে। তোর সঙ্গে আমার মতে মিলবে না।

তাও...তুই একটু তলিয়ে ভাব... সম্পর্কটা বাঁচিয়ে রাখতে হলে...

সে দায়টা বুঝি শুধু মেয়েদেরই? আজ তুই যদি কেরিয়ারে একটা বড় ওপেনিং পেয়ে দিল্লি চলে যাস, তোর বর কেন চাকরি ছেড়ে তোর পিছন পিছন যাবে না?

যাহ, এমন বাজে কথা বলিস...! হয় নাকি?

কেন হয় না? তুই আমায় বুঝিয়ে বল। হতে বাধাটা কোথায়?

আহা, তোমরা হঠাৎ একটা ফালতু তর্ক শুরু করলে কেন বলো তো? শমীক তড়িঘড়ি থামাতে চাইছে দু'জনকে। সোনালিকে বলল,— টুসকিটার হালৎ দেখেছ? কেমন ঢুলছে?

তাই তো। এবার তো উঠতে হয়। সোনালি ঘড়ি দেখে বলল,—

তোর সঙ্গে ডিবেটটা বাকি রইল রে মিতুদি। ...কালীপুজোর দিন কী করছিস?

কেন? শক্তিপুজোর দিন ফের রণরঙ্গিনী হবি?

আরে না। সন্ধেবেলা বাড়িতে একটা গেট-টুগেদার করছি। বন্ধু-বান্ধবরাই থাকবে। অনেককেই তুই চিনিস। চলে আয় না।

পারমিতা মুচকি হাসল,— খুব মাল টানাটানি হবে বুঝি?

কালীপুজোয় কারণবারি তো মাস্ট মিতুদি। শমীকও হাসছে,— ইচ্ছে না হলে তুমি খেয়ো না। কিন্তু হুল্লোড়পার্টিটা মিস কোরো না, প্লিজ।

দেখি। একবার বাবার কাছে তো যাবই। যদি পারি তো ওখান থেকেই...

রাতে থেকে যেয়ো। ফেরার তাড়া না থাকলে মজা আরও জমবে।

মেয়েকে সাপটে তুলে বেরিয়ে গেল সোনালিরা। মোটরসাইকেলে গর্জন বাজিয়ে। দরজা বন্ধ করতে করতে পারমিতা ভাবছিল, গেলে হয়। রাজা যাওয়ার পর আর তো সেভাবে কোনও আড্ডা ফাড্ডায় যায়নি। একটা সন্ধে একটু অন্যভাবে কাটালে মনটাও তো খানিক ঝরঝরে লাগে। তারা তো ওদিকে দিব্যি ফুর্তিতে মশগুল, একা পারমিতা কেন যোগিনী পারা হয়ে বইয়ে দেবে গোটা ছুটিটা!

হ্যাঁ, যাবে পারমিতা। মন স্থির করে পারমিতা কাজে বসল। কম্পিউটারে কালকের বক্তৃতার পয়েন্টগুলো টাইপ করে নিচ্ছে। মিনিট পনেরো পরে থামল একবার। খেয়াল হয়েছে সময়টা। প্রায় দশটা বাজে। মোবাইলটা টানল। আজ তো ওদের উটি যাওয়ার কথা!

ফোন করতেই ওপারে রাজা নয়, মানসী। বিগলিত স্বরে বলল,— ওমা, তুমি? রাজা তো বাথরুমে গো।

ও। আপনারা কখন পৌঁছোলেন?

সন্ধের মুখে মুখে। বাঙ্গালোর থেকে বেরোতে একটু দেরি হয়েছিল...

কেমন লাগছে জায়গাটা?

অন্ধকারে আর দেখতে পেলাম কোথায়! তবে বড্ড শীত, ঘর থেকে বেরোলেই হাড়ে কাঁপুনি ধরছে। তোমার শ্বশুরমশাই তো সেঁধিয়ে গেছে কম্বলে।

হোটেলটা পছন্দসই হয়েছে?

শুধু পছন্দ...? যা জমকালো ব্যাপার-স্যাপার! সুইমিং পুল, ইন্ডোর গেমের জায়গা, কী আছে আর কী নেই!

তাতার খুব খুশি?

ভীষণ। তবে জার্নির একটা ধকল গেছে তো, খেয়ে উঠেই ঘুমিয়ে পড়ল। ...বাড়ির কী খবর? অণিমা আসছে তো সকাল সকাল?

হ্যাঁ। তবে পরশু-তরশু ছুটি নেবে।

আর সরস্বতী?

জানি না। এখনও বলেনি কিছু।

দু'জনকেই একটু চাপে রেখো। ...রানা নিশ্চয়ই এখনও ফেরেনি?

এবার এসে যাবে।

বাজার টাজার করে দিচ্ছে তো?

পারমিতার বলতে ইচ্ছে হল, সে তো কাটাপোনা ছাড়া অন্য মাছ খায় না, অতএব তাই আসছে রোজ। নয়তো গাদাখানেক মাংস এনে স্তূপ করছে ডিপফ্রিজে। তাও মাটন নয়, ঘাস ঘাস ব্রয়লার। অতিষ্ঠ হয়ে পারমিতা নিজেই দু'-চার দিন সবজি টবজি কিনে এনেছে। কিন্তু মানসীকে ওসব শোনানোর কী দরকার? তিনি এখন বড় ছেলের দৌলতে প্রেমসে মৌজ করছেন, অকম্মা ছোট ছেলের কাহিনি কি তাঁর কানে রুচবে!

পারমিতা দায়সারা ভাবে বলল,— হ্যাঁ। করছে।

অভ্যেসটা হোক। কদ্দিন আর ওর বাবা থলি বইবে!... বেয়াইমশাইয়ের শরীর কেমন?

ভালই।

কাল আমরা সকাল সকাল বেরোচ্ছি। ব্রেকফাস্ট সেরেই। রাজা কোন একটা বাঁধের ধারে নিয়ে যাবে। সেখানে নাকি একখানা চমৎকার লেক আছে। বোটে চড়ব...

শোনাচ্ছে মানসী?

পারমিতা ঝাং বলে উঠল,— রাজা কি এখনও বাথরুমে, মা?

হ্যাঁ। বেরোয়নি তো। আচমকা ঠোক্করে মানসীও ক্ষণিক খেইহারা। একটু থমকে থেকে বলল,— বোধহয় স্নান করছে। বারণ করলাম, তবু...। এই শীতেও কী করে যে...! বেরোলেই তোমায় ফোন করতে বলছি।

ছাড়ি তা হলে।

মোবাইল মুঠোয় চেপে পারমিতা দু'-চার সেকেন্ড ঝুম বসে রইল। তারপর ঝট করে সেলফোনের সুইচ অফ করে দিয়েছে। করুক রাজা ফোন যত বার খুশি, পারমিতাকে আজ আর পাচ্ছে না। ল্যান্ডলাইনের রিসিভারও নামিয়ে রাখবে? থাক, দেখা যাক পারমিতাকে কতখানি চায় রাজা! কী সব লোকজন! নিজেদের ভ্রমণবৃত্তান্ত শোনাতেই মশগুল, কখনও একবার জিজ্ঞেস করে না পারমিতার রিফ্রেশার কোর্স চলছে কেমন! যাক, মহিলার দেমাকি উচ্ছ্বাসে একবার তো অন্তত পিন ফোটাতে পারল পারমিতা!

জ্বালা খানিকটা জুড়োতে পারমিতা উঠল। বিকেলে কেউ থাকে না বলে সকালে আটা মেখে যায় অণিমা, পারমিতাই এখন বানিয়ে নেয় রুটি। ঝটপট খানআষ্টেক রুটি সেঁকে ফেলল পারমিতা, গরম করল মুরগির মাংস, শসা-টোম্যাটো কাটল। একা একা নৈশাহার সারার বিশ্রী পর্বটি সেরে, রানার খাবার ঢাকা দিয়ে, ফের ফিরেছে ঘরে। আবার কম্পিউটার। এবার খানকয়েক গ্রাফ আর ছবি ডাউনলোড। কাজের মাঝেই কান খাড়া সারাক্ষণ। নাহ, বাড়ির টেলিফোন বাজল না। পারমিতার সেলফোন বন্ধ রাখার মর্মার্থ কি অনুভব করল না রাজা? নাকি বুঝেই পালটা তির হানল নৈঃশব্দ্যের?

ভাল লাগছে না। পারমিতার আর কিচ্ছু ভাল লাগে না।

কষটে মেজাজে গোটা লেকচারটার একটা সিডি বানাল পারমিতা। পুরে রাখল ব্যাগে। তারপর আলো নিভিয়ে শুয়ে পড়েছে। কান্নার মধ্যে ঝাপসা, একটাই সান্ত্বনা, কাল বেশি খাটতে হবে না ক্লাসে। কালীপুজোর আগের দিন, অনেকেই বাঙ্ক করছে, সুতরাং প্রশ্নোত্তর পর্বটা বোধহয় নির্বিবাদে উতরে যাবে পারমিতা।

শেষরাতে ছেঁড়া ছেঁড়া ঘুমে পারমিতা একটা স্বপ্ন দেখছিল। ঘন নীল আকাশ... সার সার পাহাড়... পাইন-ইউক্যালিপ্টাসে গাঢ় সবুজ হয়ে আছে পাহাড়ের ঢাল... চড়াই উতরাই বেয়ে চেক চেক শার্টটা পরে হাঁটছে রাজা... আগে আগে তাতার... পারমিতা একদম পিছনে... হঠাৎ মেঘে ঝাপসা হয়ে এল চারদিক... পারমিতা রাজা-তাতারকে আর দেখতে পাচ্ছে না... ধোঁয়া সরিয়ে ছুটছে... ছুটছে...

সকালে ঘুম থেকে উঠেও মনে ছিল স্বপ্নটা। কখন যেন ভুলেও গেল। অণিমা কাজে এসেছে, তাকে রান্না বুঝিয়ে পারমিতা বসল টেবিলে। এককাপ চা নিয়ে। উষ্ণ পানীয়তে চুমুক দিতে দিতে চোখ বোলাচ্ছে খবরের কাগজে। প্রায় একই ধরনের সংবাদ। রাজনীতির চাপান-উতোর, খুন-জখম-সন্ত্রাস...। পিছনের পাতায় এসে হঠাৎই চোখ আটকেছে। পা বিহীন এক পঙ্গু মেয়ে পার হয়েছে ইংলিশ চ্যানেল, তারই এক সাক্ষাৎকার। কী ভয়ংকর ঠান্ডায় সাঁতার কাটতে হয়েছিল মেয়েটাকে, হাঙর ছাড়াও কত অজস্র জলচর প্রাণী তাকে ঘিরে ঘিরে ধরছিল, মাঝপথে কেন সে জল ছেড়ে উঠে আসেনি, সাঁতার শেষে কেমন অবশ হয়ে গিয়েছিল তার সর্বাঙ্গ— প্রতিটি অভিজ্ঞতা জানিয়েছে মেয়েটি।

পড়তে পড়তে পারমিতা আবিষ্ট হয়ে যাচ্ছিল, রানার ডাকে সংবিৎ ফিরল,— গুডমর্নিং ভাবিজি। প্রভাতী চা শেষ?

পারমিতা অবাক মুখে বলল,— সূর্য কি আজ পশ্চিমে উঠল? তোমার না এখন মাঝরাত?

গায়ে পড়ে রায়মশাই বনেছি। এক বন্ধুর আসার কথা। তার সঙ্গে বেরোব।

যাচ্ছ কোথাও?

হুঁ। কোলাঘাট। একটা ফিস্ট মতন আছে। রাত্তিরে ওখান থেকে স্ট্রেট অফিস ঢুকে যাব।

অণিমাকে আর এক কাপ চায়ের নির্দেশ ছুড়ে পারমিতা বলল,— কাল রাতে কিন্তু বাড়ি থেকো। আমি হয়তো নাও ফিরতে পারি।

কেন? যাদবপুরে রাত্রিবাস?

পারমিতা জবাব দেওয়ার সময় পেল না, টেলিফোন বাজছে। উঠে গিয়ে পারমিতা ফোনটা ধরল,— হ্যালো?

ও মিতু, তোর মোবাইল অফ কেন? কত বার চেষ্টা করছি...

সুমিতার স্বর কাঁপছে থরথর। পারমিতা উদ্বিগ্নভাবে বলল,— কী হয়েছে মা?

তোর বাবা হঠাৎ সকালে... চা-বিস্কুট খেতে খেতে... কীরকম একটা হেঁচকি তুলল... তারপর আর নড়ছে না, চোখটা কেমন হয়ে আছে...

পারমিতার মাথায় যেন কেউ ডাঙশ মারল সহসা। দু'-এক পল

নিশ্চল। হতবুদ্ধি। একটু পরে ঠোঁট নড়েছে,— আমায় এক্ষুনি ওবাড়ি যেতে হবে।

রানাও যেন ঘ্রাণ পেয়েছে বিপর্যয়ের। কাছে এসে বলল,— এনিথিং রং?

বোধহয় এভরিথিং ইজ রং। আমার ব্রেন আর কাজ করছে না রানা।

আমি যাব সঙ্গে?

চলো।

বাড়ি বন্ধ করে যাদবপুর পৌঁছোতে বড়জোর আধঘণ্টা। পারমিতা গিয়ে দেখল, আশঙ্কাটা বর্ণে বর্ণে মিলে গেছে। মা বিছানায় পাথরের মতো বসে। বাবা শয্যায় নিথর। চিরতরে। পারমিতা চোখ বুজে ফেলল। এত পরিশ্রম, এত চেষ্টা, তিলে তিলে গড়ে ওঠা আশা, সব এক লহমায় ধূলিসাৎ। এমনও হয়?

এগারো

দাদাভাই কেন মরে গেল গো দিদান?

ভগবান ডাক পাঠাল যে।

কেন ডাক পাঠাল?

তাঁর ইচ্ছে। ভগবানের মতিগতি আমি কী করে বুঝব বলো?

তা হলে দাদাভাই এখন ভগবানের কাছে?

হ্যাঁ সোনা। ভগবান তোমার দাদাভাইকে আকাশের তারা করে দিয়েছেন।

কোন তারাটা গো? রাত্তিরে দেখা যাবে?

যেতেই পারে। খুঁজতে হবে।

যে মরে, ভগবান তাকেই আকাশের তারা বানিয়ে দেয়?

হ্যাঁ তো। সেটাই তো নিয়ম।

তা হলে আকাশটা তো একদিন তারা দিয়েই ঢেকে যাবে? আমরা আর কেউ আকাশই দেখতে পাব না?

কেন সোনা? দিনের বেলায় দেখবে। দিনের বেলা তো আকাশে তারা থাকে না।

পারমিতা অনেকক্ষণ ধরে দিদা-নাতির কথোপকথন শুনছিল। তাতার এখন এখানে, যাদবপুরে। প্রণবের মৃত্যুসংবাদে ভ্রমণ অর্ধসমাপ্ত রেখে চলে এসেছিল রাজারা। দিন তিনেকের বেশি অবশ্য রাজা থাকতে পারল না। অফিসের ডাকে ফিরতেই হয়েছিল বেঙ্গালুরু। আবার সে পরশু রাতে এসেছে। গতকাল প্রণবের পারলৌকিক ক্রিয়া গেল, পারমিতাই করল সব কিছু, রাজা সারাদিন ছিল পাশে পাশে। রাতেও হয়তো এখানেই থাকত। তবে ও বাড়িতে আজ নাকি শুভেন্দু রাজমিস্ত্রিকে ডেকেছে, কী সব আলোচনা আছে। তাই সে চলে গেল গড়িয়ায়। এ বাড়িতে ছোটাছুটির

১৪৯

জায়গা কম, সারাক্ষণ বকবক করে আক্ষেপটা সুদে আসলে পুষিয়ে নিচ্ছে তাতার। কানের পোকা খেয়ে ফেলছে দিদানের।

তা বাচ্চারা তো এমনটা করেই থাকে। কিন্তু মা? এত সহজ সুরে মা কথা বলছে কী করে? এবং তাও কিনা সদ্য বিগত স্বামীকে নিয়ে! মাকে যেটুকু চেনে পারমিতা, এ হেন আচরণ যেন মা'র সঙ্গে খাপ খায় না। নাতির তালে তাল মেলানোর জন্যই সংলাপ চালাতে হচ্ছে না তো মাকে?

পারমিতা ছেলেকে বকুনি দিল,— কী হচ্ছে কী তাতার? দিদানকে জ্বালিয়ো না। চুপটি করে শুয়ে থাকো।

তাতারের একটি ঠ্যাং সুমিতার গায়ের ওপর। নাতির পায়ে হাত বোলাতে বোলাতে সুমিতা বলল,— কেন ওকে বকছিস মিতু? বলুক না কথা।

মুখ চললে ও কিন্তু জেগে থাকবে। আর সন্ধেবেলা লাগাতার ঘ্যানঘ্যান করবে। তখন মানুষজন আসে... তাদের সামনে....

তখন দেখা যাবে। এখন আমাদের শান্তিতে গল্প করতে দে তো। তুই তোর কাজ কর।

আবার সেই স্বচ্ছন্দ স্বর! চোখ কুঁচকে মাকে একবার দেখে নিয়ে কাগজ-কলম টানল পারমিতা। কাল নিয়মভঙ্গের অনুষ্ঠান, জনা তিরিশেক লোক খাবে, আনুমানিক খরচের মোটামুটি একটা ধারণা করে নিচ্ছিল। নিছকই অবান্তর ব্যয়। এসব শ্রাদ্ধশান্তি, নিয়মভঙ্গ, কোনওটাতেই পারমিতার তেমন বিশ্বাস নেই। তবু মা যখন চাইছে....। মা'র ভাল লাগা মন্দ লাগার একটা গুরুত্ব আছে বই কী। তা ছাড়া লোকজনের আনাগোনা, নানারকম কথাবার্তা, এতে পারমিতার মনটাও তো একটু হালকা হয়। আর এত দিন সব কর্তব্য যখন পালন করেছে, এটুকু আর ফাঁক থাকে কেন!

হিসেব বন্ধ করে পারমিতা একটা শ্বাস ফেলল। এখন আর ইচ্ছে করছে না। সন্ধেবেলা টুটান আসবে, তার সঙ্গে বসে নয়....। উঠে বাইরে যাচ্ছে, পিছনে সুমিতার গলা,— কী রে, ও ঘরে চললি নাকি?

হ্যাঁ। কেন?

বলছিলাম, তোর ওপর দিয়ে যা যাচ্ছে.... গিয়ে একটু গড়িয়ে নে। তোর বিশ্রাম দরকার।

হুঁ।

বেরোনোর আগে আর একবার ঘুরে মাকে দেখল পারমিতা। মা যেন বড্ড স্বাভাবিক হয়ে আছে। একটু বেশি রকমের। সেই যে সেদিন নিঝুম বসে ছিল, তারপর বাবাকে শ্মশানে নিয়ে যাওয়ার সময়ে ডুকরে ডুকরে কাঁদল— ব্যস, আর সেই ভেঙে পড়া ভাবটা নেই। নিজেকে কেমন শক্ত করে ফেলল মা। গত দু'-তিন দিন ধরে কথাও যেন বেশি বলছে। কাল শ্রাদ্ধ চলাকালীন এমনভাবে ঘোরাফেরা করছিল, ডেকে ডেকে খোঁজ নিচ্ছে এর-ওর-তার, দেখে বোঝাই যায় না কী ভয়ানক বিপর্যয় সহ্য করেছে মা! সেই মা যে কিনা বাবাকে সুস্থ করতে প্রাণপাত করছিল। অতি তুচ্ছ কারণেও উতলা হয়ে বারবার ফোনে অস্থির করে তুলত পারমিতাকে। মা অশিক্ষিত নয়, বোধহীন নয়, নিশ্চয়ই বুঝতে পারছে কী নিদারুণ একা হয়ে গেল! তা হলে?

নাহ্, কষ্টটা আছে। অবশ্যই আছে। ভেতরে ভেতরে। কারওকেই সেই যন্ত্রণার ভাগিদার করতে চায় না মা।

নিজের ঘরে এসে পারমিতা শুয়ে পড়ল। চোখ বুজেছে। ওমনি কত যে টুকরো টুকরো স্মৃতির ভিড়! আসছে, যাচ্ছে, আসছে, যাচ্ছে...., বাবাকে নিয়ে, মাকে নিয়ে। অফিস থেকে ফিরে মা পারমিতাকে পড়াতে বসেছে.... বাবা খানিক দেরিতে ফিরল... বাবাকে চমকে দেবে বলে পারমিতা ছুট্টে দরজার আড়ালে.... চোখের ইশারায় মেয়েকে ধরিয়ে দিল মা।....! মেয়ে বলতে কী যে পাগল ছিল বাবা! পারমিতা মাধ্যমিক দিচ্ছে, হায়ার সেকেন্ডারি দেবে... বাবা সেন্টারের গেটে দাঁড়িয়ে! মেয়ের রেজাল্ট দেখে চোখ দিয়ে আলো ঠিকরোচ্ছে যেন! পারমিতা একটা ছেলের প্রেমে পড়েছে, তাকে বিয়ে করবে, মা'র মুখে সমাচারটা পেয়ে বাবা কেমন ভ্যাবাচ্যাকা খেয়ে গিয়েছিল! বিয়ের পরদিন তো পারমিতা শ্বশুরবাড়ি যাওয়ার সময়ে বাবা সামনে এলই না! মেয়ের চাকরি পাওয়ার সংবাদে বাবার সে কী শিশুর মতো উচ্ছ্বাস! তাতার যখন হল, তখন যেন বাবাকে পায় কে! সেই বাবা মাত্র ক'দিন আগেও ছিল। এখন আর নেই। কোত্থাও নেই। পারমিতার মগজ এখনও কি ধাতস্থ করতে পেরেছে ঘটনাটা? মনে হয় না কি, এখনই ও ঘরে গিয়ে দেখবে মা-তাতার নয়, বাবা-ই শুয়ে আছে? একটা হাত বুকে, অন্য হাত নেতিয়ে পড়ে, অসহায় দৃষ্টি ঘুরন্ত পাখায়...!

অথচ মা কিনা দিব্যি মেনে নিল? অজস্র স্মৃতি আর দুঃসহ কষ্ট উপেক্ষা করে? এ কি সম্ভব? কী প্রমাণ করতে চাইছে মা?

ভাবনাগুলো নাড়াচাড়া করতে করতে কখন যেন চোখ দুটো জড়িয়ে এল পারমিতার। দুপুরে এমনটা তো তার হয় না সচরাচর। কাল কাজটা চুকে যাওয়ার পর থেকে শরীর যেন ছেড়ে যাচ্ছে। কত উদ্বেগ, ব্যস্ততা আর ছটফটানির যেন অবসান ঘটল হঠাৎ। যেন লম্বা একটা দুর্গম পথ ধরে হাঁটছিল, গন্তব্যে পৌঁছোনোর আগে আচমকা ফুরিয়ে গেল রাস্তা। এতে কোনও মুক্তির আনন্দ নেই, বুক ভরে ফুসফুসে বাতাস ভরার স্বস্তি নেই, এ যেন সহসা এক শূন্যতার গহ্বরে পতন। মানসিক প্রস্তুতি ছিল না, বরং বিপরীত একটা আশাতেই মন বাঁধছিল, বলেই বুঝি বেশি ঝিমিয়ে পড়ছে স্নায়ু....

পারমিতার চটকা ভাঙল সুমিতার ডাকে,— মিতু....? অ্যাই মিতু?

ধড়মড়িয়ে উঠে বসেছে পারমিতা। মুহূর্তের বিভ্রমে বুকটা ছ্যাঁৎ। স্বর ঠিকরে এল,— কী হয়েছে? কী হল?

কী আবার হবে? সুমিতা বুঝি পলকের জন্য থমকেছে। পরক্ষণে সহজ গলায় বলল,— তোর কলেজ থেকে কে একজন এসেছে।

ও। পারমিতা ফোঁস করে শ্বাস ফেলল,— বসিয়েছ তো?

হ্যাঁ রে বাবা, হ্যাঁ। আমার কি ওইটুকু আক্কেল নেই?

মলিনাদি এসেছে?

সে তো আজ সন্ধেয় আসবে। রান্নাবান্না সেরে দিয়ে যাবে। ....আমি চা বসাচ্ছি। তুই আয়।

দ্রুত হাতে মুখ-চোখ-চুল ঈষৎ বিন্যস্ত করল পারমিতা। বাড়িতে যখন তখন লোকের আনাগোনা, তাই শাড়ি পরেই থাকছে এখন। আঁচল গুছিয়ে নিয়ে বাইরে এসে দেখল, কণাদ। হাতে রজনীগন্ধার তোড়া।

আলতো হেসে কণাদ বলল,— সরি। কাল আসতে পারিনি। এমন একটা ঝামেলায় কলেজে আটকে গেলাম....

জানি তো। শুনেছি। আপনাদের ডিপার্টমেন্টে কাল সেমিনার ছিল।

সত্যি, কী যে এক ন্যাকের চক্করে পড়েছি...। অনেকে এসেছিল কাল, তাই না?

হ্যাঁ। প্রিন্সিপালও ফোন করেছিলেন। ....দাঁড়ালেন কেন, বসুন।

আধো অন্ধকার ছোট ড্রয়িং হলের এক ধারে টেবিলে প্রণবের বাঁধানো ফোটোগ্রাফ। বছর চারেক আগে তোলা। ফুল-মালায় ঢেকে আছে মধ্যবয়সি হাস্যমুখ প্রণব। পাশে রাখা হুইলচেয়ারটিতেও ফুলের স্তূপ। ধূপ আর ফুলের সুবাস মিলেমিশে কেমন একটা মৃত্যু মৃত্যু গন্ধ ছড়াচ্ছে জায়গাটা থেকে। অন্তহীন বিষাদের মতো।

কণাদ রজনীগন্ধার তোড়াখানা রেখে এল ছবির সামনে। সোফায় বসে বলল,— কাজকর্ম সব ঠিকঠাক মিটেছে তো?

মোটামুটি।

কণাদ একটুক্ষণ নীরব থেকে জিজ্ঞেস করল,— হঠাৎ আবার স্ট্রোকটা হল কেন? আপনি তো বলতেন মেসোমশাই রিকভার করছেন....?

কী জানি! আগের দিন সন্ধেতেও তো কোনও সিম্পটম্ ছিল না। সন্দেশ এনেছিলাম, ভালবেসে খেল...

হঠাৎ প্রেশার বেড়ে গিয়েই কি....?

তাই হবে। এমনিতে তো ব্লাড প্রেশার স্টেডিই থাকত। বলেই পারমিতার মনে হল, একসময়ে রোজই একবার রক্তচাপ পরীক্ষা করাত বাবার। তারপর কবে যেন সেটা সপ্তাহে এক দিনে ঠেকল। ইদানীং তো পনেরো দিনের ব্যবধানে...। এটাকে কি পারমিতার গাফিলতি বলা যায়? গা-ছাড়া মনোভাব? পরক্ষণে নিজেকেই যেন সান্ত্বনা দিয়ে বলল,— মিসহ্যাপের দিন সাতেক আগেই তো বাবার ব্রেন স্ক্যান করালাম। তখনও তো সেভাবে কিছু....

শরীর ভারী জটিল যন্ত্র। কোত্থেকে যে কী হয়ে যায়!

সুমিতা চা এনেছে। সঙ্গে প্লেটে মিষ্টি। মা'র সঙ্গে কণাদের পরিচয় করিয়ে দিল পারমিতা। বলল,— কণাদ লেখাপড়ায় দারুণ ব্রিলিয়ান্ট। কলেজে খুব পপুলার। ভীষণ ভাল পড়ান তো...

কেন লজ্জা দিচ্ছেন? কণাদ মেপে হাসল,— আপনিও কম যান নাকি? সায়েন্সের মধ্যে কেমিস্ট্রির লোড সবচেয়ে বেশি। কীভাবে যে একা ম্যানেজ করছেন!

একা কোথায়! আমাদের এখন পাঁচজন গেস্ট লেকচারার। তারাও কম খাটে নাকি?

ছাড়ুন তো। অতিথি অধ্যাপক দিয়ে প্র্যাকটিক্যাল বেসড্ ডিপার্টমেন্ট

থোড়াই চলে! সায়েন্সের স্টুডেন্টরা তো কেমিস্ট্রি বলতে শুধু পারমিতা ম্যাডামকেই বোঝে।

সুমিতা ফস করে বলে উঠল,— হ্যাঁ, ও তো কলেজঅন্ত প্রাণ। দিনরাত কলেজ কলেজ করেই গেল।

আহ্ মা, মেয়ের গান গেয়ে লোক হাসিয়ো না তো। পারমিতা তাড়াতাড়ি কথা ঘোরাল,— তাতার কী করছে গো?

এতক্ষণ পর ঘুমোল।

বিচ্ছুটাকে আপনার দেখা হল না। ও ছেলে সন্ধের আগে আর জাগছে না। পারমিতা মিষ্টির প্লেট এগিয়ে দিল,— নিন... প্লিজ।

একটা শোনপাপড়ি শুধু তুলল কণাদ। ছোট্ট কামড় দিয়ে বলল,— কোর্সটা তো তা হলে আপনার শেষ হল না?

কপালে নিশ্চয়ই সেরকমই লেখা ছিল। পারমিতার আগে সুমিতা জবাব দিয়েছে,— যে কারণে ছুটিতে বরের কাছে গেল না, সেটাই বরবাদ। আর নাকি মাত্র পাঁচ দিন বাকি ছিল।

এসব কেন বলছে মা? আগ বাড়িয়ে? পারমিতা বিরক্ত হলেও প্রকাশ করল না। সামান্য মুখভঙ্গি করে বলল,— ঠিক আছে, হয়নি তো হয়নি। নেক্সট ইয়ারে কলকাতাতে ফের একটা কোর্স পাব, ওটাই নয় ট্রাই করব।

কিন্তু এবারকার ক্লাসগুলো তো বেকার গেল।

একেবারে ফালতু যায়নি। ইউনিভার্সিটির স্যারদের সঙ্গে আমাদের কেমিস্ট্রির সেমিনার নিয়ে আলোচনা করেছি। দু'জন রাজি হয়েছেন যেতে। একজন বলবেন, জলে আর্সেনিক দূষণ নিয়ে। আর একজনের টপিক, ইনঅরগ্যানিক সারের কুফল।

বাহ্, দুটোই বেশ রেলিভ্যান্ট বিষয়। ডেট কিছু ভাবছেন?

ইচ্ছে আছে একটা বড়দিনের আগে নামাব। অন্যটা জানুয়ারির এন্ডে। দেখবেন তারিখগুলো যেন আমাদের সঙ্গে না ক্ল্যাশ করে।

নিশ্চয়ই। ডেট ফাইনাল করার আগে আপনাদের সঙ্গে তো বসবই।.... ফিজিক্সের ম্যাগাজিন বেরোল?

হ্যাঁ, কালই....। ইস, হাতে করে আনলে হত।

দু'জনের কেজো আলাপচারিতার মাঝে কখন যেন উঠে গিয়েছিল

সুমিতা। আরও খানিকক্ষণ গল্প করে কণাদও বিদায় নিচ্ছে। দরজায় গিয়ে জিজ্ঞেস করল,— আপনি তা হলে কবে নাগাদ জয়েন করছেন?

ভাবছি এই উইকেই...

তাড়াহুড়োর দরকার কী! না হয় আরও দু'-চার দিন...। মাসিমা এখন খুব লোনলি ফিল করবেন, আপনি ক'দিন কাছে থাকলে....

হুঁ। ওদিকে আমার ছুটিও যে বাড়ন্ত। দেখি কী করা যায়।

সদর বন্ধ করে পারমিতা ফের সোফায় এসে বসল। মাকে নিয়ে সত্যিই চিন্তা হচ্ছে। মা'র এই আকস্মিক একাকিত্বে কী ভূমিকা থাকতে পারে পারমিতার? শুধু সঙ্গ পেলেই কি অন্তরের ক্ষতে প্রলেপ পড়ে? কাল তো জেঠিমা বারবার মাকে বলছিল, ক'টা দিন চেতলায় কাটিয়ে আসতে। টুটানও অনেক করে বলল। মা তো মোটেই আগ্রহ দেখাল না। বরং এই ফ্ল্যাটেই নাকি বেশ থাকবে, বলছিল ঘুরিয়ে ফিরিয়ে। তবে মা নিজেকে যতই শক্ত দেখাক, সত্যি সত্যি একা থাকতে পারবে তো? এত দিন মা বাবাতেই সম্পৃক্ত ছিল, এখনও লোকজনের আসা-যাওয়া চলছে, এরপর সম্পূর্ণ ফাঁকা হয়ে যাবে বাড়ি.... সারাদিন নির্জন ঘরে, হাতে আর কোনও কাজ নেই, কথা বলার সঙ্গী নেই, কারওকে নিয়ে চিন্তাভাবনা করতে হচ্ছে না.... এই দুঃসহ পরিবেশ যে মা কীভাবে গ্রহণ করবে? পারমিতা নয় এখনকার মতো কলেজফেরতা এল, এক-আধ ঘণ্টা রইল, চাট্টি গল্পগাছা করল... তাতেও কি সমাধান হবে সমস্যার? কী যে হবে কে জানে!

অঘ্রান মাস পড়ে গেছে। এসেই যাই যাই করে বিকেল। ফ্যানের হাওয়ায় চোরা হিমের ছোঁয়া। গরম-ঠান্ডার এই সন্ধিক্ষণটায় মশা বাড়ে খুব। সুমিতা জানলাগুলো বন্ধ করছিল। আওয়াজ পেয়ে পারমিতাও হাত লাগাল। মশকনিবারণী যন্ত্র চালু করেছে ঘরে ঘরে। বাবার ছবির সামনে নতুন ধূপও জ্বেলে দিল। তাকিয়ে তাকিয়ে দেখছে বাবার উজ্জ্বল মুখখানা।

সুমিতা খাবার টেবিলে। পারমিতার ওই তাকিয়ে থাকা যেন লক্ষই করেনি, এমনভাবে বলে উঠল,— হ্যাঁ রে, তাতার উঠে কী খাবে?

পারমিতা ঈষৎ অন্যমনস্ক স্বরে বলল,— বাড়িতে তো প্রচুর ফল জমেছে, আঙুর-আপেল দেবখ'ন।

ফল তোর ছেলে মুখেই তুলবে না।

তা হলে দুধ খাবে।

শুধু দুধ? মলিনা এলে দুটো লুচি ভেজে দিতে বলি?

ঝামেলা বাড়িয়ো না মা। বাড়িতে আরও লোক আসবে....

তো কী? ও বাচ্চা ছেলে....। চাইলে ম্যাগিও খেতে পারে।

উঠুক তো, তারপর দেখা যাবে।

তাতার জাগল আরও আধ ঘণ্টাটাক পরে। মলিনা তখন এসে গেছে। তাকে রাতের জন্য পরোটা আর কপিচচ্চড়ি বানাতে বলে ছেলেকে আগে দুধের কাপ ধরাল পারমিতা। চকোলেট নেই, তাতার দুধ ছোঁবে না, তাকে ভুলিয়ে ভালিয়ে খাওয়াচ্ছে পারমিতা, তখনই রাজা এল। আলিগড়ি পাজামার সঙ্গে লম্বা-ঝুল মেরুন পাঞ্জাবি পরেছে রাজা, দেখতে বেশ লাগছে।

এসেই আগে শাশুড়ির পাশে বসেছে। গলায় একটা গ্রাম্ভারি ভাব এনে বলল,— একটা কথা বলব মা?

কী?

আপনার শরীরটা কিন্তু বেশ ভেঙে গেছে। এবার আপনার একটা থরো চেক-আপ দরকার।

সুমিতা সেভাবে আমল দিল না। বলল,— কই, আমি তো দিব্যি আছি।

কিন্তু দেখে তো মনে হচ্ছে....

তোমাদের চোখের ভুল। অসুস্থ মানুষের সঙ্গে থাকতে থাকতে এমনিই তো মুখে একটা ছাপ পড়ে....

পারমিতা বলল,— না মা। রাজা ঠিকই বলেছে। সামনের সপ্তাহেই আমি তোমার সব টেস্ট করাব।

বকিস না তো। সুস্থ মানুষকে বিছানায় শোওয়াতে চাস নাকি? প্রসঙ্গটা যেন উড়িয়ে দিল সুমিতা। রাজাকে জিজ্ঞেস করল,— তা হ্যাঁগো, সকালে তোমাদের বাড়ি নিয়ে কথাবার্তা হল?

হুঁ। বাবা তো দোতলা তুলতে মরিয়া হয়ে উঠেছে।

ভালই তো। কাজটা শেষ করে ফেলো।

আমি কিন্তু কোনও যুক্তি খুঁজে পাচ্ছি না মা। মিছিমিছি টাকা ঢালা।

কেন গো?

কে থাকবে বলুন? আমার পক্ষে তো পাকাপাকি ফিরে আসা সম্ভব নয়। যদি হয়ও, তো সেই বুড়ো বয়সে....। থাকছে শুধু রানা। তার জন্যে পুরো একতলা রইল...। অবশ্য ও যদি বিয়ে থা-র পর একটু হাত-পা ছড়িয়ে বাস করতে চায়, তা হলে অবশ্য দোতলাটা কাজে লাগবে। আমি মাঝে মাঝে কলকাতায় এলে আমার ওই একটা ঘরই তো যথেষ্ট।

পারমিতার কেমন ধন্দ লাগছিল। বলে কী রাজা? পারমিতার অস্তিত্ব কি ভুলে গেল নাকি? তাতার বড় হলে তারও তো একটা আলাদা ঘর লাগবে....!

সুমিতা ঘাড় নেড়ে নেড়ে শুনছিল। বলল,— বটেই তো। ঠিকই তো। তা কী স্থির হল শেষ পর্যন্ত?

কাঁহাতক বাবার সঙ্গে তর্ক করা যায়! মেনে নিলাম। আফটার অল, একটা পার্মানেন্ট অ্যাসেট তো। পরে যদি থাকি, কিংবা বেচে দিই, কোনওটাতেই তো লোকসান নেই।

দোতলার প্ল্যান তো তা হলে করতে হবে?

হয়ে আছে। বাবার কাজ সব পাক্কা। আগেই করে রেখেছে। সেই বাড়ি বানানোর সময়েই। দোতলার ঘরদোর একটু অন্যরকম হবে... রাজমিস্ত্রির সঙ্গে সেই সব নিয়েই কথা হচ্ছিল...। ওরা একটা এস্টিমেটও দিয়েছে।

বেল বাজছে। টুটান। বৈষয়িক আলোচনাটা আপাতত চাপা পড়ে গেল। মলিনা চা বানিয়ে দিল, আগামী কালের অনুষ্ঠান নিয়ে শুরু হল কথাবার্তা। ক'টা নাগাদ কেটারার খাবার দিয়ে যাবে, মেনুতে কী সামান্য রদবদল হয়েছে, প্রণবের প্রিয় গলদা চিংড়ি কাল পাওয়া যাবে কি যাবে না, এই সব। তার মাঝেই বেহালার মাসি এল, সঙ্গে ছেলের বউ, তাদের নিয়ে ঘরে গেল সুমিতা। এদিকে কলকাতার সঙ্গে বেঙ্গালুরুর কতখানি তফাত বোঝাচ্ছে রাজা। অফিসট্যুরের অভিজ্ঞতা শোনাচ্ছে টুটান মজা করে করে। একটা মানুষের মৃত্যুর তেরো দিন পর শোকের বাড়ির চেহারা বুঝি এমনটাই হয়।

বাড়ি ফাঁকা হল ন'টা নাগাদ। সুমিতা আবার জামাইকে নিয়ে পড়েছে। জিজ্ঞেস করল,— তোমার তো কাল ভোরেই যাওয়া?

হ্যাঁ মা। পাঁচটার মধ্যে বেরোতে হবে।

কালকের দিনটা তুমি থাকতে পারলে খুব ভাল হত।

আমারও কি ইচ্ছে করছে না, মা? কিন্তু এমন একটা প্রোজেক্ট চলছে... টাইমের মধ্যে শেষ করতেই হবে।

খুব খাটুনি যায় তোমার। তাই না?

না খাটলে কোম্পানি রাখবে কেন।

তা খাওয়া দাওয়া করো তো ঠিকমতো?

ওই আর কী। পেট ভরানো নিয়ে ব্যাপার....

বুঝতে পারছি। তোমার খুব অসুবিধে হয়।

উত্তরে রাজা কী বলল, শোনা হল না পারমিতার। মোবাইল ঝংকার দিয়েছে, ছোটঘরে গিয়ে ধরতে হল ফোনটা। শর্বরীদি। কুশল প্রশ্ন করছে। কণাদ আজ এসেছিল শুনে খুশি হল। তারপর বলছে এ কথা, সে কথা। কোন এক দিদির নাকি ক্যান্সার ধরা পড়েছে, তাই নিয়ে খুব চিন্তা হচ্ছে....! সন্তানসম্ভবা মেয়ের শরীরস্বাস্থ্য নাকি সুবিধের নয়, তাকে এবার কাছে এনে রাখতে হবে...! শুনতে শুনতেই পারমিতা দেখতে পাচ্ছিল, রাজা গিয়ে বসল ডাইনিং টেবিলে। বাবার ব্ল্যাকবেরি নিয়ে গেমস্ খেলছিল তাতার, তাকে ধরে আনল মা, দু'জনকেই খেতে দিচ্ছে। নাতিকে খাওয়াতে খাওয়াতে গল্প জুড়ল জামাইয়ের সঙ্গে....

মা'র মুখখানাই নজরে আসছিল পারমিতার। ভুরু কুঁচকে শুনছে, পরক্ষণেই উৎসাহ নিয়ে বলছে কিছু, আঁচল দিয়ে তাতারের মুখ মুছিয়ে দিল, ঘাড় নাড়ছে মাঝে মাঝে। ঘোর বাস্তব দৃশ্য, তবু এই মুহূর্তে কেমন অলীক মনে হয়। অলীক? না কৃত্রিম? হ্যাঁ, পারমিতার মনশ্চক্ষু তো তাই বলছে।

মোবাইল পাশে রেখে পারমিতা বসেছিল বিছানায়। রাজা ঢুকল ঘরে। রুমালে মুখ মুছতে মুছতে বলল,— কী হল? এভাবে বসে কেন?

পারমিতা মৃদু গলায় বলল,— এমনিই।

উঁহু। রাজা পাশে বসেছে। পারমিতার কাঁধে হাত রেখে বলল,— আমাকে ফাঁকি দিতে পারবে না। কিছু একটা চলছে মনের মধ্যে।

ভাল লাগছে না।

এখনও মন খারাপ? ...আরে বাবা, রিয়েলিটিটাকে তো মানতেই হবে। জন্মানো মানেই এক পা, এক পা করে মৃত্যুর দিকে হেঁটে চলা। নয় কি? রাজা অল্প ঠোঁট ছড়াল,— তুমিই তো বলো, লাইফ একটা রাসায়নিক

বিক্রিয়া। এক জায়গা থেকে শুরু হয়, একটা পয়েন্টে গিয়ে তার সমাপ্তি ঘটে।

সে তো জানি। আমি অন্য কথা চিন্তা করছিলাম।

কী?

মা।

কী হল মা'র? উনি তো বেশ নরমাল আছেন! আমি তো ভাবতে পারিনি, এত তাড়াতাড়ি এমন একটা শক্‌ উনি সামলে নেবেন!

সত্যি কি সামলেছে? মা'র হাবভাব তোমার আনন্যাচারাল ঠেকছে না? এই যে, এত বেশি বেশি কথা বলছে, বাবার প্রসঙ্গ উঠলেও নির্বিকার থাকছে.... এটাই তো অস্বাভাবিক। সামথিং স্ট্রেঞ্জ! সামথিং ইজ ভেরি মাচ স্ট্রেঞ্জ!

কয়েক পল স্থির চোখে পারমিতার দিকে তাকিয়ে রইল রাজা। তারপর প্রায় ফিসফিস করে বলল,— জানতাম, তুমি এরকম কিছু একটা বলবে।

কী বললাম আমি?

বুঝতে পারছ না? রাজার স্বরে যেন ব্যঙ্গ,— আমি দেখতে চাইছিলাম, পরবর্তী বাহানাটা এবার কীভাবে শুরু হয়।

কীসের বাহানা?

জোরে জোরে মাথা নাড়ল রাজা। একটা শ্বাস ফেলে বলল,— থাক না পারমিতা। এই মুহূর্তে কথাটা আমাকে দিয়ে না হয় নাই বলালে!

পারমিতা পড়তে পারছিল রাজাকে। কিংবা পারছিল না।

বারো

ক্লাসের ফাঁকে পারমিতা একমনে প্রুফ দেখছিল। সামনের বৃহস্পতিবার সেমিনারের দিন ধার্য হয়েছে, তখনই প্রকাশিত হবে বিভাগীয় পত্রিকা। ছাত্রছাত্রীরা এন্তার লেখা জমা করেছিল, অনেক ছাইভস্ম কাটছাঁট করে, সাজিয়ে গুছিয়ে, গত সপ্তাহে পাঠিয়েছিল প্রেসে। প্রুফটা দিল আজ। হাতে সময় নেই, সংশোধনের কাজ যথাশীঘ্র সারতে হবে। ছাপাখানাটা অপদার্থ, ডিটিপি-তে কমপোজ করেও কী করে যে এত ভুল থাকে! নাহ্, আর এক দফা বোধহয় দেখা দরকার। বেশি ভুলভাল থাকা মানেই তো অন্য ডিপার্টমেন্টের হাসির খোরাক বনে যাওয়া। তা ছাড়া কলেজের পত্রিকা তো যতটা সম্ভব নিখুঁত হওয়াই বাঞ্ছনীয়।

ব্যাগে টুং বাজল। সংক্ষিপ্ত বার্তা। সকাল থেকেই পাচ্ছে টুকটাক। আজকের বিশেষ দিনটা অনেকেই স্মরণে রেখেছে। ইদানীং যাদের সঙ্গে কালেভদ্রে যোগাযোগ হয় তাদেরও কেউ কেউ। এমনকী বর্তমানে কানপুরবাসিনী সৃজা পর্যন্ত....

সদ্যপ্রেরিত সমাচারটি দেখে পারমিতা হেসে ফেলল। ওফ্, সোনালি পারেও বটে। কী বিদ্ঘুটে একখানা পিকচার টেম্প্লেট পাঠিয়েছে। দু'পিস ন্যাড়া-নেড়ি পিঠে পিঠ ঠেকিয়ে হাপুস নয়নে কাঁদছে! সঙ্গে রোমান হরফে বাংলা। বিরহতাপিত বিবাহবার্ষিকীর জয় হোক। অনেক অনেক শুভেচ্ছা। দু'জনকেই।

মহা ফাজিল মেয়ে তো! দেখা হলে একটা গাঁট্টা লাগাতে হবে। পারমিতা মোবাইল ব্যাগে পুরতে গিয়েও থামল। আবার ঢুকেছে বারতাভূমিতে।

রাজার এস-এম-এসখানা আবার খুলল পারমিতা। সকাল সাতটা কুড়িতে পাঠানো। দুটো মাত্র ইংরিজি শব্দ। মিসিং ইউ। ভোরবেলা ফুলও

এসেছে এক ফ্লোরিস্টের দোকান থেকে। রাজারই বৈদ্যুতিন নির্দেশে। একরাশ রঙিন জারবেরা। সঙ্গে কার্ডে ওই দুটিই শব্দ—মিসিং ইউ।

শব্দ দু'খানা ধক ধক বাজছে বুকে। সেই সকাল থেকেই। কী তীব্র আহ্বান! প্রতিবারই পাঠের পর মনটা উদাস হয়ে যায়। বুঝি বা বিষণ্ণও। পালটা এস-এম-এস একটা পাঠানো হয়ে ওঠেনি পারমিতার। যত বার লিখতে যায়, আঙুল সরে না যে। মনে হয় ভাষাটা কেমন কেতাবি হয়ে যাচ্ছে। কিংবা বড় বেশি ছেলেমানুষি আবেগে মাখামাখি....। ঠিক কী লিখলে যে হৃদয়টা তার মেলে ধরা যাবে?

মাথা অল্প ঝাঁকিয়ে পারমিতা ফের কাজে ফিরল। পাঁচটা লাইনও বোধহয় এগোয়নি, সামনে সেকেন্ড ইয়ারের অরিজিৎ।

পারমিতা ভুরুতে পলকা ভাঁজ ফেলল,— আবার কী হল তোমার? নতুন কোনও প্রবলেম?

না, না। মোটা লেন্স চশমা অরিজিৎ ঘটঘট ঘাড় নাড়ল। ঈষৎ কুণ্ঠিতভাবে জিজ্ঞেস করল,— আমার আর্টিকেল্‌টা দেখা হয়ে গেল ম্যাডাম?

কেন?

বুকপকেট থেকে একটা কাগজ বের করেছে অরিজিৎ,— লেখাটায় একটা প্যারা যোগ করতে চাই।

এখন? অসম্ভব।

কিন্তু আর্টিকেল্‌টা যে অসম্পূর্ণ থেকে যাবে ম্যাডাম। চিকিৎসায় রেডিয়ো অ্যাক্টিভিটির ব্যবহারটা পুরো বলা হয়নি। কাল ইন্টারনেটে দেখছিলাম....

এ তো মহা জ্বালা হল। আজ রাত্তিরে আবার নতুন কিছু দেখবে, কাল এসে ঢোকাতে চাইবে... এরকম করলে তোমাদের ম্যাগাজিনটা বেরোবে কী করে?

তবু ম্যাডাম.... জেনেশুনে একটা হাফ-ডান লেখা...

এক কাজ করো। পুরো লেখাটাই নিয়ে যাও। মনোমতো ফিনিশ হলে জমা কোরো, পরের ইস্যুতে ছাপব।

আচ্ছা... তা হলে থাক...

বলেও শুকনো মুখে দাঁড়িয়ে অরিজিৎ। এখন করুণ চোখে ঘুরঘুর

করবে অনবরত। পারমিতা ঠোঁট টিপে বলল,— ঠিক আছে, দাও। আর কিন্তু আমায় ডিসটার্ব করবে না।

কাগজখানা পারমিতাকে ধরাতে পেরে বত্রিশ পাটি দাঁত বেরিয়ে গেছে ছেলেটার। ওই আনন্দটুকু দেখতে কী ভাল যে লাগে! খেটেখুটে যখন তৈরি করেছে লেখা, একেবারে নিরুৎসাহ করলে কি চলে!

ঘণ্টা পড়ল থার্ড পিরিয়ডের। দুই অতিথি অধ্যাপক ফিরল ক্লাস সেরে। বিদিশার হাত থেকে অ্যাটেন্ডেন্স রেজিস্টার নিয়ে দৌড়োল পারমিতা। থিয়োরি ক্লাস সমাপ্ত হতেই বায়ো-সায়েন্সের প্র্যাকটিক্যাল শুরু। চালাতে চালাতে ফের দেখছে প্রুফটা। শেষ হতে হাঁপ ছেড়ে বাঁচল। ডেকে বুঝিয়ে দিল সজলকে। প্রেসে পৌঁছে দিতে বলল কাগজগুলো।

সাড়ে চারটে নাগাদ চেয়ার ছাড়ল পারমিতা। স্টাফরুমে গিয়ে সই টই করল, এর-ওর সঙ্গে হাই-হ্যালো, দেঁতো হাসি, তারপর বেরিয়ে পড়েছে। রিকশায় চেপে ফের মনে পড়েছে রাজাকে। এবং সেই দুটি শব্দ—মিসিং ইউ!

একটা স্যাঁতসেঁতে বাতাস বইছে বুকের গভীরে। হঠাৎ পারমিতা বার করল মোবাইল। যন্ত্রের মতো টিপছে কি-প্যাড। ইস, ওই দুটো শব্দই তো যথেষ্ট! মিসিং ইউ!

এস-এম-এসটা পাঠিয়ে মনের ভার যেন লাঘব হয়েছে খানিকটা। চোখ মেলে দেখছে পথের দু'ধার। প্রকাণ্ড প্রকাণ্ড গাছ, বাড়িঘর, দোকানপাট, পথবাতি...। বহু দূরের সেই শহরটাও যেন ভেসে উঠছে হঠাৎ হঠাৎ। আনমনা হয়ে যাচ্ছিল পারমিতা।

প্ল্যাটফর্মে পা রাখার আগেই চমক। বিশেষ রিং-টোনটি বেজে উঠেছে।

ওভারব্রিজ ধরে এগোচ্ছিল পারমিতা, পলকে স্থাণু! ঝটিতি ফোন কানে চাপল।

ওপারে রাজার গমগমে গলা,— যাক, এতক্ষণে তাও সাড়া মিলল! ভাবছিলাম হয়তো আজকের দিনটাকেও তুমি....

অ্যাই পাজি, সকালে আমার ফুল পাওনি? বেছে বেছে অত সুন্দর একটা তোড়া পাঠালাম....?

দিয়ে গেছে। অবশ্য সাত দিন আগেও অর্ডার প্লেস করলে তো রুটিন মাফিক পৌঁছোত।

না গো মশাই, আমি কালই দিয়েছি অর্ডার। ...আজ সকালে তোমার জারবেরাগুলো দেখে যা মন কেমন করছিল!

তাই আট-ন' ঘণ্টা পর একটা জবাব দিলে? তাও কিনা আমারই ভাষায়?

আর অন্য কথা মনে এল না যে।

সত্যি তুমি আমায় মিস করছ?

খুউব।

তা হলে কষ্ট করে পড়ে আছ কেন? চলে এলেই তো পারো।

যাচ্ছি তো। কেটেছি তো চব্বিশ তারিখের টিকিট। এবার ক্রিসমাসটা আমরা তিনজন কিন্তু চুটিয়ে এনজয় করব।

আমার সৌভাগ্য। ওটুকুও যদি জোটে....। রাজা কয়েক সেকেন্ড চুপ। তারপর বলল,— এত হট্টগোল কীসের? তুমি এখন কোথায়?

ব্যারাকপুর স্টেশনে। একে মানুষের কলকল, তার ওপর পায়রাগুলো যা ক্যাচরম্যাচর জুড়েছে...

হুঁ। বহুৎ ডিসটার্বেন্স। ছাড়ছি। ...আই লাভ ইউ, পারো।

শেষ কথাটা যেন ভারী যান্ত্রিক শোনাল। ফোন অফ করে পারমিতা নামল সিঁড়ি বেয়ে। এখনও ট্রেন দেয়নি, বসেছে সিমেন্টের ধাপিতে। হঠাৎই পোড়া মনে এক প্রশ্নের উদয়। রাজা লিখেছিল, মিসিং ইউ। পারমিতাও। পড়ে পারমিতার মনে হয়েছিল, রাজা তাকে ডাকছে। কিন্তু একই শব্দ পাঠ করে রাজা কেন বুঝল না, পারমিতাও তাকে চাইছে কাছে? এবং 'মিসিং ইউ'য়ের সমাধান যেন পারমিতারই যাওয়া, রাজার চলে আসা নয়? পরস্পরের প্রতি একই আহ্বান কেন যে ভিন্ন অর্থ তৈরি করল? নাকি এ দৃষ্টিভঙ্গির তফাত? যা গড়ে ওঠে নিজের অজান্তে?

তুৎ, পারমিতা এসব ভাবছেই বা কেন? সহজ একটা ব্যাপারকে অকারণ পেঁচানো। রাজা যে সেই হঠাৎ একদিন এল... বলেনি তখন, পারমিতাকে মিস করছে বলেই তার চকিত আগমন?

ভাবনাটায় এক ধরনের আরাম আছে। কিছুটা বা আত্মতুষ্টিও। হালকা মনেই ট্রেনে উঠল পারমিতা। ফেরার পথে নেমেছে যাদবপুরে। অভ্যেস মতো। মনে পড়ল, গত বছর এই দিনে সে আর রাজা একসঙ্গে গিয়েছিল যাদবপুর। বাবার জন্য মিষ্টি নিয়ে। আজ মা'র জন্য কিছু নিয়ে যাবে কি?

বিরিয়ানি টিরিয়ানি? থাক। এই সবে বাবা চলে গেল, এখন গিয়ে মাকে নিজেদের বিবাহবার্ষিকী জাহির করা বোধহয় মানায় না।

শীত পড়ছে। এখনও তেমন কামড় নেই, তবে সূর্য ডুবলে গা বেশ শিরশির করে। রাস্তায় অনেকেই সোয়েটার পরছে। রাতে আর পাখা চালানো যাচ্ছে না, ভোরের দিকে পাতলা একটা কম্বল তো টানতেই হয়।

পারমিতাও গুজরাতি চাদরখানা চড়িয়েছিল গায়ে। বেশ গরম হয় চাদরটায়, ফ্ল্যাটে ঢুকে খুলে রাখল। সোফায় বসতে বসতে নজরে এল, মা'র পরনে বাইরের শাড়ি। জিজ্ঞেস করল,— কোথাও বেরিয়েছিলে নাকি?

ওই যে...শীলাদের ওখানে গিয়েছিলাম। দুপুর-বিকেলটা কাটিয়ে এলাম।

শীলা সমাদ্দার সুমিতার পুরনো বান্ধবী। অনেক দিন ধরেই পথশিশুদের নিয়ে একটা এন জি ও চালায়। আজকাল মাঝে মাঝেই শীলাদের অফিসে যাচ্ছে সুমিতা।

পারমিতা মৃদু হেসে বলল,— তুমি কি শীলামাসিদের টিমে জয়েন করে গেলে?

হ্যাঁ। কিছু তো একটা করি।

ভাল লাগছে তোমার?

মন্দ কী। দু'-দুটো বছর তো একটা রুগ্‌ণ মানুষকে নিয়ে থাকলাম...। তখন অবিরাম বুক ধুকপুক করত। সারাক্ষণ মনে হত, এই বুঝি মানুষটা মরে গেল, এই বুঝি চলে গেল...। আজ যখন সে নেই, এবার না হয় একটু অন্যরকম ভাবে বাঁচি। একটা-দুটো বাচ্চাকেও যদি সুস্থ জীবনের দিশা দেখাতে পারি...

একদম সঠিক ভাবনা। পারমিতা বুড়ো আঙুল তুলে মাকে তারিফ করল,— এরকম একটা ইনভল্‌ভমেন্ট তোমার বড্ড জরুরি ছিল। একা একা বাড়িতে ভূতের মতো বসে থাকা মোটেই কাজের কথা নয়।

জানি রে। আমার কী উচিত, আমি যথেষ্ট বুঝি। ...চা খাবি তো?

করো।

সুমিতা গেছে রান্নাঘরে। সেখান থেকেই বলল,— তোদের তো আজ বিয়ের দিন....! রাজা শুনলাম প্রচুর ফুল পাঠিয়েছে?

খবর পৌঁছে গেছে! শাশুড়ির যেন পেট ফোলে!

পারমিতা গলা ওঠাল,— আমিও তো পাঠিয়েছি মা।

তোদের সম্পর্ক বুঝি এখন শুধু ফুল পাঠানোতে?

মন্তব্যটা সম্যক অনুধাবন করতে পারল না পারমিতা। উঠে বাথরুম ঘুরে এল। সুমিতা চায়ের সঙ্গে মুড়ি-চানাচুর মেখে এনেছে, খেতে খেতে জিজ্ঞেস করল,— ওভাবে বললে কেন?

এমনিই। মনে হল। সুমিতাও এক মুঠো মুড়ি তুলেছে। হাতে রেখে বলল,— তোকে একটা প্রশ্ন করব মিতু? সত্যি জবাব দিবি?

কী?

তোর আর রাজর্ষির মধ্যে কি কোনও অশান্তি চলছে?

না তো! হঠাৎ এমন উদ্ভট ধারণা?

তা হলে তুই রাজর্ষির কাছে যাচ্ছিস না কেন?

ওমা, বড়দিনেই তো যাচ্ছি। তারপর ও সময় পেলে আসবে... আবার আমি যাব... আবার...

ওরকম দু'-পাঁচ দিনের বুড়ি ছোঁয়াছুঁয়ির খেলা নয়। আমি তোর পাকাপাকি যাওয়ার কথা বলছি।

পারমিতার কেমন সন্দেহ হল। দৃষ্টি সরু করে বলল,— শাশুড়ি বুঝি তোমায় কিছু বলেছেন?

তাকে টানছিস কেন? ধর, আমিই বলছি।...তোর বাবা যদ্দিন ছিল, সেবাযত্নের জন্য তুই রইলি, সেটা তাও মানায়। কিন্তু এখন তো আর সেই পিছুটানও নেই।

মাকে যে এক এক সময়ে কী পাগলামিতে ধরে! পারমিতা ফিক করে হাসল। মজা করে বলল,— বা রে, এখন তো তুমি আছ...। মা কি আমার ফেলনা?

সুমিতা দুম করে গোমড়া হয়ে গেল। নিঃশব্দে চুমুক দিচ্ছে চায়ে। প্রৌঢ় মুখমণ্ডলে তরঙ্গ খেলছে, কপালে পুরু হচ্ছে ভাঁজ।

হঠাৎ বলল,— আমার কিন্তু একটুও ভাল লাগছে না মিতু।

কী?

তুই যা করছিস।

আমি কী করলাম?

না বোঝার ভান করিস না। সুমিতার মুখ থমথমে,— কেন তুই আমায় যন্ত্রণা দিচ্ছিস? পাঁচজনে পাঁচকথা বলছে...। তোর জেঠিমাই তো পরশু ফোনে শুনিয়ে দিল, মিতু নয় বাবা-মা অন্ত প্রাণ, কিন্তু তুমি কোন আক্কেলে ওকে আঁকড়ে ধরে আছ? তোমার মেয়ের তো নিজের ঘরসংসার আছে, এবার ওকে ওর বরের কাছে যেতে দাও।

জেঠিমা.... এ কথা বলল?

সবাই বলছে। বলবে নাই বা কেন? এই যে তোর রোজ হাঁচোরপাচোর করে এখানে আসা... এ তো আমারই জন্যে! কত বার তো তোকে বলছি, আমি বেশ আছি, আমি খাসা আছি... আমার পেছনে তোকে আর লেগে থাকতে হবে না...। শুনছিস কথা? মাঝখান থেকে তোর শ্বশুর-শাশুড়ি অসন্তুষ্ট হচ্ছে...

ও। তারাই তোমায়...

ভুল তো কিছু বলে না। তাদেরও তো খারাপ লাগে। তুই এখানে দিব্যি আছিস, ওদিকে তাদের ছেলেটার হতচ্ছাড়া দশা... দেখাশোনা করার কেউ নেই...! রাজর্ষি অত্যন্ত ভাল ছেলে, তাই মুখ বুজে আছে। তাকে পাত্তা না দিয়ে তুই তাতারের স্কুলে ভরতির ফর্ম নিয়ে এলি... এতে রাজর্ষির অপমান হল না? ছেলের পড়াশোনা, ফিউচারের ব্যাপারে বাবার কোনও মত নেই? সব কিছু অগ্রাহ্য করে তুই কিনা এখানে ম্যা ম্যা করতে আসিস?

পারমিতা হতবাক। কান ঝাঁ ঝাঁ করছে। তিতকুটে স্বরে বলল,— তোমার জন্য আমি বাঙ্গালোর যাচ্ছি না?

তাই তো দাঁড়ায়। লোকে তো তাই ভাবছে।

আশ্চর্য, আমার কি এখানে চাকরি বাকরি নেই? কলেজে পড়াচ্ছি, সেটা কিছু নয়?

এমন কোনও হাতিঘোড়া ব্যাপারও তো নয়। সংসারের প্রয়োজনে মেয়েরা চাকরি করে, আবার সংসার চাইলে চাকরি ছেড়েও দেয়। সুমিতা একটু দম নিল,— ইচ্ছে হলে সেখানে গিয়ে কিছু করবি। রাজর্ষি কখনই তোকে বাধা দেবে না।

এ যেন মা নয়, অবিকল শাশুড়ির কণ্ঠস্বর! পারমিতা ক্ষণকাল স্তব্ধ থেকে বলল,— কিন্তু তার পর?

কী তার পর?

ধরো ওখানে গিয়ে নতুন করে কিছু শুরু করলাম... রাজর্ষি আর একটা অফার পেয়ে অন্য কোথাও চলে গেল...! দিল্লি... মুম্বই... কিংবা ধরো বিদেশ...।

যাবি তুই সঙ্গে। সেটাই তো নিয়ম।

আজব তো! পারমিতা যেন মাকে নয়, নিজেকেই শোনাল,— আমার বুঝি জীবনে নিজের মতো করে কিছু হতে ইচ্ছে হয় না?

নিজের সাধআহ্লাদ মেটাতে সংসারটা ভাসিয়ে দিবি? কেমন বউ তুই? কেমন মা?

একটা নিজস্ব জগৎ খোঁজার আকাঙ্ক্ষা কি তা হলে নিছকই সাধআহ্লাদ? শুধু বউ আর মা হয়ে টিকে থাকাতেই মেয়েদের অস্তিত্ব? পারমিতা নিজে কিচ্ছু নয়? হায় রে!

পারমিতা ফিরছিল। শিথিল পায়ে। চাদরটা গায়ে জড়িয়েও শীত শীত করছে। হাড় অবধি কনকন কনকন। কী যে সে করে এখন?

হাঁটতে হাঁটতে, কে জানে কেন, হঠাৎ সরস্বতীকে মনে পড়ল। নিজের পায়ে দাঁড়িয়েও যাকে কিনা প্রতি পদে বরের মর্জিমাফিক চলতে হয়। পারমিতা কি সরস্বতীর দলে পড়ে গেল? সম্পর্কটা তো সে ছিঁড়েও ফেলতে পারে।

সে তো সরস্বতীও পারে। আবার পারেও না।

পারমিতারাও কি পারবে? পারে? বোধহয় না। ভালবাসারও তো একটা সাজা আছে। সেটা পেতে হবে বই কী।

আমাদের প্রকাশিত এই লেখকের
অন্যান্য গ্রন্থ

অন্য বসন্ত
অসম্পূর্ণা
আঁধারবেলা
আয়নামহল
আলোছায়া
উড়ো মেঘ, অলীক সুখ
উপন্যাস সমগ্র ১
একা
কাচের দেওয়াল
কাছের মানুষ
গভীর অসুখ
গহিন হৃদয়
চার দেওয়াল
ছেঁড়া তার
জলছবি
দমকা হাওয়া
দশটি উপন্যাস
দহন
নীলঘূর্ণি
পরবাস
পালাবার পথ নেই
বিষাদ পেরিয়ে
ভাঙনকাল
ময়না তদন্ত (গল্প)
রঙিন পৃথিবী
রূপকথা নয়
হেমন্তের পাখি